DUNM

Dochter van één nacht

# Helen Dunmore

# Dochter van één nacht

Uit het Engels vertaald door Regina Willemse

UITGEVERIJ DE GEUS

De vertaalster ontving voor deze vertaling een werkbeurs van de Stichting
Fonds voor de Letteren

Oorspronkelijke titel *With Your Crooked Heart*, verschenen bij Viking
Oorspronkelijke tekst © Helen Dunmore, 1999
Nederlandse vertaling © Regina Willemse en Uitgeverij De Geus bv,
Breda 2002
Voor het citaat uit 'Die avond dat ik de stad inliep' van W.H. Auden is met
dank gebruikgemaakt van de vertaling van Marko Fondse die is opgenomen
in de gelijknamige bundel (Vianen, Kwadraat 1983)
Omslagontwerp Uitgeverij De Geus bv
Omslagillustratie © Jan Nordén
Lithografie TwinType, Breda
Druk Koninklijke Wöhrmann bv, Zutphen

ISBN 90 445 0036 8
NUGI 301

Verspreiding in België via Libridis nv, Industriepark-Noord 5a,
9100 Sint-Niklaas

Bemint uw kromme naaste
Al met uw kromme hart.

– W.H. AUDEN, 'Toen ik op een avond de stad inliep'

# I

Een maand lang heeft iedere dag de zon geschenen en iedere ochtend heb je dezelfde dingen mee de tuin in genomen.

Een verbleekte katoenen sprei. Een kussen voor je nek. Een hoge kan water en een glas.

Maar vandaag laat je de sprei binnen liggen en loop je naakt door de openslaande deuren naar buiten met je kussen onder je ene arm en de waterkan en het glas in de andere hand. Je knielt op de gele stenen, zet de kan en het glas zo neer dat je erbij kunt en legt het kussen zo dat je je nek erop kunt laten rusten.

Je gaat op de warme stenen liggen en kronkelt net zolang tot je lekker ligt. Dan ontspan je je en tilt het terras je op alsof je naar zee wegdrijft. De zon staat er al sinds zeven uur op te branden, zodat iedere steenkorrel door en door warm is. De zon brandt nu op de glinsterende heuvel van je buik, op je gespreide dijen, je armen, je vingers, je gezicht. Er is geen enkel deel van je dat zich verzet, geen enkel deel dat niet glinstert. De vochtige lippen van je vagina zitten gevangen in een glanzende bos warrig haar.

In je buik geeft de baby zo'n harde trap dat ze je blaas raakt. Je kijkt door je wimpers omlaag, de slag van een babybeentje golft onderhuids over je heen. Je kijkt omhoog, waar een vliegtuig op weg naar Heathrow de lucht open ritst. Heel even vraag je je af waar de mensen die er inzitten heen gaan, waar ze vandaan komen, wat ze voelen, wat ze willen. Je denkt aan hen met hun handen op de armleuningen, nerveus vanwege de landing. Maar je bent niet echt nieuwsgierig, alleen maar blij dat je hier veilig op de grond bent.

De dagen glijden voorbij, slechts onderbroken doordat je moet opstaan om een nieuwe kan water te halen, een bord met broodjes te maken of omdat je probeert de kruiswoordpuzzel op te lossen totdat de zwart-witte hokjes gaan schuimen en je terugvalt in het kussen. Je bent trouwens niet goed in puzzels, nooit geweest. Niet goed in kruiswoordpuzzels, niet goed in raadsels of spelletjes of het onthouden van moppen, al denk je op het moment dat je erom lacht altijd dat je ze zult onthouden.

Daar lig je. Geen wolkje aan je lucht, nu niet noch de rest van de dag. Boven de hoge muren schittert een klein blauw vierkant. Je hebt de kranten niet nodig om je te vertellen hoe warm het is geweest, al vind je de koppen en de foto's van meisjes tijdens hun middagpauze, languit op het gras in hun beha en onderbroek, best leuk. Het is een andere wereld, een wereld waar je nooit meer naar terug wilt.

De vogels zingen niet echt midden op de dag. Ze slapen in de jungle van vlinderstruik en bamboe tot de hitte wat is afgenomen en soms hoor je een triller in hun keel opborrelen als een bel die nooit barst. Je draait je hoofd in de kromming van je arm, waardoor je wereld nog kleiner wordt. Je ruikt je vel en ziet hoe je vlees kleurt tot het net zo bruin is als het verschroeide gras, dat je niet goed verzorgt. In de plataan bij de muur zit een houtduif. Rrroekoe, doet hij, rrroekoe. Zijn hitsige, slaperige gehakkel vind je mooier dan al het andere in de tuin. Daarom wil je niet dat Paul de plataan snoeit, ook al zegt hij dat het alleen maar een uit zijn krachten gegroeid onkruid is, dat je moet omhakken. Dan kon je er iets neerzetten waar je wat aan had. Een witte sering of een hemelboom.

Er hangt een geur van kattenpis en vlinderstruik. Een van honing doortrokken geur die vlinders aantrekt. De tuin bubbelt van de hitte en de wespen, van kattenpis en koolwitjes. In het fonteintje borrelt water op, dat vervolgens omhoog spuit.

8

Een dezer dagen ga je alles flink terugsnoeien, anders doet Paul het. Maar je voelt je thuis in dit soort met welig tierend onkruid overwoekerde Londense tuinen. Het doet je denken aan de tijd toen je klein was, toen je vier of vijf was en door wilgenroosjes en doorgerotte hekken achter de grotere kinderen aanhobbelde. Je houdt van vlinder- en braamstruiken, van jampotvallen voor wespen, van vliegende mieren en de Russische wingerd, die als een golf over de achtermuur klimt en hem overspoelt. Er staat kamperfoelie in je tuin en een bos bamboe. Je trekt de nieuwe bamboescheuten uit de stengels en sabbelt aan de koele vochtige puntjes.

Je kunt naakt in je tuin liggen en niemand kan je zien. Dat kun je doen als je geld hebt. Je hebt privacy in hartje Londen. Je kunt languit op de stenen gaan liggen. Je bent zwanger en daar heeft niemand verder wat mee te maken. Daar is de fontein, die droogstond toen je hier kwam, maar je hebt de doornstruiken weggehakt en een pomp gekocht en nu stroomt het water weer. Je zou de hele dag wel naar het opborrelende water kunnen luisteren, eerst een zacht klokkend geluid, dan de druppels die in de schaal vallen.

Het is begin augustus. Je benen zijn staken, terwijl je borsten zwaar zijn met groene en blauwe aderen. Je tepels zijn groot en bruin, klaar om melk te geven. Je voelt het kind in je schoppen en je voelt de zon.

Paul heeft karpers in de vijver onder de fontein gedaan. Het water is diep en de karpers zijn witgevlekt. Ze zwemmen in het troebele water en het slik en komen aan de oppervlakte snuffelen als ze willen eten. Vervolgens dwingt iets ze weer naar beneden. Je bent ervan overtuigd dat ze blind zijn en dat ze wit zijn omdat ze al oud waren toen Paul ze kocht. Maar geen van jullie beiden heeft verstand van vissen. Je zou ze willen aanraken, maar je bent bang dat je ze dan pijn doet. De witte plekken zien eruit als fluweel, maar het kan net zo goed een schimmel zijn.

Je wilt helemaal niets. Je wilt niet eens dat de baby wordt geboren. De tijd loopt niet meer, hij druppelt als stroop. Je hebt een tuin met hoge muren en een afgesloten deur in hartje Londen. Je hoeft je niet in het verkeer te begeven als je niet wilt. Als je boodschappen nodig hebt, kun je bellen en ze laten bezorgen. Je bent hier gelukkig.

Je komt overeind en schenkt water in je glas. Het is helder en warm en je drinkt het grote glas dorstig leeg, je klokt het water naar binnen. Je wilt meer.

Je wilt aangeraakt worden. In jouw toestand loopt Paul op zijn tenen om je heen. Hoe kun je weten dat het uit consideratie met jou is? Walgt hij van je aanblik? Het is waar, je lijkt jezelf niet meer. Je barst van de aderen op buik en borsten. Je lijkt in niets op de mooie foto's in zwangerschapsboeken. Je lijkt op een van die zaadpeulen die openbarsten als je ze aanraakt. Niemand is zo gek om in je buurt te komen.

De kat kent je. Het is een rood scharminkel met zwarte poten, zo mager als een lat, behalve als ze bulkt van de jonkies. Ze sluipt nu weg van de plek waar ze haar laatste nest heeft geworpen, aan de voet van de bamboe. Van hier af kun je het nest in de hoop dorre bladeren niet zien, maar je bent haar een keer gevolgd om te zien waar ze haar jonkies had verstopt. Ze schiet door de tuin, waarbij ze zich open en bloot aan je vertoont, omdat je er altijd bent en ze weet wat ze aan je heeft. Je geeft haar nooit te eten en probeert haar nooit aan te raken.

Het is de vijver die haar belangstelling heeft, de karpers. Ze heeft er al eens een te pakken gehad. Je zag haar gespannen wachten en wachten, terwijl alleen het puntje van haar staart bewoog. Af en toe liet ze haar poot boven het water hangen, als een hypnotiseur die een gouden horloge heen en weer laat bungelen. Ze wachtte tot de vissen zo gewend waren aan haar schaduw boven hun diepe wereld dat ze lui naar boven zwommen en zich aan de oppervlakte lieten zien. Toen liet ze haar stalen klauw door het water schieten en ving er een. Het was een kleintje. Ze kon niet bij de monsters met hun rijpe witte vlees, maar dit fel oranje visje plukte ze eruit en beet ze de kop af. Haar kop sloot zich om de karper en rukte er het vlees af. Ze liet je haar snelle spastische manier van eten zien en toen ze klaar was, dook haar kop omlaag en likte ze met haar raspende tong haar poten af tot ze zowel vanbuiten als vanbinnen weer volmaakt was.

De zon is verblindend. Als je opstaat, wankel je even en wordt de tuin donker. Je druipt van het zweet. Je bukt en grijpt naar de kan water en als je het oor te pakken hebt, til je hem hoog op en giet het water over je warme zwetende lichaam. Het stroomt van je af alsof je de gladde steen onder een fontein bent. Je voelt ieder straaltje water als limonade in je mond prikken en je strelen. Je giet langzaam, zodat je niets overslaat. Je opperhuid zuigt het water dorstig in zich op en je denkt aan de baby in je buik, strak ingesnoerd, met gekruiste dijen en armen, zoals je haar voor het laatst op de scan zag. Niet meer vrij zwevend. Strak ingesnoerd, wachtend, zich opmakend voor de duik. Je hebt medelijden met haar omdat ze eruit moet en je haar nooit meer zo zult kunnen beschermen als nu. Jouw eten voedt haar, jouw hart slaat voor haar, jouw warmte wikkelt zich om haar heen. Jij bent genoeg.

De kat is er, ze heeft haar poot in het water en wacht. Je stelt je voor hoe het is om net als een van die karpers loom aan de oppervlakte te zwemmen, vlezig en rijp en stom. En dan die klauw, die als staal door je heen snijdt en je darmen en witte draderige ingewanden er zo snel uittrekt dat ze denken dat ze nog leven en ineenkrimpen in het daglicht. Je stelt je voor hoe het voelt als zo'n klauw je leeghaalt. Het zou zijn alsof iemand je hart eruit trekt en voor je gezicht houdt. Dat ding dat niemand ziet, het naakte hart, rood en ineenkrimpend, in de veronderstelling dat het nog leeft.

Je loopt naar de kat toe en ze trekt zich terug in de struiken. Je laat je op je hurken zakken en kruipt tussen de vlinderstruiken door. Hun puntige bladeren werpen zwarte schaduwen op je. Met iedere stap die je zet, wordt je huid bedrukt en aangeraakt. Het licht is troebel en vol insecten. Er blijft een spinnenweb aan je schouder plakken, dat je er met kleverige vingers aftrekt. Je waadt verder door bladeren en zurig kreupelhout. Daar is de kat, ze heeft haar rug gekromd en kijkt je aan. In het donker zijn haar ogen groot. Ze houdt iedere centimeter van je in de gaten.

Je zakt door je knieën. Een tak strijkt langs je nek en je gaat op je hurken zitten, je buik wijst naar de kat. Jullie zijn onzichtbaar, allebei. Zelfs het overvliegende vliegtuig, een witte draad aan de hemel, kan jullie niet zien. De bladeren komen trillend tot rust nu je stilzit. De kat houdt je in de gaten en jij houdt de kat in de gaten. Je weet dat haar nest dichtbij is, het tweede dit jaar, en dat haar jonkies al halfvolwassen zijn. Het zijn ongetwijfeld wilde katten, net als zij, die het van het toeval moeten hebben.

Je wilt ze niet aanraken of zien, maar de kat weet dat niet. Jij staart, zij staart. Je zit gehurkt en laat je handen over je strakke, gespannen dijen glijden. Over twee maanden moet je bevallen, maar niet hier. Ergens waar mensen zijn, die je in de gaten houden, die over je waken. Maar je hebt geen behoefte aan hen, je wilt al die gezichten niet om je heen. Zelfs niet dat van Paul. Nee. Je wilt niet dat hij erbij is als de baby wordt geboren.

De kat blaast, een waarschuwing om uit de buurt te blijven. Je hebt haar belet nog een vis te vangen en nu kom je te dicht bij haar nest. Je trekt je terug, de bladeren van de vlinderstruik slaan zachtjes tegen je huid en laten je dan gaan.

Je staat weer in de zon. Je bent nog nooit zo gelukkig geweest. De hele maand heeft de zon geschenen en gromde het verkeer achter de muren. Je ruikt de dampen door de bladeren heen. Je zit goed verscholen binnen de muren, terwijl buiten het asfalt smelt en kleverige plassen vormt.

De kat schiet weg door een pol verschroeid gras. Er is geen

wolk te bekennen. Je bent fout geweest, maar je hemel is meedogenloos helder. Je weet dat je ervoor moet boeten, maar je voelt die wetenschap slechts als een donker plekje in jezelf, een handje wolken.

Je hoort hoe aan de andere kant van het huis de sleutel in de deur wordt gestoken. Je strekt je stakerige benen, zoekt je evenwicht en laat je handpalmen over je gloeiende flanken glijden. Je kijkt naar de openslaande deuren, waar doorheen hij naar buiten zal komen.

Het is Johnnie. Je wist dat hij het was. Hij steekt de sleutel anders in het slot dan Paul. Niet je man, maar de broer van je man. Hij loopt uit het huis het zonlicht in. Het lijkt alsof je hem de duisternis van het huis van zich af ziet schudden, zodat die als een inktvlek aan zijn voeten valt. Dan staat hij voor je en zegt: 'En? Hoe gaat het?'

En jij zegt niets. Hij steekt zijn hand uit. Glimlachend doe je een stap achteruit.

'Hoe is het met Paul?'

'Prima.'

Hij kijkt naar de aderen, die als blauwe en groene rozen door je huid heen groeien, je bruine tepels, je buik. Hij walgt niet van je.

'Jezus, niet te geloven', zegt hij.

'Jíj zou het toch moeten geloven', zeg je.

'Ja.'

Hij loopt door en gaat aan de rand van de vijver zitten. Met gekromde hand schept hij wat water en laat het weer vallen. Je ziet een vis omhoog zwemmen naar zijn vingers. Onder water kietelt Johnnies vinger de zware fluwelige flank.

'Ik kan hem er zo uithalen', zegt hij. 'Hij wil gewoon gevangen worden.'

'Als hij eenmaal gevangen is niet meer', zeg je.

Hij werpt je een scherpe, heldere blik toe. Je wilt hem. Je wilt dat hij naar je toe komt, je met zijn natte handen opent en je neukt. Je voelt je benen trillen onder het gewicht van wat ze dragen. Maar je geeft niet toe, nee. Eén keer was goed, één keer was oké, één keer was genoeg.

# 2

Achter die zomerdag ligt een winternacht. Louise staart tussen de zonnestrepen in de tuin door en ziet die nacht.

Het is koud en ze loopt snel. *Ik liep snel de straat door. Ik had tegen Paul gezegd dat ik een taxi zou nemen, maar er was nergens een taxi te bekennen. Het was al bijna twee uur, later dan ik dacht. Het feestje was nog aan de gang toen ik wegging. Paul was nuchter, maar alle klanten stonden stijf van de drank. Tegenover me zat Johnnie kaarttrucs te doen die niemand snapte. De kaarten glansden als bladeren in Johnnies hand. Ik zei tegen Paul dat ik moe was.*

Ze hoort voetstappen achter zich, iemand die gelijk met haar op loopt. Er is niet genoeg licht om te zien wie het is, zelfs niet als ze zich zou omdraaien. Maar ze weigert zich om te draaien. Ze loopt snel verder in het gore oranje straatlicht, over de gore glinsterende stoep, bezaaid met hamburgerbakjes en kartonnen frisdrankbekers, waarop haar voeten een tikkend geluid maken. Hij houdt zijn pas in, zodat hij in haar voetafdrukken loopt. Zijn schoenen raken de afdrukken die zij met de hare op de natte stoep maakt. Zijn echo's worden opgeslokt door de hare.

Tussen de straatlantaarns in suist het duister omlaag en onttrekt haar aan het gezicht, dan is ze terug in het licht, met opgeheven hoofd en het haar glinsterend door het net van regendruppeltjes dat eroverheen ligt. De riem van haar regenjas is strak aangetrokken. Haar hakken zijn hoog en haar ronde kuiten glanzen. Ze blijft voor hem uit lopen, ze probeert niet te gaan rennen en probeert de zelfverzekerde houding te bewaren van een slanke vrouw in een strak dichtgetrokken regenjas en op hoge hakken. Maar nu gaat ze te hard. Haar hakken schieten over de natte stoep, haar bleke benen fladderen heen en weer als de benen van papieren poppetjes. Er zit iemand achter haar aan en dat weet ze.

De straten zijn leeg, winkelruiten voorzien van stalen luiken. Betonnen paaltjes, in het trottoir gezet tegen ramkraken, staan voortdurend in de weg. Snel nu. Niet achteromkijken. Laat hem niet merken dat je weet dat hij er is. Ze houdt zich kranig en loopt rechtop langs de rand van de stoep, uit de buurt van grijpende schaduwen. Ze weigert te gaan hollen. Ze weigert te proberen te rennen op deze hakken. Ze wil niet struikelen en languit aan zijn voeten liggen. En nu loopt hij zo volmaakt met haar in de pas dat ze heel even denkt dat hij weg is. Haar bloed schiet als een stroomstoot door haar aderen als ze denkt: hij is weg, hij is er niet meer. En dan begint hij achter haar heel zachtjes te fluiten.

De regen, de schimmige motregen geeft de sombere mist gestalte. Ze kan niet rennen op deze hakken. Ze gaat langzamer lopen, hij gaat langzamer lopen. Ze ziet de flits van een koplamp op de hoofdweg en ze haast zich naar de plek waar nog nachtbrakers uit cafés komen en waar taxi's rondrijden en mensen rondlopen. Mensen die haar kunnen zien, die merken dat ze er is of plotseling niet meer is. Die haar kunnen zien verdwijnen.

Maar het is twee uur 's nachts en er is niemand anders in deze zijstraat dan hij en zij. En hij doet wat zij doet, zijn ritme tikt mee met haar ritme, zij leidt, hij volgt.

Hij raakt haar schouder aan. Zijn hand grijpt de natte schouder van haar gebroken-witte regenjas. Ze draait zich om met ogen als zwarte vlekken en een gloeiend wit gezicht. Als een uitgeknipt poppetje, zo ziet hij haar.

'Ga je mijn kant op?' vraagt hij.

Haar lippen gaan vaneen, maar ze zegt niets. Ze beeft over haar hele lijf als ze hem opneemt. Het puntje van haar tong komt naar buiten en glijdt over haar onderlip. Hij kan horen hoe ze haar ademhaling onder controle probeert te houden. Haar adem zit in haar keel, ze hijgt.

'Ben je wel goed bij je hoofd?' vraagt ze. 'Idioot.'

'Je wist dat ik het was', zegt hij.

'Je had wie dan ook kunnen zijn.'

'Je wist dat ik het was. Dat wist je best.'

'Nou,' zegt Louise, 'zo is het wel mooi geweest. Het wordt tijd dat ik naar huis ga.'

'Ik weet een betere plek', zegt Johnnie.


Diep in het park, in de droge schaduw van een steeneik, knielt ze op de grond. Het ligt er bezaaid met vergeten bladeren. Weg van de straten is de nacht zo zwaar als fluweel en klauwt hij naar haar ogen, maar het is niet helemaal donker. Er zijn hier vast nog andere mensen. Die zijn er altijd. Ze kennen het gat in het hek, de stalen draden die ooit met een koevoet uiteen zijn gewrikt en nooit meer bij elkaar zijn gewrikt. Je praat hier zachtjes of helemaal niet, omdat je niet weet wie er eventueel meeluistert. En op de banken liggen de starre vormen van stomdronken mannen. Ze kunnen wel dood zijn, zo vaak luisteren ze mee. Fantastische doelwitten, een prooi voor ieder-een die wil weten hoe het voelt om een schoen met een stalen neus in contact te brengen met een slapend gezicht. Ze wonen hier.

Maar in de schaduw van de steeneik komt Louise overeind, haar huid tintelt.

'Wat doe je?' vraagt hij op scherpe toon, terwijl hij zijn hand naar haar uitsteekt.

'Wacht.'

Ze trekt haar kleren uit. Regenjas, zwarte zijden jurk. Ze buigt zich voorover, maakt haar beha los en bevrijdt haar borsten. Ze trekt haar slipje naar beneden, haar panty, en gooit ze op een hoop. Kan hij haar zien? Jazeker. Er is geen echte duisternis in steden.

'Jij ook', zegt ze.

'Wil je dat we gearresteerd worden?'

'Kom op nou.'

Johnnie aarzelt, hij staat bij wijze van spreken aan de rand van het koude water, terwijl zij er al een heel eind in is gelopen.

'Oké', zegt hij.

Hij trekt zijn kleren langzamer uit dan zij en vouwt ieder kledingstuk netjes op.

'Wat wil je?' vraagt hij.

'Niets.'

Dan doet hij iets heel geks. Hij pakt haar gezicht tussen zijn handen, houdt het stil en kijkt haar strak aan. Er is genoeg strooilicht van straatlantaarns om elkaars starende blik te kunnen zien.

'Waar slaat dit allemaal op?' vraagt ze.

'Zeg jij het maar.'

'We kunnen moeilijk hier op de grond gaan liggen. Er kunnen wel honden geweest zijn.'

Hij trekt haar naar zich toe. Als een dier op vier poten wankelen ze verder tot zij met haar rug tegen de boomstam staat. Haar voetzolen grijpen wortels en aarde. Plotseling horen ze een geluid, vlakbij. Er lacht iemand. En opnieuw, de trilling van een lach, te dichtbij, diep in iemands keel. Geen aardige lach. En het ijle gejank van een hond. Soms hebben ze feestjes hier in het park, de randfiguren. Ze hebben eens een zwerver in brand gestoken, een echte zwerver, een van die ouderwetse, die er al waren voordat Louise geboren werd.

Johnnie drukt zijn mond op de hare en fluistert: 'Ssst.' Maar hij hoeft haar niets te vertellen. Ze drukt haar lichaam tegen de stam alsof ze zo'n meisje uit een verhaal is, dat in een boom verandert als ze geen kant meer op kan. Ze voelt de ruwe schors tegen haar billen en schouderbladen. Ze probeert zichzelf in het niets te laten oplossen, haar hart bonst, ook al zit er niemand meer achter haar aan.

Een blikje klettert over de grond, maar niet meer zo dichtbij. Op veiliger afstand. Maar hoe zit het met de hond? Honden kunnen mensen ruiken. Voor een hond is dit park fel verlicht met de geur van haar naakte lichaam, zijn naakte lichaam. Een hond hoeft niet te kunnen zien. Die heeft een opengevouwen geurkaart voor zich liggen. Ze ziet de natte, onderzoekende snuit van de hond al naderbij komen en hen ontdekken op de plek waar ze zich goed verborgen waanden. Maar Johnnies handen tillen haar op en spreiden haar benen. Tussen de hardheid van de boom en de ruwe snelle wip verdwijnt ze, vertrekt ze naar elders. Terwijl ze in zijn oor hijgt, kijkt ze van kilometers afstand neer op het zwarte bladerdek van de steeneik en het kleine vuurtje dat door randfiguren is aangestoken. Hun scharminkelige honden happen naar haar.

Ze voelt hem trillen. Van de krachtsinspanning om haar gewicht te tillen en haar benen gespreid te houden. En na zo veel moeite misschien ook van genot, denkt ze, als zijn hoofd achterovervalt. Voor één keer let hij niet op, kijkt hij niet uit, is hij de situatie niet meester. Niet hij maar zij is degene die uitkijkt, die de schaduwen van mannen en honden ziet en ze scheidt van de grotere schaduw, de nacht die alles omhult. Daarna de stilte en de regen die nu harder neerkomt, die op de harde hulstbladeren sist alsof hij van plan is binnen te dringen en ze te verdrinken.

En dan zegt ze: 'Ik moet echt naar huis. Ga je met mij mee terug? Paul zal het vreemd vinden als je er niet bent.'

Dat is de nacht waarin Anna is verwekt, in het tiende jaar van Paul en Louises huwelijk. Louise is eenendertig. Ze zijn al zo lang kinderloos.

'Het zal wel een schok geweest zijn', zeggen mensen tegen

Louise. 'Na al die tijd had je het vast niet meer verwacht.'

Ze glimlacht. Maar ze wist het direct, op datzelfde moment in het natte park. Ze wist dat ze daarvoor daar was. Ze waste zich voorzichtig toen ze thuiskwam en streek dromerig met een grote druipende spons over haar dijen. Ze sloot zich op in de badkamer en staarde naar het lichaam dat ze sinds haar dertiende zo vanzelfsprekend had gevonden in het besef dat ze het voor het laatst zo zag, dat het weg was. Het was weg en daarmee was het grootste deel van haar leven ook weg. Ze hoorde Pauls sleutels op het nachtkastje kletteren. Op dat moment wist ze al dat de bevruchting zich in haar verspreidde als een blauwe plek, als kennis, en alles veranderde wat ermee in aanraking kwam.

# 3

Er zit een koperen plaat op de deur met daarop in glinsterende letters zijn naam en bevoegdheden. Louise kan zichzelf er veel te duidelijk in zien. Haar dikke gezicht, de wallen onder haar ogen. Daaronder krimpt de vorm van haar lichaam, vervormd door de lichte bolling van de koperen plaat. Althans, dat hoopt ze. Haar spiegelbeeld kijkt haar boos aan, alsof het haar de schuld geeft van wat het geworden is. Vroeger mochten we elkaar, jij en ik. Moet je zien wat je ons hebt aangedaan.

Louise brengt haar hand naar haar wang, alsof ze een klap heeft gekregen. De schaduw-Louise doet hetzelfde en kijkt met angstige, wijdopen ogen terug. Babyogen in een varkenskop, denkt ze meedogenloos. Daar staan we dan, zegt haar spiegelbeeld. Wat ga je eraan doen? Louise zet zich schrap. Het is nog niet met haar gedaan. Ze geeft niet op. Tien jaar geleden trokken de kelners haar stoel voor haar naar achteren als ze met Paul en Johnnie naar een restaurant ging, ze lieten haar in alle rust plaatsnemen, streken haar jas glad op de hanger. En zij zat met opgeheven hoofd en rechte rug aan tafel en wierp een trage glimlach naar de twee mannen die bij haar zaten. Voordat Anna was geboren. Nu gaat ze heel af en toe alleen, op dagen dat ze uit het raam heeft gekeken en heeft gezien dat het donker is geworden, terwijl er geen eten in huis is. Ze is vaak in de war wat de tijd aangaat. Soms weet ze zeker dat ze een tafel gereserveerd heeft, maar kan ze het zich niet echt herinneren. Dan fronsen ze en zeggen dat het hun spijt maar dat er geen tafel op haar naam gereserveerd staat. En de andere mensen kijken even op van hun diner, met gezichten als katten, welgedaan en uitgestreken. Soms spreiden de grote mannen die bij de deur van cafés staan hun armen en zeggen resoluut en beslist: 'Nee, jij niet.'

Louise zet zich schrap. Ze schenkt zichzelf dezelfde droge moederlijke glimlach die ze Johnnie schenkt als hij geruststelling nodig heeft. Nu al wordt het haar duidelijk dat dit allemaal een vergissing is, maar ze wil er toch mee doorgaan. De chirurg was haar aanbevolen. Ze heeft de voorbereidende bezoeken afgelegd, alle tests ondergaan. Ze denkt aan Anna, die veilig op school zit, en legt haar vinger op de bescheiden koperen bel, die geen geluid maakt als je erop drukt.

De man aan de andere kant van het bureau zet zijn vingers als een torentje tegen elkaar en kijkt haar aan. Mevrouw O'Driscoll. Louise O'Driscoll. Ze ziet er niet Iers uit, maar ze zal waarschijnlijk haar mans naam hebben opgegeven. Ze zou van Midden-Europese afkomst kunnen zijn, Roemeens of zelfs Russisch, met die hoge brede jukbeenderen. De stem is Londens en het adres ook. Geërgerd leest hij de postcode. Hij kan zich niet veroorloven daar te wonen, nog niet. Hij gaat er prat op elk gezicht een achtergrond te kunnen geven, maar in haar geval, vermoed hij, is het vooral voorgrond.

'Liposuctie is niet altijd het antwoord, mevrouw O'Driscoll', zegt hij. Hij houdt in een flits even haar blik vast. Niet te lang, je moet altijd voorzichtig zijn. Hij verandert licht van koers, voor het geval hij haar onderschat heeft. 'In voorkomende gevallen is het niet de meest geëigende therapie.'

'Maar u bent een expert', zegt ze. 'U bent mij aangeraden. Daarom ben ik naar u toe gekomen.'

'Ja, en zoals u weet, mevrouw O'Driscoll, volgen wij hier een heel zorgvuldige procedure om ervoor te zorgen dat iedere patiënte precies begrijpt waar ze aan begint en wat ze kan verwachten. Dit soort operatie is een uiterst persoonlijke zaak.

Ik praat nu met u op basis van de uitgebreide tests en vraag-gesprekken die u inmiddels hebt ondergaan.'

Ze knippert met haar ogen. Niet nerveus, maar langzaam, zoals een kat met zijn ogen knippert. Hij ziet het kleine mascaraklontje in haar ooghoek. Haar ogen zijn omrand met kohl en de mascara is te zwaar.

'Ik weet dat het niet altijd werkt', zegt ze. 'Ik weet dat u mij geen enkele garantie kunt geven.'

'Nee', zegt hij. 'Nee, dat kunnen we ook niet. Maar dat is niet helemaal wat ik u probeer duidelijk te maken. Ik kan deze behandeling niet beginnen als ik geen redelijk vertrouwen in de uitkomst heb, begrijpt u? En in uw geval ben ik bang...'

Hij zwijgt, kijkt haar over zijn gevouwen vingers heen aan en pakt dan een pen op alsof hij op het punt staat haar ontslagbrief te schrijven. Hij vraagt zich heel even af waarom zo veel vrouwen de make-up blijven dragen die hun goed stond toen ze achttien waren. Ze bloost alsof ze zijn gedachte opvangt, als iemand die zich een seksuele vernedering herinnert. Dan her-stelt ze zich, recht haar schouders en kijkt hem aan. Twintig kilo te zwaar, minstens. Er zit vet op haar bovenarmen, vet-kussentjes op haar schouders, buik, dijen. Hij is een vetkenner en weet dat haar soort vet moeilijk te verwijderen is. Ze ver-wacht dat hij het in haar slaap voor haar wegtovert en haar het soepele gladde lichaam teruggeeft dat ze in haar herinnering ooit had. En misschien had ze het ook wel. Maar hij zal haar moeten vertellen dat het haar vet is, dat het van haar is en dat ze zelf moet beslissen of ze het kwijt wil of wil houden. Hij heeft het vaak genoeg gedaan, de waarheid voorzichtig oppakken met de tang van de medische terminologie als hij het heeft over verdovingsrisico's, ademhalingsproblemen of de wenselijkheid van een ontgiftingsproces van drie maanden, voorafgaand aan de operatie.

Maar dat alles is voor deze niet haalbaar. Ze is een te groot risico. Hij taxeert haar opgeblazen gezicht, het web van gebarsten bloedvaatjes onder de laag make-up en poeder. Haar bloeddruk is hoog en ze is licht astmatisch. Er zijn contra-indicaties bij algehele verdoving.

'We hebben het hier over een zware operatie', zegt hij. Ze staart hem aan. 'Een operatie die ingewikkeld en ingrijpend is. En niet voor iedereen geschikt.' Hij herinnert zich de huid van haar naakte lichaam toen ze de witte katoenen jurk uittrok. Ze was overdekt met een web van zwangerschapsstrepen.

'Dat weet ik', zegt mevrouw O'Driscoll. 'Ik heb uw video bekeken.'

Je weet helemaal niets, denkt hij. Die video gaat over bloemen, witte maskers waarboven bezorgde ogen turen, stralende verpleegsters, veranderde levens, trotse echtgenoten. Het heeft wel iets te maken met wat hij doet, maar niet veel. Hij heeft de video gemaakt op advies van zijn pr-consultants, maar zo langzamerhand begint hij te geloven dat het niet zo'n goed idee was. Het ondermijnt wat hij ziet als het hart van zijn werk, dit gesprek onder vier ogen in de biechtstoel van zijn spreekkamer. De beslissingen worden hier genomen en hij is degene die ze neemt.

'Dat weet ik wel', zegt ze nogmaals.

Je weet niets, denkt hij bij zichzelf, terwijl hij zijn ogen neergeslagen houdt. Híj weet het. Hij weet wat voor geluid longen maken als er via een buis in de verlamde keel lucht in geperst wordt. Hij weet wat het betekent als hard vet vloeibaar wordt geslagen tot het weggezogen kan worden. Hij heeft iedere scheet en alle gepiep dat verdoofd vlees kan maken gehoord. Hij weet alles van gezichten waar charme en make-up van afgeschrobd zijn en die opgeblazen onder de hete lampen van de operatiekamer liggen. Hij weet hoe geel onderhuids vet is en hoe helderrood het bloed dat het bewaakt. Hij is een chirurg in hart en nieren.

Ze willen zich aan hem overgeven. Ze zijn hun eigen mislukkingen zo zat en hij kan alles wegnemen. Sommigen willen ieder detail weten van wat er gebeurt en hij neemt die rustig met hen door, waarbij hij de risico's aanstipt zonder erover uit te weiden. Ze zijn gefixeerd op wat hij hun kan geven. Hij kan hen terug veranderen in wat ze denken ooit te zijn geweest. Door hen pijn te doen kan hij de pijn wegnemen. Hij denkt er vaak over na. Men zegt wel dat artsen geen fantasie hebben, maar soms ligt hij 's nachts wakker naast zijn rustig ademende echtgenote en denkt hij aan al diegenen die, klaarwakker of in hun slaap, hun zere lijf verplaatsen onder de lakens en nadenken over wat hij voor hen heeft gedaan. Zij die hem het meest vertrouwen, genezen het best.

Hij werpt een blik op het dossier voor zich. Geld zat daar. Ze heeft niet eens gevraagd wat een serie behandelingen kost. Hij hanteert scherpe tarieven, zijn praktijk is klein maar loopt goed. Zijn resultaten zijn ongeveer wat ze moeten zijn en zijn methoden zijn hoogst professioneel. Deze vrouwen verlangen een dienst en hij geeft hun die. Hij veroordeelt niet. Als je eenmaal de ethiek induikt, wat is er dan zo ethisch aan een vrouw die op haar vijfenveertigste aan haar lot wordt overgelaten omdat haar man een strak velletje en een lichaam wil dat er goed uitziet naast het zijne? Dáár probeert niemand een stokje voor te steken, denkt hij, een gedachte die gepaard gaat met een oude vertrouwde golf eigendunk.

De airconditioning zoemt en hij kijkt weer op naar mevrouw O'Driscoll. Denk maar niet dat deze er een tweede hypotheek op het huis voor hoeft te nemen of er een lening voor moet afsluiten bij de bank. Hij kent ze allemaal: de erfgenamen, de acteurs, de vrouwen van op hun retour zijnde topvoetballers, de hoogvliegers wier gezichten verzakken. Als hij zo'n gladde meid op straat ziet en de hooghartige blik opvangt die getuigt van haar seksuele almacht, neemt hij op zijn eigen manier wraak. Hij brengt het patroon in kaart waarlangs haar rimpels haar gezicht in duizenden postcodes verdelen. Hij weet waar dunne adertjes blauwe knopen zullen leggen onder de melkwitte huid van haar dijen. Hij is een kenner van vlees dat nog moet groeien en van de kwabbige schaduwen die haar pure profiel zullen vastleggen.

Zijn vingertoppen weten alles wat er te weten valt over vrouwenvlees. Hij kan de elasticiteit van de huid blindelings vaststellen en hij weet meer over de vrouwen die bij hem komen dan ze over zichzelf weten. Tijdens de voorafgaande consulten sluiten ze hun ogen en heffen hun gezicht naar hem op alsof het zonlicht op hen valt. Hij zit er niet ver vanaf. Als hij zijn gehandschoende vingers op hun vlees zet, merkt hij dat hun mond opengaat. De verpleegster zit bij het hoofdeinde en stelt hen op hun gemak als de behandeling pijn doet. Hij weet hoe ze er vanbinnen uitzien, rauw als mishandeld vlees, gehavend. Maar voor hem is het binnenste van het menselijk lichaam mooi, ongeacht hoe erg de schade is. Wat niemand anders ziet, ziet hij. Hij schraapt en reinigt en oogst en naait dan de sleutelgaten in hun huid weer dicht. Hij houdt van de warme, terloopse waakzaamheid van de operatiezaal, de geur van het antisepticum dat op buiken wordt gesmeerd, de eerste, ijzerachtige bloedgeur. Hij weet hoe ze zullen genezen, hoe hun vlees rondom zijn hechtingen zal opzwellen en van rossig paars eerst groen en dan bruin zal kleuren.

Mevrouw O'Driscoll zou zich gelukkig moeten prijzen, zegt hij tegen zichzelf met een lompheid die hij nooit in zijn meer publieke gedachten toelaat. Sommige chirurgen zouden het gewoon doen. Maar hij niet, want hij heeft een reputatie op te houden. Zijn patiënten zijn zijn beste reclame. Ze fluisteren zijn naam, de fluistering doet de ronde en weldra zit er een nieuwe patiënte in zijn wachtkamer dromen te tellen. Het is geen wonder, vertelt hij hun. Het enige wat ik kan doen, is de natuur een handje helpen als die het moeilijk heeft. De natuur wil dat je mooi bent.

'Dus u wilt mij niet helpen', zegt mevrouw O'Driscoll.

Ze fronst haar wenkbrauwen, waardoor haar gezicht nog

dikker lijkt. Er is iets aan haar dat hem irriteert, al is hij veel te goed getraind om dat te laten merken.

'U mag gerust de rapporten lezen op basis waarvan ik mijn beslissing heb genomen. Ik moet u waarschuwen dat er klinieken zijn die u zonder meer zullen accepteren. Maar hier volgen we uiterst nauwgezette procedures. Ik raad u aan heel goed na te denken voordat u ergens anders heen gaat.'

Ze zwijgt. Hij had niet anders verwacht. Ze frunnikt wat met haar vingers. De ring aan haar middelvinger ligt diep in haar vlees. Een dure ring. Ze is wat? Veertig? Ze lijkt ouder. Eén kind, tien jaar geleden geboren na een tiental jaren van aanvankelijke onvruchtbaarheid. Ze is het type dat vroeg oud wordt. Zo'n opgewonden standje zonder ruggengraat. Met wie korte metten wordt gemaakt als ze ongelukkig is. Het lichaam zet op, heeft ergens behoefte aan. Ze eten teveel of ze zijn aan de drank, waardoor de huid grof en het haar dof wordt. Drank, in dit geval. Dat was volstrekt duidelijk, zelfs voordat hij de uitslag van de leverfuncties had. Alcoholisten hebben altijd een kenmerkende geur om zich heen hangen, al zal ze zich daar waarschijnlijk niet van bewust zijn. Ze zal heus niet gedronken hebben voordat ze bij hem kwam, maar dat maakt geen enkel verschil. De geur doet hem altijd aan suikergoed denken, perendrups of zoiets. Nee, dat is het ook niet helemaal.

Hij leunt wat naar voren, als een wijnproever die de fijnere smaakpunten over zijn tong laat rollen. 'Het spijt me dat ik u niet echt van dienst heb kunnen zijn', zegt hij. Ze blijft hem aankijken, zonder met haar ogen te knipperen, met even strakke blik als hij. Ze legt beide handen op de stoelleuning en duwt zichzelf omhoog. Hij denkt dat ze zich wil omdraaien en weggaan, maar dat doet ze niet. Ze werpt een lange blik op de foto van zijn vrouw en zijn twee blonde zoons, in een zilveren lijst.

'Hebt u haar zelf geopereerd?' vraagt ze.

'Mijn vrouw heeft geen…' zegt hij te snel, te verontwaardigd.

'O', zegt ze. 'Het was maar een idee.' Ze weigert de blik in haar op pruimen lijkende ogen te versluieren. Met onwrikbaar seksueel zelfvertrouwen blikt ze hem vanuit het wrak van haar gezicht aan. Ze schaamt zich niet eens voor zichzelf, denkt hij kwaad. Ze gedraagt zich alsof ze nog steeds mooi is. Hij vergelijkt haar met het puikje van zijn cliënten. Dat zijn vrouwen die zichzelf goed verzorgen. Die weliswaar geleden, maar zichzelf niet verwaarloosd hebben. Onder hun verfijnde manieren ligt een bedeesdheid die hij altijd weet te overwinnen. Ze kijken hem aan, langs hun vet, vanuit hun uitgezakte gezicht en smeken hem om hen te zien zoals ze werkelijk zijn. Ik zit hierin gevangen. Help me. Herken me. Hij zou hen overal herkennen; niet als individu natuurlijk, maar aan een bepaalde uitstraling. Het betekent iets voor hem om omringd te zijn door vrouwen die hun hoop op hem vestigen. Ze nemen hem in vertrouwen, tonen hem de zwakheden die ze niemand anders laten zien en aanvaarden zijn geruststellingen. Ze doen hun best, net als hij. Maar deze starende pruimkleurige ogen… daar heeft hij een hekel aan. God mag weten wat ze werkelijk wil.

'Trek het u niet aan', zegt ze. 'Het is toch al te laat. Het was een vergissing om hier te komen.' Ze bukt zich om haar handtas op te pakken en als ze weer overeind komt, is haar gezicht rood.

'Aangezien we elkaar toch niet meer zullen zien,' vervolgt ze, 'er ís iets wat ik u moet zeggen.'

'Wat?' blaft hij, voordat hij zichzelf kan intomen. Hij had er eigenlijk een assistente bij moeten hebben, bij deze, ook al is er vandaag geen onderzoek. Gedonder vanaf het moment dat ze de deur binnenkwam.

'Uw haar', zegt ze. 'Dat moet u niet zo dragen. Dat is geen geschikte coupe voor mannen die kaal worden bovenop. Het ziet eruit alsof u iets wilt verbergen. U kunt het beter helemaal kort knippen, denkt u ook niet?'

Zijn hand schiet omhoog naar de rijk gesoigneerde lok donkerbruin haar die over zijn voorhoofd valt. Hij trekt zijn hand schielijk terug.

'Nee, dat deel is oké', zegt ze. 'Het zit meer bovenop, waar je het niet kunt zien. Daar zit het probleem.'

Dan loopt ze naar de deur, doet hem open, knikt naar hem alsof ze oude vrienden zijn en vertrekt.

# 4

Je vertrekt. Je loopt de witte stenen trap af en komt tot de ontdekking dat je de leuning vasthoudt en stilstaat. Het is een prachtige dag. Grote wolken zeilen hoog over de huizen heen en in de bries waait kledingstof tegen het vlees van de mensen die haastig door de straat lopen. Je kijkt naar hun vormen, de bolling van dijen en borsten.

Je bent blij dat je het gezegd hebt. Je weet dat hij een hekel aan je had en je wilde kwetsen en je voelt hoe je wrok je vastnagelt aan de trap, weg van de golvende straat. Je had hem het liefst voor je ogen in elkaar zien zakken en zien doodgaan. Maar nu gaat het harder waaien, de bries wordt een warme wind, en plotseling loop je er middenin, in zuidelijke richting. Het kan je niet meer schelen. Niemand gaat messen en buizen in je lijf steken of het vet onder je huid vandaan zuigen. Je moet wel gek geweest zijn om erheen te gaan. Stel je voor dat het Anna was, stel je voor dat je dochter zo wanhopig was dat ze zich in de hoop op verlossing zou laten toetakelen door een man met een mes. Er zijn zat dingen die we misdadig zouden noemen als we niet net deden alsof ze normaal zijn, denk je, als je tegen de ruisende wind inloopt.

Je wilde dat de chirurg alles zou wegvagen en je terug zou laten gaan naar het begin. Maar dat kon hij niet. Je wilde terug naar die winternacht, negen maanden voordat Anna werd geboren, aan tafel met Paul en Johnnie, die beiden naar je keken toen jij glimlachte en het licht op het witte tafelkleed en jullie gezichten viel. Naar het feest, voordat de klanten arriveerden, toen alles volmaakt was. Bloemen, messen, tafelkleden, vers, vrolijk, vlekkeloos. Je zwarte zijden jurk, die zo perfect over je dijen, billen en borsten paste. Paul die naar je keek en bedacht hoe hij je later zou aanraken. Jij die terugkeek, vervuld van Paul en de gedachte aan Johnnie, een gedachte die je voor jezelf hield en waar je nooit naar had gehandeld. Beiden zaten daar en jij hield hen in je ban, je bezat hen beiden en je hield van hen zoals je nog nooit van hen had gehouden en nooit meer zou houden. Je rook de warme droge geur van parfum die tussen je borsten vandaan kwam. Je ging verzitten, zodat de zijden stof over je huid schoof en je bijna rilde. Je zag de blik in Johnnies ogen veranderen, alsof hij het ook voelde.

Je moeder had je verteld dat je borsten prachtig waren. Ze legde haar hand op je taille, op de plek waar die smaller werd tussen de bolling van je borsten en je heupen. Ze zei dat je een perfect figuur had en nam je mee naar een kleermaker om je te laten opmeten voor handgemaakte beha's en daarna naar een tearoom voor koffie en taartjes om het te vieren. Ze dronk Turkse koffie en thuis had ze kleine koperen kopjes met lange stelen en een koperen koffiezetapparaat. De koffie was donker en dik als stroop en deed je hart bonken tussen je nieuwe borsten.

Je moeder ging nooit terug naar Roemenië, hoewel ze er ooms had en er achterneven en -nichten zijn die je nooit hebt gezien. Haar ouders waren dood. Je beschouwt hen niet als je grootouders; ze horen bij je moeder, als een schat die ze had verborgen en niet meer kon terugvinden. Je moeder had geen broers of zusters. Het speet haar dat ook jij enig kind zou blijven, maar jou kon het niet schelen. Je had een slaapkamer voor jezelf, in tegenstelling tot al je vriendinnen.

Je moeder vertelde je over hoe ze naar Engeland kwam. Ze kwam met de trein uit Boekarest, dwars door Hongarije en Duitsland. De treinen verstookten zachte bruinkool en haar huid en haren slorpten de rook op. Ze rook naar treinvuil tot ze in Engeland aankwam en zich grondig waste met een stuk groene zeep, dat, zoals ze later leerde, niet diende om je te wassen, maar om vloeren te boenen. Ze kreeg haar eerste baan in het Queen Alexandra Hotel vlak bij Regent's Park en woonde er ook. Ze werkte in de wasserij, waar ze sorteerde en tafelkleden en servetten van Iers linnen verstelde. Men had destijds geen bezwaar tegen verstelde plekken, die waren heel normaal. Sterker nog, verstellen was een kunst in die jaren na de oorlog, een kunst die je moeder beheerste. 's Avonds ging ze naar Engelse les en daarna moest ze een eindeloze trap op naar een kamer die geen gordijnen nodig had, omdat hij zo hoog lag.

Je moeders ogen leken op zwarte fluwelen gordijnen. Ze namen alles in zich op en gaven zelden iets terug. Ze trouwde met een Engelsman die, naar ze hoopte, even schoon en sterk als het linnen zou zijn. Hij stelde haar niet teleur. Ze waren al oud toen ze jou kregen, je moeder was bijna veertig, je vader twee jaar ouder. Het enige waar hij niet tegen kon, was georganiseerde godsdienst, en op zondag gingen jullie met zijn drieën wandelen. Jullie namen de ondergrondse naar Kew Gardens of naar Hampstead Heath en op het toppunt van de zondagsrust liepen jullie door het centrum van Londen van park tot park, lang voordat de winkelsluitingswet werd veranderd.

Je moeder vertelde je dat je gedoopt was. Ze had het op een of andere manier stilletjes laten doen om je vader niet voor het hoofd te stoten. Als je op school formulieren moest invullen, moest je 'Russisch-orthodox' opschrijven, wat een hoop werk was vergeleken met 'angl.' of 'rk'. Soms nam ze je mee naar de orthodoxe kerk. Ze antwoordde altijd in het Engels als mensen Russisch of Roemeens tegen haar spraken. Je zoog het allemaal in je op alsof het zuurstof was.

Op een dag vertelde je moeder dat het Pasen was. Je wist dat het niet zo was, omdat je je paaseieren twee weken eerder al had gehad. Ze herinnerde je eraan dat het orthodoxe Pasen volgens een andere kalender werd vastgesteld, en ook al sprak ze, zoals altijd, Engels met je, het was duidelijk welke kalender de juiste was en aan welk paasfeest je je moest houden. De gregoriaanse kalender, zei ze, alsof ze je snoepjes gaf nadat ze zichzelf had beloofd het niet te doen.

Het was, dacht je, niet eerste paasdag zelf. Misschien was het Palmzondag. Het was in ieder geval een zondag. Je herinnert je mager maar helder zonlicht en de vredige echo's van je voetstappen op lege stoepen.

Je moeder hield je hand vast. Haar rechtermouw streek langs je gezicht. Je was zeven, misschien acht, en klein voor je leeftijd. Je wist nog niet dat je op het punt stond te gaan groeien, net zomin als je moeder, die zich zorgen maakte omdat je de kleinste van de klas was. Het zou weldra allemaal tot het verleden behoren. *Weet je nog dat Louise niet groeide? Hoe bezorgd we altijd om haar waren?* Ze gaf je staalpillen en levertraan en kocht bij de melkboer sinaasappelsap met een dop van blauw zilverpapier voor je ontbijt. Alleen jij dronk het, niemand anders, omdat het zo duur was. Als ze je een staalpil gaf, hield je die zo lang mogelijk zonder te kokhalzen in je mond en spuugde hem dan uit in de wc. Op school weigerde je dingen te eten die elkaar raakten of door jus of custardpudding met elkaar in verbinding stonden. Je juf hield je moeder op straat aan en zei: 'Ik weet niet waarom u uw geld verspilt aan schoolmaaltijden voor Louise, mevrouw Hapgood. Ze eet ze nooit op.' Je moeder was kwaad, maar op de juf, niet op jou.

'Het gaat haar niets aan wat er met die maaltijden gebeurt. Er is voor betaald.'

Bij de ingang van de kerk zag het zwart van de oude vrouwen. Je betwijfelde of er genoeg ruimte was om je tussen hen door te persen. Maar je moeder vond het geen probleem en je ging in haar kielzog tussen hen door, tussen golven vlees door.

Je moeder bleef staan om geld in een bus te doen en ging vervolgens de kleine kerk binnen.

De mannen stonden rechts, de vrouwen links. Jij stond naast je moeder, zo dicht bij haar dat je haar aanraakte, maar zij keek recht voor zich, naar de iconostase. Mensen liepen naar voren en bukten zich om de iconen te kussen. Je had geen idee wat er gebeurde. Je was nog niet zo vaak in de kerk geweest dat je er wijs uit kon worden of kon voorzien wat er zou volgen.

'Waarom zijn al die mensen hier?' vroeg je toen je moeder plaats voor je maakte. Je had de kerk nog nooit zo afgeladen gezien.

'Ze zijn hier om het lijden van Christus te herdenken', fluisterde je moeder, terwijl ze haar lippen tot een ironisch glimlachje vertrok. Ze begon mee te doen met de gebeden die iedereen om je heen prevelde, woorden die je niet kende en niet begreep en waarvan je nooit had geweten dat zij ze wel kende en begreep. Je moeder sloeg een kruis, waarop jij ook een kruis sloeg, terwijl je recht voor je uit keek naar de iconostase, waarachter zich lichten en mensen bewogen, geconcentreerd als bouwvakkers. Je wist niet wat ze daarachter aan het doen waren. Je wilde het zien, maar tegelijkertijd was je blij dat je was waar je was, zonder het te zien. Je wist dat de priester straks naar voren zou treden en, verdiept in zijn taken, vóór de mensen heen en weer zou lopen.

De oude vrouw aan de andere kant van je was zo gekrompen en krom dat je bijna net zo lang was als zij, al was je pas acht – misschien zeven – en klein voor je leeftijd. Ze vond het moeilijk om te staan. Ze had aan de zijkant van de kerk kunnen gaan zitten in een van de hoge stoelen, die naar het schip van de kerk toe stonden, maar al was er een andere oude vrouw die haar met een handgebaar te kennen gaf dat er plaats was, ze wilde niet. Ze bleef naast jou staan met haar elleboog tegen jouw elleboog; haar lichaam zwaaide lichtjes heen en weer als ze naar de voorzanger luisterde. Soms kreunde ze zachtjes en ze zong de antwoorden met vreemde ruwe stem, als van een man, terwijl ze zich keer op keer bekruiste.

Je zag haar worsteling en dacht dat ze zou gaan vallen, dus trok je je moeder aan haar arm. Maar je moeder wierp je slechts een korte blik toe, fronste haar wenkbrauwen en keek weer voor zich, waar de priester achter de iconostase heen en weer liep. Langzaam en onhandig liet de oude vrouw zich op haar knieën zakken. Je hield haar onafgebroken in de gaten, terwijl zij zich wiebelend voorover liet zakken. Die logheid van haar, met haar bibs omhoogstekend in de zwarte versleten jas. Stijf en ouwelijk zonk ze in elkaar tot haar gezicht de grond raakte. Haar rug lag zo plat dat je je voeten erop had kunnen zetten en boven op haar had kunnen gaan staan. En toen ging je moeder, die links van je stond, ook omlaag, langs je elleboog zakte ze op haar knieën tot haar gezicht de vloer raakte. De voorzanger zong met rauwe, volle stem, waar je ogen van gingen prikken. De vlammetjes van de kaarsen die voor de iconen stonden, gingen iets omlaag, om vervolgens zo op te laaien dat de zwarte ogen van de heilige Moeder Gods je aankeken. Je moeder lag met de oude vrouwen op de grond en jij stond als enige nog rechtop, de langste van alles en iedereen, als een huis in een afgebroken straat. Je had niet eens ruimte om te knielen. Je kon geen kant op. Als je ergens heen wilde, moest je door het vlees waden.

Je moeder kwam makkelijk overeind, met één verende beweging stond ze weer rechtop aan je zijde. De oude vrouwen krabbelden moeizaam en hijgend overeind. Door het gezang heen hoorde je hen voor zich uit kreunen: ugh, ugh, alsof hun botten zeer deden. Plotseling stonk het en je wist dat iemand in je buurt een wind had gelaten van de inspanning.

Wat heel vreemd was, was dat je moeder opeens even haar armen over elkaar deed en recht voor zich uit staarde naar de opening in de iconostase, alsof ze met iemand daar ruzie maakte. Het gezang om je heen zwol aan, zwart en zilver als de iconen. Je hoofd deed pijn, je wankelde tegen je moeders blauwe jasje aan en de stof streek langs je wang. Je moeder keek even naar je, toen opende ze haar handtas en haalde er een blaadje en een potloodje van een bookmaker uit. Ze trok een streep over het papier, zodat die in een linker- en een rechter-zijde was verdeeld. Ze begon twee rijtjes namen op te schrijven, een op de rechter- en een op de linkerhelft van het papier. Ze schreef alsof ze een boodschappenlijstje maakte voor de dingen die ze iedere week kocht, snel en zonder te aarzelen.

'Wat doe je?' fluisterde je.

'Ik laat gebeden voor ze zeggen.' Ze wees naar de namen. Haar vaders naam, haar moeders naam. En namen van mensen die je niet kende. Rechts jouw naam en de naam van je vader. 'De namen van de doden staan links', zei ze. Je stak je vinger uit en raakte de namen aan. Nu wist je dat het de namen van de doden waren, die meer dan de levenden behoefte hadden aan gebeden. Ook jouw gebeden, al had je ze nooit ontmoet. Je moeder vroeg, alsof je net zo volwassen was als zij en niet haar eigen kind: 'Wil je er ook een naam bij zetten?' Je zei ja. Je wilde haar naam, die van je moeder, en die van je vader, naast elkaar zetten, maar dat wilde je niet zeggen voor het geval ze zou raden dat je bang was dat ze dood zou gaan. Ze gaf je het potlood, het eenvoudige houtkleurige potloodje dat je vader waarschijnlijk had meegenomen van de bookmaker. 'Je mag hem zelf opschrijven', zei ze. Je boog je voorover, liet het vel papier op je knie rusten en schreef toen hun beider namen aan de rechterkant. Daniela Maria Hapgood. Arthur George Hap-good.

Je moeder nam het vel papier aan zonder het te lezen. 'Wacht hier', zei ze, waarna ze met het papiertje en haar hand-tas naar voren liep, naar de deur in de iconostase waarachter de priester aan het werk was. Je zag haar het papiertje aan iemand geven, geld uit haar handtas halen en ook dat geven. De mensen waren dichter om je heen komen staan en hadden de ruimte ingenomen waar je moeder had gestaan. Je was bang dat ze je nooit meer terug zou vinden en toch durfde je niet naar haar te roepen. Maar ze glipte zonder problemen door de menigte, glimlachte tegen je en ging weer naast je staan. Ze boog haar hoofd en sloeg een, twee, drie keer een kruis. Haar lippen bewogen en je wist dat ze in haar andere taal sprak, de taal die je niet begreep.

Jullie bleven zo lang dat je dacht dat je moeder vergeten was wat ze op weg naar de kerk tegen je had gezegd: 'We blijven niet de hele dienst. Dat duurt te lang voor je.' Je vond het niet erg. Je was de vermoeidheid en de verveling voorbij. Je was diep weggezonken in de rivier van gezang die door de kerk, door je huid en in de holtes achter je ogen stroomde. Je wist dat het net als water was, het ene moment een straaltje in je hand, het volgende aangegroeid tot een enorme stroom. Je dacht aan de golfslag van het bruine water onder de bruggen van de Theems. Je moeder was dicht bij je, ze stond dicht tegen je aangedrukt, terwijl het gezang aanzwol en het kaarsvet omlaag droop naast de zilveren lijsten van de iconen.

Met je ogen knipperend tegen het daglicht kwam je naar buiten. Je had het gevoel dat er een hele nacht voorbij was gegaan in de kerk en je was ervan overtuigd dat je staande en ondersteund door je moeder geslapen had. Je klemde je aan je moeder vast toen ze bleef staan praten met mensen van wie je niet had geweten dat ze ze kende. Handen raakten je haar aan en je perste je nog dichter tegen je moeder aan, omdat je wilde dat ze je mee zou nemen, weg van daar.

Ze droeg haar beste zwart suède schoenen, maar er zat nu een vlek op, waar iemand op haar tenen was gaan staan. Je keek naar haar voeten en je wist dat zij ook weg wilde, maar dat ze bleef staan uit beleefdheid. Eindelijk werd je verlost en kon je naast haar wegdribbelen, terwijl haar hakken over de stoep tikten. De zon scheen op jullie beiden en je moeder lachte.

'O, die kerk!' zei ze. 'Hij is altijd zo vol dat ik er hoofdpijn van krijg. Maar als over niet al te lange tijd de oudjes doodgaan, zal het er niet meer zo vol zijn.'

Je keek steels naar je moeder, die zevenenveertig was.

'Hoe oud zijn ze, die oudjes?' vroeg je gewiekst.

'O, heel oud', zei je moeder. En daarna: 'Toen ik klein was, ging ik iedere zomer naar mijn opa en oma op het platteland. Er stond daar een houten kerkje, dat ze er door de bergen heen hadden gerold.'

'Hoe kun je een kerk nou rollen?'

'Ik weet het niet, maar ik herinner me dat mijn opa vertelde hoe alle mannen uit het dorp de kerk door de bergen hadden gerold. Hij zei: "Als het ooit nodig mocht zijn, kunnen we hem zo weer wegrollen, naar een veilige plek."'

Je liep naast je moeder. Je zag de kerk voor je, volgestouwd met vrouwen in het zwart, en eronder de mannen, die hem over de besneeuwde bergtoppen rolden, terwijl de voorzanger zong, de priester de mensen zegende en de oude vrouwen zachtjes voor zich uit kreunden: 'Ugh, ugh.'

'Er was ook een icoon die wonderen kon verrichten', voegde je moeder eraan toe. 'Ze zeiden dat de kerk nooit verwoest kon worden zolang de icoon erin bleef staan.'

'Dus die kerk staat er nog steeds?'

'Nee, ik geloof dat hij is afgebrand', zei je moeder afwezig. 'We hadden altijd veel branden, met al die houten gebouwen. Het huis van mijn opa stond een keer in brand en toen heeft mijn oma geprobeerd de vlammen te doven met een soeplepel.'

'Met een soeplepel?'

'Ja.' Plotseling kwam je moeder tot zichzelf. Haar stem werd weer haar dagelijkse stem. 'Het is langgeleden, Louise, het doet er niet meer toe. Het is allemaal voorbij.'

Je loopt nog steeds door de zonnige straat. Je moeder is al twaalf jaar dood, je vader veertien jaar. Ze hebben Anna nooit gezien. Het was allemaal voorbij, voorzover ze wisten: één kind, geen kleinkinderen. Ze weten niet wat je gedaan hebt. Je loopt tegen de ruisende wind in en denkt aan hen: Daniela Maria Hapgood, Arthur George Hapgood. Je denkt aan je vader, die in het kleine kasje dat hij voor zichzelf had gebouwd een tros blauwe druiven op zijn hand woog. Hij liet je de witte aanslag zien die erop zat en waarschuwde dat je die niet mocht aanraken. De druiven waren nog niet helemaal rijp. Toen ze rijp waren, liet hij je de tros afknippen met je moeders schaar. Hij is een grote blonde man, schoon en sterk als linnen. Hij begrijpt niets van de schaduwen in je, daarom stop je ze weg en maakt ze onzichtbaar. Hij kan niet tegen georganiseerde gods- dienst. Als je op schoolreisje gaat naar de Londense Tower, vertelt hij je dat het ziekenfonds duizend keer meer waard is dan de kroonjuwelen. Als je je been breekt, zou de koningin het dan voor je genezen? Hij weet hoe hij een plant zo in de grond moet zetten dat die zich daar thuisvoelt. Jij bent zijn kleine meid.

Hij zal vergeten worden; beiden zullen vergeten worden. Alleen jij herdenkt hen nog zoals mensen herdacht dienen te worden. Hun goedheid is weggestroomd als water. Alles wat ze hebben aangeraakt, is verdwenen, de kas is stukgegaan, de druiven zijn opgegeten. De kerk is weer weggerold door de bergen. Alleen jij bent er nog en de knoeiboel die je van je leven gemaakt hebt: je kind is bij je weggehaald, je flat ligt bezaaid met kleverige flessen, die je steeds naar de glasbak wilt brengen, maar nooit brengt.

Je staat aan de wal en staart het schip na waarop je ouders zijn weggevaren, maar je tenen zakken weg in de modder en het water verspreidt een rioollucht. Hun schip vangt het laatste licht op, maar zijzelf zijn al benedendeks gegaan en bestuderen het menu, serieus als altijd, want eten is belangrijk, dat mag je niet als vanzelfsprekend beschouwen. Ze weten niet dat je nog steeds kijkt. Ze weten niet dat je door deze zonnige straat loopt na je bezoek aan de plastisch chirurg. Je moeder vond je mooi zoals je was.

# 5

Je bent met Anna in de tuin. Het is een dag aan het eind van november en Anna draagt een rode wollen maillot, een kort marineblauw rokje en een marineblauwe fleecetrui met capuchon. Jij draagt een spijkerbroek en een kabeltrui: mamakleren. Je wilt dat alles normaal is.

'Ik heb al je speelgoed bekeken', zeg je. 'We zoeken straks wel uit wat je mee wilt nemen naar papa en wat je hier wilt laten. Er zit misschien wel het een en ander bij wat je niet meer wilt nu je groot bent.'

Anna staart je aan. Haar gezicht lijkt kleiner in de blauwe capuchon. 'Ik wil alles houden', zegt ze.

Natuurlijk mag dat. Als Paul de hoop grijzende konijnen, de barbieverzameling, de tientallen barbiekleertjes met bijpassende hoge hakken, die er afvallen en in de stofzuigerslang blijven steken, de zes jumbopakken viltstiften, waarvan de rode en gele altijd op zijn, niet wil, wil je ze met alle liefde hier houden. Maar Paul zei: 'Pak alles maar in.'

De dag is gekomen, de dag waarop je nooit had gerekend.

'Wil je me dwingen ermee naar de rechter te stappen?' vroeg hij. 'Dat win je nooit, dat kan ik je verzekeren, alles pleit voor me. Ze heeft bijna een uur op de stoep gestaan, in de regen.'

'Ik dacht dat Lola's moeder haar thuis zou brengen.'

'Dat hééft ze gedaan. Maar er was zo veel verkeer dat ze haar gewoon heeft afgezet. Anna had gezegd dat ze licht zag branden en dat ze wist dat je thuis was. En die stomme koe heeft niet even gewacht. Waarom denk je dat Anna dat zei? Omdat ze niet wilde dat ze binnen zou komen en je zou zien. Omdat ze wist in wat voor staat je zou zijn. Je hebt haar toch vaker zo voor de deur laten staan? Zij komt uit school en jij hebt vanaf het moment dat ze 's ochtends wegging, zitten drinken.'

Je gaf geen antwoord. Er viel niets te zeggen, dus sloeg je je hand voor je mond, om het niet te zeggen, om het gejammer waarmee je hem wilde smeken het niet te doen, binnen te houden. Je wist dat hij het zou doen, wat je ook zei.

'Ze heeft al die tijd op de stoep staan wachten. Iedereen had langs kunnen komen. Ze zag het licht branden en ze wist dat je thuis was, maar ze kreeg geen gehoor.'

'Ik sliep', zeg je. 'Ik slaap al nachtenlang slecht. Ik moet zo diep in slaap zijn geweest dat ik de bel niet gehoord heb.'

'Ja, hoor, je slaapt al nachtenlang slecht. En hoe denk je dat Anna slaapt? Goddank was ze zo verstandig om naar de telefooncel te lopen en mij op mijn mobiel te bellen.'

En hij had de sleutel gehad. Hij was binnengekomen met Anna en had haar gevonden. Hij had bewijs.

'En je hoeft me niet wijs te maken dat het alleen deze keer was. Ik heb hier en daar geïnformeerd. Ik ben naar haar school geweest. Soms komt ze te laat, sommige dagen komt ze helemaal niet opdagen. Ze maken zich zorgen, zeiden ze. Kun je je voorstellen dat ik daar stond en dat te horen kreeg, dat ze zich zorgen maken over mijn dochter? Het is hier een zooitje. Met al het geld dat ik je geef, heb je niet eens iets fatsoenlijks te eten voor haar in de koelkast.'

'We gaan vaak uit eten. Soms halen we wat.'

'Soms halen we wat! Allejezus, Lou, we hebben het over Anna, hoor. Nou, het is mooi geweest. Ik neem haar mee. Je mag haar zien, dat zal ik niet tegenhouden, maar ze komt bij mij wonen.'

Je gezicht doet pijn van de kou. Je knielt op de tegels van het terras en legt je armen om Anna's middel. Ze blijft stijfjes staan, ze weert je niet af, maar ze geeft zich evenmin aan je over. De laatste bladeren in de tuin zijn ook stijf geworden, ze ritselen in de koude wind. Je hebt het gevoel dat je van de rand van de wereld valt. Dode bladeren liggen opgehoopt achter de potten en de kale takken van klimplanten hangen er los bij. Je zou meer krammen in de muren moeten slaan, maar je bent er niet aan toe gekomen.

Je trekt Anna tegen je aan. 'Anna,' zeg je, 'raad eens? Ik ben naar Harrods geweest en heb die pyjamazak met Kleine Beer erop voor je gekocht.'

Maar Anna's gezicht is nog altijd afgewend. Je weet dat het niet is omdat je uit je mond ruikt: je gebruikt Odol en Listerine vanaf die keer dat ze zich naar de muur rolde toen je je over haar heen boog om haar een nachtzoen te geven.

'We kunnen je nieuwe pyjama's er indoen en als je dan bij papa bent, kun je de pyjamazak als knuffel mee naar bed nemen. Het is net een teddybeer, vind je niet?'

'Ik heb geen teddyberen meer.'

'Nee, dat weet ik.'

'Papa zegt dat ik zelf de kleur van mijn kamer mag kiezen.'

Haar stem klinkt kleintjes en koel. Ze wil niet huilen, ze weigert zich in je armen te vleien.

'Hartstikke mooi', zeg je. 'Dan kun je je favoriete kleuren kiezen.'

'Kom je er dan naar kijken?' Ze wacht gespannen je antwoord af.

'Dat moeten we aan papa vragen.'

'En ik kom ook nog hier?'

'Jazeker.'

'Mam?'

'Wat?'

'Mam. Je gaat toch niet verhuizen, hè?'

'Tuurlijk niet.'

'Je hebt gezegd dat ik altijd bij jou zou blijven wonen.'

'Ik weet het. Maar dat is niet eerlijk tegenover papa, hè? Hij moet ook een beurt krijgen.'

'En daarna is het weer jouw beurt.' Haar gezicht is een beetje opgefleurd. Dit klinkt beter dan alles wat je tot nu toe tegen haar hebt kunnen zeggen. Om de beurt, daar weet ze alles van.

'Ik hou van je', zeg je. Ze geeft geen antwoord. Het is fout, het is te zwaar, te emotioneel om zo naar haar te graaien, zoals iedereen de afgelopen weken heeft gedaan. 'Je bent mijn lekkerste banaantje. Alle apen in de dierentuin zijn jaloers op me. Ze willen het liefst in mijn tuin komen wonen, zodat ze juffertje Anna Banana kunnen zien.'

'O, mam.' Ze wriemelt wat, maar er flitst ook een klein fronslachje over haar gezicht. 'Je doet altijd zo gek.'

'Ja, dat is zo, hè? Ik doe gek. Heel anders dan jij, juffertje Anna Banana.'

'Noemde je me zo toen ik klein was?'

'Ik noemde je lastpost toen je klein was.'

'Ik was geen lastpost. Ik was lief.'

'Ja, absoluut, je was lief. Je was de allerliefste.'

Plotseling klemt ze haar armen stijf om je heen, haar stem klinkt heftig in je oor. 'Dat mag je nooit tegen iemand anders zeggen. Alleen maar tegen mij.'

'Heb ik nog iemand anders dan, tegen wie ik het kan zeggen?'

Maar dat is ook fout. Waarom moet zij zich bezighouden met het feit dat jij alleen bent? Ook zonder dat heeft ze genoeg aan haar hoofd. Snel zeg je: 'Je hebt toch mijn mobiele nummer, hè? En het nummer hier.'

Ze knikt. 'Ik heb ze in mijn dagboek geschreven voor als ik ze vergeet.'

'Je kunt het altijd aan papa vragen. Hij heeft ze ook.'

Je hebt het gevoel dat je bevroren bent. Je hebt een borrel

nodig, maar je zult er niet eerder een nemen dan dat Anna vertrokken is. Je houdt de gedachte eraan in je achterhoofd, als de redding die steevast komt opdagen in de laatste vijf minuten van oude cowboyfilms, het soort waar je op zondagmiddag altijd naar keek, als papa en mama boven een dutje deden. Ze installeerden je voor de tv met een fles 7-up en een pakje glacékoekjes. Daarna kwamen ze warm en gelukkig naar beneden en nam papa je op zijn knie, terwijl mama een kopje thee zette met iets sterkers erin voor papa. En dan aten jullie met zijn allen kleverige vruchtencake, waar mama de folie en de vetvrije papieren bodem van afhaalde en die ze zo in stukken sneed dat jij het deel met de meeste kersen kreeg. Wat heeft Anna daarbij vergeleken voor herinneringen?

Niet denken aan wat Anna voor herinneringen heeft. De middagen, koud en bedompt als oude asbakken. Het licht dat vervaagde, het beloofde uitstapje naar het park of de dierentuin dat alweer niet doorging. Omdat iedereen toch een glas wijn neemt om zich te ontspannen? En omdat het weekend is. En het niveau van de wijn in de fles zakt alsof iemand anders hem leeg lurkt. Heel even ben je gelukkig en is Anna gelukkig. Althans, je kunt jezelf wijsmaken dat ze gelukkig is, afgezien van de behoedzame ondertoon van haar lach en de manier waarop ze wegrent om haar rekenschrift te halen om aan jou te laten zien als ze je in de koelkast naar de tweede fles ziet graaien. Omdat ze nog steeds denkt dat ze je kan afleiden. Je kunt je zelfs gelegenheden herinneren waarbij je Anna ook een glas inschonk, omdat het daardoor normaler leek, iets wat jullie deelden. Maar ze trok haar lippen samen en weigerde het aan te raken.

En dan is het laat in de middag en wordt het donker. Mama is moe, Anna, ze moet even een dutje doen.

Je weet niet hoelang je geslapen hebt. Anna komt de kamer in met een bleek kopje thee, wiebelend op een schoteltje. Je probeert je aan de slaap te ontworstelen, maar je weet dat je niet wakker kunt blijven. Je voelt je te beroerd.

'Kom even lekker bij me liggen, Anna', zeg je, maar dat doet ze niet. Je zegt dat ze maar een video moet opzetten. *101 dalmatiërs*, die vindt ze geweldig, die is altijd haar favoriet geweest. Later word je opnieuw wakker en blijkt ze zelf haar pyjama te hebben aangetrokken en zelfs haar tanden te hebben gepoetst.

'Welterusten, mam', zegt ze, maar ze geeft je geen zoen.

De bamboe ruist. Anna leunt tegen je aan. Haar ogen zijn dicht, haar haar glijdt over haar wangen. Je beroert haar wang met je lippen, haar huid is koud.

'Het is beter voor je, Anna', zeg je, omdat het de waarheid is en ze nu luistert, zich niet tegen je verzet. 'Je houdt alles wat je hebt. Je vriendinnetjes en je school en al je speelgoed. Papa kan veel beter voor je zorgen dan ik op het moment. Kom, het is koud buiten. Laten we gaan kijken welke van die oude konijnen je wilt meenemen.'

'Ik wou dat het altijd zo was', zegt Anna. Je weet wat ze bedoelt maar niet kan zeggen: *Dat je tegen me praat, dat je aan mijn konijnen denkt, dat je weet wat voor huiswerk ik heb en dat ik tomaten warm wel maar koud niet lekker vind. Dat je aan de veilige kant van het spoor blijft, volwassen bent. Niet dat ik je op de grond zie plassen omdat je de wc niet meer haalt. Niet dat ik de hele dag video's mag kijken als ik wil en geld uit je tas mag halen voor snoep. Niet dat ik zie hoe bang je bent voor wat er met ons gebeurt en me dan stevig vastgrijpt en het allemaal probeert weg te knuffelen.*

'Het is beter', zeg je, terwijl je haar haren naar achteren strijkt. Je bent niet van plan te gaan huilen of iets stoms te doen voordat Paul komt. Je gaat samen met haar haar tassen inpakken en alle dingen uitzoeken die ze nu niet mee kan nemen maar die Paul een andere dag komt ophalen. Je gaat ervoor zorgen dat haar tanden gepoetst zijn, dat haar haren geborsteld

46

zijn en dat ze haar huiswerkagenda bij zich heeft. Je bent niet van plan een fout te maken: er is nog maar een uur te gaan.

De dag is gekomen, de dag waarop je nooit had gerekend.

# 6

Nadat Anna was geboren, begon Paul steeds langer over te werken. Hij liet berichten voor me achter op het antwoord-apparaat. Soms dacht ik dat hij wachtte totdat hij zeker wist dat ik weg was, zodat hij die berichten kon inspreken en niet hoefde te praten.

'Ik ben pas laat thuis. Ik moest naar die bouwlocatie in Deptford. Blijf maar niet op.' Of: 'Ik ga naar Cardiff om een opzichter achter zijn broek te zitten. Ik blijf er slapen.' Hij dacht er nooit aan de naam van het hotel te noemen, zelfs niet nadat ik zei: 'Wat als ik je nodig heb? Wat als er iets met Anna gebeurt?' Maar hij haalde zijn schouders op. Hij zei: 'Er ge-beurt niets met Anna.' Ook al keek hij me recht aan, in zijn blik viel niets te lezen. 's Nachts lag ik er wakker van, dan begon ik mezelf angst aan te jagen en zei bij mezelf: doe niet zo idioot. Je haalt je dingen in je hoofd.

In die tijd zag ik Johnnie vaak. Eigenlijk woonde hij niet meer bij ons, maar ook al had hij de flat, ons huis was nog altijd zijn thuis. Hij had zijn eigen sleutel en kon zichzelf op ieder moment van de dag of de nacht binnenlaten. Daardoor hoefde ik me geen zorgen meer te maken om inbrekers, want iedere keer als ik wat hoorde, kon ik denken: het is Johnnie. Hij kwam dan de gang in en sloop wat rond, bekeek mijn brieven en luisterde naar de berichten op het antwoordapparaat. Pauls stem op het apparaat leek zo veel op die van Johnnie dat het moet hebben geleken alsof hij naar zichzelf luisterde. En dan heb ik het niet over zijn accent; dat kan iedereen veranderen.

Maar over de structuur van de stem, zoals de structuur van hout, dat wat je ziet als je het verzaagt. Je kunt broers hebben die helemaal niet met elkaar praten, maar als je hun stemmen uit verschillende kamers zou halen, zouden ze hetzelfde klinken. Johnnie vond het fijn om Pauls stem te horen. 'Heel prettig,' zei hij, 'dat hij altijd naar huis belt.'

Johnnie wil dat alles stabiel is, behalve hijzelf. Daarom vond hij ons huis zo aangenaam, omdat het altijd vol lag met speelgoed en kleren en de keukenkasten altijd afgeladen waren met eten. Hij kwam vaak als ik alleen was, dan ging hij op de rand van het bad zitten, praatte over koetjes en kalfjes en maakte me aan het lachen. Daar was hij goed in. Soms had ik Anna bij me in bad. Als ik terugdenk aan die tijd, is het altijd rond zeven uur 's avonds in juni. De lucht wordt donkerder, blauwer, en er hangt een dichte laag geel stof in de zonnestralen. Ik hoopte altijd dat er een straal pal in de badkuip zou vallen, als een regenboog, maar dat gebeurde nooit. Anna stak altijd haar hand uit om ze aan te raken. Misschien was er maar één keer sprake van een lange hete junimaand, het jaar nadat Anna was geboren. Ik gebruikte dat jaar Floris-rozenolie in bad. Ik overdreef het. Ik liet het bad vollopen, waste me, stond op om het water weg te laten lopen en vulde het daarna weer met schoon, helder water. Dan ging ik liggen en liet het water om me heen klotsen. Als Anna in haar stoel zat, vond ze het niet leuk om me achter de rand van de badkuip te zien verdwijnen. Na een poosje begon ze te huilen, dan ging ik rechtop zitten, trok rare gezichten en gaf haar haar plastic inktvis terug. Daarna liet ik me weer achterover zakken, dieper en dieper in het water, tot het mijn gezicht bedekte. Die zomer liet ik mijn haar kort knippen. Johnnie vond het leuk, maar Paul niet. Sommige mannen hebben iets vreemds met lang haar. Ze vinden dat je er vrouwelijker door uitziet.

'Vrouwelijker,' zei Johnnie, 'maar niet zo sexy', en dan haalde hij zijn hand door mijn natte haarpieken.

Johnnie en ik hebben nooit meer iets gedaan nadat Anna was geboren. Ik weet niet waarom. Ik had het gevoel dat we een verhaal hadden verzonnen en dat we er nu naar moesten leven. Maar ik had Anna en dat was geen verhaal. Zodra ik haar had, had ik het gevoel dat ze meer in het huis hoorde dan ik. Maar Johnnie is niet iemand die je kunt vergeten. Ik was me erg van hem bewust, mijn hele huid tintelde als ik zijn dwalende voetstappen in de gang hoorde, zijn vingers die de telefoon-toetsen indrukten, zijn handen die mijn rekeningen open-vouwden. Hij was fanatiek nieuwsgierig. Hij wilde altijd pre-cies weten wat we gedaan hadden, Anna en ik, ook al was het nooit veel bijzonders. De ene keer had ik misschien een jurk gekocht, de andere keer Anna laten wegen bij zuigelingenzorg. Het waren de details, waar Johnnie naar hongerde.

Soms als ik in bad lag, legde hij zijn hand op mijn borst of streek hij met zijn hand over mijn buik. Dan draaide ik me om en wreef mijn natte gezicht tegen de binnenkant van zijn arm, waar zijn huid bleek en zacht was. Maar door het water werd het een ander soort werkelijkheid, een werkelijkheid waar we ons niet om hoefden te bekommeren of zelfs maar aan hoefden te denken als ik eenmaal uit bad was. En dan zat Anna daar vanuit haar stoel naar ons te kraaien en te lachen. Ze was dol op Johnnie.

Als Paul weg was voor zaken, droogde ik me af en trok een jurk aan. Ik ben gek op dat moment in de avond waarop mensen naar buiten beginnen te komen en kelners, krabbelend op hun notitieblokje, de cafés in en uit lopen, om vervolgens de bestelling door te roepen naar de keuken. Het is net het begin van een toneelstuk. Met Johnnie had je altijd het gevoel dat je er deel van uitmaakte, dat je op het toneel liep alsof je het recht had daar te zijn.

We duwden Anna in haar kinderwagen door de warme straten, naar het park. Ik had best een babysitter kunnen nemen, maar dat deed ik nooit, omdat ik niemand anders in huis wilde hebben. Bovendien leek het me goed om Anna mee te nemen. Ik stopte wat geld in mijn tas van de stapel bankbiljetten die Paul altijd voor me achterliet onder zijn zilveren sigarettenkoker, zodat we naderhand ergens wat konden gaan eten. Het was dan ongeveer negen uur. Soms sliep Anna, soms niet. Ze huilde nooit. Ik vond het heerlijk, al die zoevende taxi's die ergens heen gingen, die mensen vliegensvlug wegbrachten naar waar ze maar wilden wezen. En in het park waren mensen die tai-chi deden, die onder een boom zaten te lezen of elkaar diep in de ogen keken, alsof ze ook wisten dat ze aan een toneelstuk meededen. Daarna liepen we terug door straten waar de cafés open waren, de cafégangers tot op de stoep stonden en een bierlucht uit de ventilatoren kwam. Ik dronk niet vaak bier, maar de geur vond ik heerlijk. De lucht was loom, als slaphangende bladeren. Johnnie duwde het wandelwagentje.

We gingen ergens naar binnen om te eten. Johnnie hield niet van chique tenten, hij hield van kleine Italiaanse restaurantjes, die hun tafelkleedjes allemaal bij hetzelfde warenhuis kopen. Anna was er altijd welkom. Ze warmden haar flesje voor haar op, terwijl Johnnie Barolo in onze glazen schonk. Ik legde Anna in de kromming van mijn arm, stak de fles in haar mond en nam dan een slok uit mijn eigen glas. Johnnie keek naar ons en zei: 'Je moet haar eigenlijk geen fles geven. Je kunt haar beter borstvoeding geven.'

'Paul vond het niks.'

'Ja, dat weet ik. Hij vond het niks. Omdat hij je helemaal voor zichzelf wilde. Weet je wat ik leuk zou vinden, Louise? Ik zou het leuk vinden om hier te zitten met jou tegenover me en dat jij dan dat bandje naar beneden trekt en Anna de borst geeft, en dat ik dan toekijk.'

'Dan worden we er meteen uitgegooid.' Ik zei het snel en lachte om te verbergen dat het me erg ontroerde wat hij zei.

'Tuurlijk niet. Hier niet, hier weten ze alles van baby's.'

En dat was ook zo. Als we binnenkwamen, lachten ze altijd tegen Anna alsof ze de belangrijkste persoon in het restaurant was, ze noemden haar *bella bambolina*, en nog voordat ze onze bestelling opnamen, gingen ze haar flesje klaarmaken. Ze lachten ook tegen Johnnie en ik wist dat ze dachten: zo jong en toch al zo serieus en zo goed met de baby.

Als ik terugdenk aan die dagen in juni met Johnnie, vraag ik me af waarom we zo fatsoenlijk waren. Ik lag naakt in bad en Johnnie zat ernaast. We daagden onszelf uit, maar waarvoor? Hij raakte mijn tepel aan en keek me aan, terwijl het water om me heen klotste. Er hoefde maar dát te gebeuren... maar we hielden ons in.

Dat was jaren geleden en het is allemaal veranderd. Paul is bij me weg. Ik had niet de moeite hoeven nemen om naar die dokter te gaan. Het was stom. Je doet dat soort dingen om jezelf te straffen, om jezelf de feiten in te peperen. Zodra ik de blik in de ogen van die dokter zag, wist ik dat hij geen respect voor me had. Dat hij het leuk zou vinden om me te vertellen dat hij me niet kon helpen.

Het gaat hoe dan ook om gecompliceerder dingen dan aantrekkelijk of niet aantrekkelijk, jong of niet jong. Paul gaat nog steeds met me naar bed; Sonia weet dat niet. Zo is hij nou eenmaal en ik ben net zo, althans, dat houd ik mezelf voor. Ik blijf in hem geloven en hij blijft in mij geloven. En daarna valt hij in slaap. Hij valt altijd in slaap en ik lig een poosje naar hem te kijken, dan sta ik op en maak een kop thee, die ik zittend voor het raam opdrink, terwijl de mensen voorbijlopen en Paul slaapt. Ik drink nooit als Paul bij me is. Ik zit daar en heb het gevoel alsof ik oplos.

Paul is bij me weg en nu heb ik het hele huis voor mezelf. Het is niet te groot voor één persoon; we hadden het er altijd over om naar iets groters te verhuizen, maar ik was zo dol op het huis dat het er nooit van gekomen is. Ik kon de tuin niet achterlaten. Al is het huis klein, het kostte Paul een fortuin, vanwege de ligging. Hij had iets wat twee keer zo groot was kunnen kopen in een andere buurt, maar dat wilden we niet.

Moet je mijn benen zien. Ik ging eens naar de voordeur zonder de moeite te nemen mijn ochtendjas dicht te doen. Ik had op de binnenplaats liggen zonnebaden. En plotseling stond hij daar in zijn donkere pak en zijn schone witte katoenen overhemd, dat rook zoals al zijn overhemden altijd roken. Ik glimlachte. Paul keek naar me en ik zag dat mijn ochtendjas was opengegaan zonder dat ik er erg in had gehad. Hij beantwoordde mijn glimlach niet, hij stak geen vinger naar me uit. Hij keek alleen maar en zei: 'Doe je ochtendjas dicht.'

Vroeger vond hij dat geweldig. Hij in de kleren en ik naakt, dat vond hij het leukst. Ik half gekleed, ik uitgekleed, ik naakt. Dan draaide hij me rond alsof ik een vaas was. Vroeger vond hij het leuk als ik naakt naar de deur kwam. Dat was voordat we geld hadden, voordat er eeuwig en altijd andere mensen in huis waren, voordat er meubilair kwam en schilders en binnenhuisarchitecten die beter weten hoe jij je huis wilt dan jij. Als je geld hebt, moet je steeds meer spullen hebben en steeds meer dingen doen. Je kunt niet gewoon een stoel de tuin in slepen als de zon schijnt; je moet stoelen en tafels hebben van geolied teak en een schommelbank met dekjes die naar de stomerij moeten.

Maar daarvoor, in de tijd waar ik het over heb, waren het enkel hij en ik en het grijze straatje buiten, waar de dagelijkse wereld wachtte. Dat was jaren voordat Anna was geboren. Er was nog niets gebeurd. Johnnie was nog een jochie. Ik stond in de deuropening. Ik had mijn bad nog niet gehad en ik kon mezelf ruiken en de geur van Paul van de voorgaande nacht. Hij wikkelde zich om me heen alsof niets ertoe deed, het donkere pak niet, niks. Dan trok hij met zijn handen mijn haar omhoog en liet het weer vallen. En ik voelde de koelte ervan als veren langs mijn huid fladderen.

Hij ging overdag de wereld in en ik bleef thuis. Zo ging het, al deed ik wel thuiswerk: ik typte dingen voor hem en nam boodschappen aan. We wilden altijd al kinderen, maar het duurde zo lang dat we vergaten dat het hebben van een baby meer betekende dan het bereiken van een doel dat we onszelf gesteld hadden. Paul wilde dat ik zwanger werd, maar het gebeurde niet. Ik was klein destijds, niet mager maar klein. Hij legde vaak zijn handen om mijn middel of om mijn nek zelfs. Het is een heel raar gevoel als een man zijn handen om je nek legt, Paul is de enige die dat ooit van mij heeft gemogen. Ik ben noch voor hem noch voor de spiegel ooit teruggedeinsd. Ik wist dat er geen onvolkomenheden waren.

Ze zeggen dat je door te drinken niet meer weet wat drank met je doet, zoals je door een verdoving de snee niet meer voelt. Als ze een vrouw in een portiek zien met tassen om zich heen, haar blote benen met korte sokjes recht voor zich uit gestoken en een straaltje donkere vloeistof tussen haar open dijen, denken ze: die is helemaal van de wereld, die weet van niks meer. Ze merken op dat haar vlees grijs is, dooraderd met paars en steenrood, maar ze bekijken het zoals ze de kleuren van een safaridier bekijken, niet van een mens.

Je kunt medelijden hebben. Je kunt minachting voelen als je wilt, ze kan je niet tegenhouden. Ik heb geen medelijden, want ik ken haar.

En als ze opkijkt en mijn blik ontmoet, weet ik dat ze mij ook kent. We zijn van hetzelfde laken een pak, maar je zult mij niet op straat aantreffen. Ik heb een prachtig huis en 's ochtends valt het zonlicht door de kleverige ramen op de kleverige glazen en dan denk ik: ik ga zo opruimen, want Anna komt. Maar tijd werkt niet zo. Ik ga zitten. Ik heb mijn ochtendjas aan en ik trek hem op, zodat het zonlicht op mijn benen kan vallen. Ik leun achterover. Ik ben altijd mooi bruin, zo'n soort huid heb ik nou eenmaal. Het kan me niet schelen wat Paul ervan vindt, ik vind mijn eigen benen mooi. Ik strek ze voor me uit en laat het zonlicht erin doordringen. De tijd klotst rond in mijn hoofd, de minuten maken zich los van de uren. Ik denk aan Paul en mij, aan Anna en aan Johnnie.

De tweede keer dat we samen uitgingen, heeft Paul me een verhaal over Johnnie verteld. Ik begreep destijds niet dat het een verhaal over Johnnie was, ik dacht dat het over Paul ging. Johnnie is Pauls broer, maar ze schelen twaalf jaar met elkaar.

Dit is het verhaal. Paul woonde met zijn moeder en Johnnie in een flat in Barking. Johnnie was een baby van een maand of zes. Waar hun vader was, weet ik niet. Nadat Johnnie was geboren, was hij vaker niet dan wel thuis. Toen hij op het eind ziek werd, kwam hij natuurlijk terug, zodat Maureen hem kon verplegen. Dat heb ik allemaal pas later gehoord van Maureen, Pauls moeder, toen we elkaar wat beter hadden leren kennen.

Het was nacht en iedereen lag te slapen. Paul werd als eerste wakker. Hij zag een streepje licht onder de deur door. Wat ik ervan begrepen heb, was er een keuken waar een badkuip in stond, met afvoer en kraan en een deksel die je dicht kon doen als je het bad niet gebruikte. Ze hadden een woonkamer, waar Paul op een bankbed sliep, en een slaapkamer, waar zijn ouders sliepen, met een ledikantje erin. Het streepje licht kwam uit de gang. Zijn moeder liet nooit het ganglicht aan. Toen hoorde hij een lade opengaan en gerinkel.

Maureen had verzilverd bestek als huwelijkscadeau gekregen, dat in die la opgeborgen lag. Paul poetste het altijd voor haar.

'Je hebt geen idee hoe weinig we toen hadden', zei Maureen vaak. 'Het was net na de oorlog toen we trouwden en niemand had wat.'

Nog meer gerinkel. Paul sliep nog half en dacht bij zichzelf: wat is mama toch aan het doen, dat ze midden in de nacht de messen en vorken uit de la haalt? Op dat moment hoorde hij een man hoesten. Paul was in één tel uit bed, de hal door en in de slaapkamer, waar hij zijn moeder wakker schudde.

'Mama! Mama! Er is een inbreker in de keuken!'

Ze was diep in slaap met de baby lekker ingestopt naast zich. Hij pakte haar schouder en schudde haar heen en weer, maar net toen ze wakker begon te worden, hoorde Paul de deur van de keuken naar de gang opengaan. Hij wist dat zijn moeder een houten deurvanger bij haar slaapkamerdeur had liggen voor het geval er ingebroken werd, dus die greep hij bij het uiteinde vast en trok de slaapkamerdeur open. Het was een groot zwaar mahoniehouten geval, waar je iemand de hersens mee kon inslaan. Daar was de man, hij kwam net de keuken uit. Hij stond met zijn rug naar Paul toe en zag hem de eerste paar tellen niet, wat voor Paul lang genoeg was om de deurvanger omhoog te zwaaien en hem ermee op het achterhoofd te slaan.

Het was niet hard genoeg om hem bewusteloos te slaan, maar de man ging door de knieën en het tafelzilver kletterde op het zeil in de gang. Paul hield de deurvanger boven zijn hoofd, klaar om hem nog een ram te verkopen als hij probeerde op te staan. Het was een grote man. Maureen was uit bed en sloeg haastig haar ochtendjas om, de baby zette het op een schreeuwen. Paul durfde zich niet te verroeren voor het geval de man zou opspringen. Hij hield de deurvanger boven zijn hoofd. 'Ga de politie halen, mam.' Natuurlijk hadden ze geen telefoon.

'Ik laat je niet met hem hier achter', zei Maureen. De man was niet alleen groot, hij zag er ook gemeen uit. Later bleek dat hij tientallen flats in en rond Barking had afgewerkt, waarbij hij hier een biljet van tien pond en daar een pakje sigaretten had buitgemaakt. Mensen hadden niet al die tv's en video's die ze nu hebben. Dus begon Maureen te brullen om de buren wakker te maken. Ze probeerde 'Politie!' te schreeuwen, maar nadat ze dat een tijdje gegild had, realiseerde ze zich dat dat niet zou werken, dus schakelde ze over op 'Brand!' Na lange tijd klonk er een muizig klopje op de voordeur van de flat. Het was meneer Berridge van beneden.

'Is er iets aan de hand, mevrouw O'Driscoll?'

'Ja, dat kun je verdorie wel zeggen! Hoorde u me niet? We hebben een inbreker hier.'

'We hoorden herrie, dus zijn we in de kelder gaan zitten.'

Er was een hoop dat Maureen had willen zeggen, maar ze vroeg hun alleen de politie te halen. Paul stond nog steeds met de deurvanger in zijn handen en Johnnie schreeuwde aan één stuk door. Toen er een paar andere mensen uit de woningen boven hen naar beneden kwamen, was het snel bekeken. De man is, geloof ik, de gevangenis in gegaan.

Het eerste wat Paul deed toen de politie kwam, was naar de slaapkamer gaan om Johnnie uit bed te halen. Hij was zo over zijn toeren dat hij helemaal trilde. Paul kalmeerde hem, terwijl Maureen met de politie praatte en haar laden nakeek om te zien of er nog meer verdwenen was. En daarbij bleek dat hij ook nog twintig sigaretten van haar nachtkastje had gepakt en een zilveren kruisbeeld uit de la van haar toilettafel. Hij was dus in de slaapkamer geweest terwijl zij daar met de baby naast zich lag te slapen. Maureen kreeg er kippenvel van.

Paul hield Johnnie in zijn armen en streelde hem over zijn hoofd. Johnnie hikte nog steeds van die diepe, verwijtende snikken op, het zweet stond op zijn hoofdje en hij hield de mouw van Pauls pyjama stevig vast. Zijn knokkels waren wit. En Paul dacht: ik zal voor je zorgen, ook als niemand anders het meer doet. Hij herinnert zich heel duidelijk dat hij dat dacht. Het was een soort belofte aan de baby. Zijn vader was er niet, snap je, en zijn moeder was diep in slaap toen de inbreker om haar bed heen liep en wegnam wat hij wilde.

Maureen was sowieso niet zo snugger, zelfs niet als ze wakker was. Ze raakte gauw in paniek. Paul dacht vaak terug aan die nacht: de grote man die alles doorzocht wat ze hadden alsof hij er het recht toe had, en zijn moeder die sliep en Johnnie die niet ophield met schreeuwen.

Als mensen die je nog maar net kent je dat soort verhalen

over hun leven vertellen, begrijp je niet wat ze betekenen. Ik dacht dat het erom ging dat Paul een volwassen man aan de grond genageld had gehouden toen hij nog maar een jongetje van twaalf was. Maar, zoals ik al zei, het verhaal ging in feite over Johnnie en over het feit dat Paul hem nooit in de steek kon laten of zijn handen van hem af kon trekken. In zekere zin was het dus een waarschuwing, maar nogmaals, het duurde lang voordat ik dat doorhad. Misschien kon Johnnie daarom op de rand van mijn bad zitten en konden we elkaar aanraken en wegzweven, maar nooit neuken. Alleen die ene keer, dat was genoeg. Paul verving Johnnie op allerlei manieren en Johnnie verving Paul.

Ik wil niet naar drank ruiken als Anna komt. Ik lig nog steeds in de zon, al is de zon wel een stukje gedraaid. Ik kijk naar het vlees van mijn benen. Als je brood maakt, moet je het afgedekt op een rustige plek laten rijzen. Het komt omhoog naar de rand van de schaal en raakt de doek. Deeg. Dan sla je er een deuk in, kneedt het nog wat en uiteindelijk krijg je brood. Het is langgeleden dat ik het heb geprobeerd. Ik ben het deeg dat tegen de doek op bobbelt. Ik heb geen bezwaar tegen de dikte van vrouwen die voorbestemd zijn om dik te zijn, vrouwen met kleine handjes en polsen met kuiltjes en lijnen, zoals baby-polsjes. Hun vet heeft een soort stevigheid, alsof het vol sap zit. Het ziet er goed uit. Maar wat er met mijn lichaam is gebeurd, ziet er niet goed uit.

Paul betaalt de gemeentebelasting en het onderhoud. Al mijn rekeningen worden betaald. Ik gebruik mijn cheques al niet eens meer. Ik heb het geld dat Paul me geeft, nieuwe biljetten in nieuwe enveloppen. Hij betaalde altijd al liever contant.

'Zoiets doe je voor je minnares,' zei ik tegen hem, 'niet voor je vrouw.'

Hij lag in mijn bed toen ik dat zei. Zo uitdrukkingsloos als zijn blik werd toen ik 'minnares' zei… En toen liet hij zijn blik over me heen glijden, van top tot teen, en wist ik dat de ochtendjas weer wijdopen stond.

Ik ben zijn vrouw. Hij mag denken wat hij wil, maar daar kan hij niets aan veranderen. Hij blijft hier terugkomen. Ik ben zijn vrouw tot we allebei doodgaan, en als we doodgaan, zal ik nog steeds zijn vrouw zijn, hetzelfde vlees.

# 7

De kamer is warm en hoog. De radiator sist, maar verder is het stil, ook al is er een kind in de kamer. Ze zit aan tafel te tekenen. Her en der liggen kleurpotloden en viltstiften op het tafelblad en tot proppen verfrommelde vellen papier. Het kind buigt zich over haar tekening, haar mond hangt een klein beetje open en haar tong steekt tussen haar tanden vandaan. Ze tekent met lange stevige halen met een zwart kleurpotlood. Ze tekent een hok met op de achtergrond een muur, en een ren van ijzerdraad, waarin een konijn zit dat zich tegen de grond drukt. Het gaat telkens mis. Telkens tekent ze hem met zijn kop in zijn nek, als een haas, en grote verbaasde oogbollen boven op zijn kop.

Boven op het hok zit een kat. Hij heeft strepen als een tijger, te veel strepen, ziet Anna nu, maar ze vindt de zwart-witte striemen wel mooi. De kat sluipt naar voren en zijn snorharen liggen plat tegen zijn kop als hij naar het konijn in het hok kijkt. Anna weet het een en ander van katten. Ze heeft vaak met opgetrokken benen en haar armen om haar knieën geslagen in haar moeders tuin naar de wilde katten zitten kijken, die ze van haar moeder niet mocht aanraken. De tekening gaat weer mis. Anna verfrommelt hem, veegt de berg weggegooide tekeningen bijeen en staat op. Maar al blijft ze haar tekeningen verfrommelen, ze lijkt niet teleurgesteld te zijn.

Ze gaat naar een stoel en pakt de pyjamahoes met Kleine Beer erop, die daar ligt. Ze houdt hem stevig vast, wrijft met zijn slappe lijf over haar wang, legt hem dan weer neer en gaat op het tapijt zitten. Donkere, barokke, glimmend gepoetste, zware meubelstukken buigen zich over haar heen als kliffen die ze niet kan beklimmen. Het hoogpolige tapijt is diep kastanjebruin. Hier is geld uitgegeven.

De muren zijn in een eenvoudige crème kleur geschilderd en glanzen als ziekenhuismuren. Alles kaatst erop af: licht, zweet, afdrukken van handen die zich ertegenaan gedrukt hebben in een poging weg te komen. Iedere keer vegen ze zichzelf schoon. Anna denkt aan de mensen die hier voor hen gewoond hebben en vraagt zich af of ze kinderen hadden. Ze hebben deze kamer zo gemeubileerd dat hij lang zou meegaan. De kamer pronkt met zichzelf: ik mag dan lelijk zijn, maar kijk eens hoe duur ik ben. Paul heeft het huis gehuurd voor zolang hij zich beraadt op wat hem te doen staat. Hij raakt er gedeprimeerd van.

Anna staat op. Ze raapt de pyjamahoes weer op en houdt hem als een toneelrekwisiet vast, terwijl ze geruisloos naar het raam loopt. Ze heeft zich geoefend in geruisloos lopen. De vensterbank zit te hoog voor haar om naar buiten of naar beneden te kunnen kijken, maar ze kan wel omhoog kijken. Ze ziet zwarte takken, kriskras door elkaar, en de hoek van de brandtrap. Ze ziet de grijze korreligheid van een Londense midwinterlucht. Een rossig witte duif op de richel kijkt terug. Ze kent hem goed. Hij heeft een verschrompeld pootje en zit altijd veilig hierboven, in afwachting van het moment waarop hij zich naar beneden kan storten, op etensrestjes. Er mogen geen dieren in het huis gehouden worden, dat is een van de voorwaarden in het huurcontract.

Anna kijkt heel lang naar de lucht. De kou strekt door het glas zijn tentakels naar haar uit en ze zou haar wang graag tegen het raam willen leggen, maar de vensterbank is te hoog voor haar. Van haar duim en wijsvinger maakt ze een rondje, waar ze doorheen kijkt. Daar is de lucht, die er nu heel anders uitziet, ingelijst, mysterieus, met de zwarte vingers van de takken die er doorheen lopen als een handschrift dat Anna niet kan lezen.

Een boodschap. Er staat iets te gebeuren. Anna pakt met beide handen de vensterbank beet, kijkt omhoog en wacht.

Daar is het. Het geluid waarop ze heeft gewacht. Diep in de buik van het huis gaat een deur open en dicht. Ze weet precies waar hij is. Hij is voorbij de voordeur, opent nu de tussendeur en doet hem weer dicht. Doet zijn jas uit, hangt hem op. Fronst tegen zichzelf in de grote spiegel, kruist zijn eigen blik zonder dat hij hoeft te lachen. De grote spiegel, als een donkere schaal waarin je naar de oppervlakte drijft, zodat je zelfs jezelf verbaast. Hij buigt zich voorover naar zijn gespiegelde gezicht en trekt zijn das recht. Hij kijkt door het trapgat naar de overloop. Met ferme tred loopt hij over het stille, sponzige tapijt naar de trap.

Anna hoort nog een geluid. Stemmen. Twee stemmen die zich om elkaar heen winden. Ze blijft heel stil staan met de lachende berenpyjamahoes slap in haar handen. Anna's gezicht blijft even uitdrukkingsloos als het gezicht van haar vader in de spiegel. Ze gaat naar de kast en haalt er een pop uit en een stalen kammetje dat haar moeder altijd gebruikte als Anna met hoofdluis uit school kwam. Anna heeft al een jaar niet meer met poppen gespeeld, maar nu gaat ze met haar rug naar de deur zitten en maakt de lichtblauwe linten om de poppen-vlechten los. Het haar van de pop springt alle kanten op, een stijve, glinsterend gele bos. De metalen kam gaat er doorheen en trekt het haar weg van de kale plekken op de poppenschedel.

'Ik weet dat het pijn doet,' zegt Anna, 'maar het is de enige manier om ervan af te komen. Van die chemicaliën krijg je kanker. Even flink wezen.'

Nu staan ze voor de deur. Haar vaders hand komt omhoog om de deurklink te pakken. Ze wacht op het geluid van de scharnierende klink, maar het komt niet. Het enige wat ze hoort is haar eigen hart, dat zwaar klopt in haar borst. Zijn hand moet al op het koude koper liggen. Dan hoort ze de twee stemmen weer, gemengd als warm en koud water uit de kraan.

De deur gaat open. Het is koud, haar rug kromt zich in de binnenkomende tocht. Ze legt haar pop voorzichtig op het tapijt en draait zich om.

'Anna', zegt hij. Hij kijkt haar onderzoekend aan. Naast hem staat een vrouw in een getailleerd, ijsblauw pak. Anna heeft haar al eens ontmoet en kent haar naam. Ze heet Sonia en haar hand rust licht op Anna's vaders arm. Ze heeft lange witte vingers en om één daarvan zit een smaragd in een krans van diamanten. Er schiet een straal licht uit als Sonia naar het loshangende gele haar van de pop kijkt. Haar dunne, beweeglijke lippen zijn stil en ze maakt geen aanstalten naar Anna toe te lopen. Inmiddels is haar parfum al als rook in Anna's mond en neus gekropen.

Anna probeert de geur van haar moeder vast te houden, niet zoals ze nu is, maar zoals ze was. Haar moeder tilt baby Anna op een natte lenteochtend op en laat haar op het plein een neusduik maken om aan de witte bos narcissenkopjes te ruiken. Ze ruiken naar sorbet, een lekkere, sterke lucht. Anna's moeder zegt: 'Ze heten "fazantenoog", niet te geloven, hè?' Haar lippen zijn vol en bleek, ze komen dichterbij en draaien dan opzij om Anna's wang te beroeren. Anna laat haar hand in haar moeders witte truitje glijden en vlijt hem in de warme spleet tussen haar borsten. Anna's moeder lacht en zegt dat ze een deugniet is.

Dat was langgeleden. Nu wasemt Anna's moeder een lucht van oude alcohol uit. Zoiets als aceton. Het zit in haar huid en in de plooien van haar vlees als ze Anna tegen zich aandrukt. De alcohollucht wroet en boort zich in Anna. De rare lucht is sterker dan parfum, veel sterker dan lenteochtenden. Anna's moeder heeft de alcohol ook in haar ogen. Haar ochtendblik is mat en zo ondiep als een regenplas. Ze zoent Anna, port in Anna's rug als ze haar naar zich toe trekt, naar de lucht toe trekt. En als er iemand anders bij is, zegt die: 'Laat haar met rust, Louise.'

Soms is haar moeder Louise, maar ze kan ook Lou, Louie en zelfs Lulu zijn. Ze heeft geen naam die steeds hetzelfde blijft. In haar mond is 'Anna' zo groot als een wereld die je wílt maar nooit kúnt opeten.

Anna's vader glimlacht, terwijl Sonia's hand op zijn arm ligt. 'Je kent Sonia', zegt hij. 'Luister eens, Anna. Sonia gaat met me trouwen.'

De radiator sist luider dan ooit. Anna vouwt haar handen in haar schoot en kijkt op naar haar vader.

'Wat vind je ervan?' vraagt haar vader.

Anna laat haar tong langs haar lippen glijden en knippert met haar ogen. De ijsblauwe pilaar, Sonia, glinstert aan haar vaders zijde. Sonia glimlacht en doet aarzelend een stap naar voren, zodat Anna haar parfum nog beter ruikt. Maar naast Sonia's parfum ruikt ze ook haar vaders huid en de eau de cologne waarmee hij na het scheren zijn hals dept. Soms kijkt ze naar hem als hij zich scheert. Er is niemand bij, alleen de zware klapdeur van zijn teakhouten klerenkast, het klotsen van de kwast in het zeepwater en het geschraap van zijn scheermes. Hij wil geen scheerapparaat gebruiken. Ze kijkt naar hem in de spiegel. Soms steekt hij zijn hand naar achteren, zoekend naar het handdoekenrek, en duwt zij hem een witte handdoek in de hand. De handdoeken zijn ook niet van hen, daarom staan er in de hoeken initialen van andere mensen geborduurd. Anna vindt het vervelend om handdoeken te gebruiken waarop FMB geborduurd staat, omdat je niet kunt voorkomen dat je huid ermee in aanraking komt. Ze is altijd bang dat er iemand komt binnenvallen die tegen haar schreeuwt: 'Wat? Droog je je kont aan mijn handdoek af?' Kont, denkt Anna. Dat zegt Johnnie altijd: 'Kom met je kont uit die stoel, Anna, we gaan uit.'

'Wanneer?' vraagt Anna. Sonia fronst en haar ogen fonkelen. Ze glimlacht nog steeds, maar het is inmiddels wel duidelijk dat ze Anna geen zoen zal geven. Ze heeft van haar kant een stap naar voren gedaan, dat was alles. Haar vader bukt zich en legt zijn grote warme hand op Anna's hoofd, alsof hij haar de grond in wil drukken, vier etages lager, tot onder de dikke tapijten, de eindeloze trappen en de koude, smerige kelder-vloer.

Sonia steekt haar hand uit. Ze legt haar vinger onder Anna's kin en tilt hem op, zodat ze elkaar in de ogen kijken.

'Ze heeft jouw mond, Paul.'

'Nee. Ze lijkt op haar moeder.'

Hij loopt naar het raam en kijkt naar de Londense grauw-heid. Het wordt al donker, ook al is het midden op de dag. De lucht ziet eruit als papier dat door iemand strook voor strook grijs gekleurd wordt.

'Vertel haar over de bruiloft', zegt hij.

Sonia pakt hem bij zijn arm. 'Ik heb voor één uur een tafel gereserveerd, Paul', zegt ze. 'Anna en ik gaan een andere keer wel eens bij elkaar zitten om er uitgebreid over te praten.'

'Oké. Luister, Anna, na de bruiloft ga je naar een nieuw huis, een huis op het platteland.' Hij kijkt op zijn horloge. 'Tien voor één, Sonia. Ga jij maar vast naar beneden, ik kom er zo aan.'

Maar Sonia steekt haar hand in haar handtas en haalt er een smal wit pakje uit met een rood lint eromheen.

'We waren bij de juwelier', zegt ze tegen Anna. 'En toen zagen we dit voor jou.'

Anna houdt het pakje vast zonder het te openen. Diep in haar begint zich een blos te vormen, een golf, die zich op haar bleke gezicht manifesteert.

'Maak je het niet open?' vraagt Sonia op rappe, scherpe toon, maar ze glimlacht nog steeds. Anna trekt aan het lint, haalt het papier eraf en maakt het doosje open.

'Alsjeblieft', zegt Sonia. 'Die kun je op de bruiloft dragen.'

'Zeggen we niks, Anna?' vraagt Paul.

'Dankjewel.'

'Bedank Sonia maar. Het was haar idee. Zij heeft hem uitgekozen.'

'Dankjewel, Sonia.'

Anna ziet dat Sonia boos is maar het niet wil laten merken. Haar gezicht blijft in de plooi, maar haar lichaam verstrakt.

'Naar welke school gaat ze?' vraagt ze.

'St. Ursula. Ze krijgt een goede opleiding.'

'Hmm', zegt Sonia. Haar prachtige, parelkleurige schoenen glijden over het tapijt. Ze blijft staan, doet de deur open en zegt: 'In Mexford Bridge heb je niets wat ook maar in de verste verte op St. Ursula lijkt. Het is je reinste achtergebleven gebied. Maar we moeten maar zien wat we kunnen doen. Nou, dag Anna.'

'Dag', zegt Anna.

Als de deur dichtgaat, draait haar vader zich van het raam af. Hij loopt naar Anna toe, bukt zich en tilt haar op. Haar gezicht is op gelijke hoogte met het zijne. Hij mag dan zeggen dat ze niet op hem lijkt, maar ze weet dat ze wel op hem lijkt. Ze kent hem net zo goed als ze zichzelf kent. Zijn donkere huid, zijn donkere haar, zijn donkere ogen. De constante warmte die hij uitstraalt, die maakt dat ze tegen hem aan wil leunen en zich als een kat tegen zijn borst wil vleien. Ze tilt haar twee koude handjes op en legt ze, elk aan een kant, tegen zijn gezicht, zodat ze het omvat. Ze weet dat het mag van hem, omdat ze alleen zijn.

'Alles in orde, Anna?' vraagt hij.

Ze knikt.

'Dat huis, daar zul je het vast leuk vinden. Er is een enorm grote tuin bij en een rivier aan de voet van de heuvel.'

'Ik vind het hier leuk.'

Hij fronst en schudt lichtjes zijn hoofd, alsof hij probeert weg te schudden wat ze heeft gezegd. 'Zo moet je niet denken. We moeten hoe dan ook verhuizen. Het contract voor dit huis loopt in april af. We moeten wel iets aanhouden in Londen, maar dan nemen we een flat. Sonia wil iets passenders.'

'Hoe moet het dan met...?' School, dwingt ze zichzelf te

denken. Mijn vriendinnetjes. Niet dat enorme, dat niet gezegd kan worden. Iedere week komt er een auto voorrijden die haar naar mama brengt. De straten door, via het park, langs rijen stoplichten, die op rood of groen springen. Ze kent al bijna de weg. Als de auto de bocht om gaat, leunt ze tegen het raampje en prent de route in haar hoofd, winkel voor winkel, straat voor straat. Mocht er iets gebeuren, dan zou ze er lopend heen kunnen. 'Kan er op het platteland een auto komen om me op te halen?' vraagt ze.

'Waar heb je het nou toch over?' Hij glimlacht toegeeflijk, alsof ze iets heeft gezegd dat eigenlijk te kinderachtig is voor haar leeftijd.

'Nou, een auto om me naar...'

Zijn hand komt omhoog en trekt haar handen van de zijkant van zijn gezicht. 'Daar hoef je je geen zorgen over te maken', zegt hij. 'Dat regel ik allemaal.'

Als hij naar beneden gaat, naar Sonia, raapt ze een van de verfrommelde tekeningen op en strijkt hem glad. De kat en het konijn zijn allebei best goed. Wat er mis is met de tekening, is dat er iets aan ontbreekt.

Ze pakt haar kleurpotlood en tekent met stevige, heldere lijnen de kop van een tijger, die als de ochtendzon achter de zich nergens van bewust zijnde kat oprijst.

# 8

Het is een aangetekende brief. Paul stuurt ze altijd aangetekend, zodat ik niet kan beweren dat ze nooit zijn aangekomen.

De postbode belde aan toen ik net uit bad was. Ik trok mijn kimono om me heen en opende de deur net ver genoeg om het pakje, of wat dan ook, aan te nemen. Maar hij gaf het niet.

'Ik heb een handtekening nodig', zei hij. Niet de gewone postbode, maar ja, ze veranderen ook voortdurend. Jong en brutaal, starend naar mijn kimono. Ik was nog vochtig van het bad en de zijden stof plakte aan mijn huid. Een handtekening nodig. Paul ten voeten uit. Een handtekening om te zeggen dat we niet meer getrouwd zijn, een handtekening om te zeggen dat niets wat van hem is nog van mij is. Behalve Anna. Zelfs Paul heeft nog geen manier kunnen vinden om mij met een handtekening afstand te laten doen van Anna.

Ik nam de brief aan, tekende ervoor en schreef vervolgens mijn naam op. Ik wilde hem niet meteen lezen. Ik had het koud en vroeg me af of ik niet weer even in bad moest gaan liggen, maar er dreef een blauwe, viezige laag op het water. Ik vond het er niet aanlokkelijk uitzien. Ik trok de stop eruit en het putje begon te proesten. Ik moet wat aan die afvoer doen. Het water loopt niet goed weg. Geen betere dag dan vandaag, dacht ik. Ik deinsde er nog steeds voor terug om de brief open te maken. Ik rommelde wat onder de wasbak en vond de ontstopper, oranje en een tikje vies, met zwarte vlekken aan de binnenkant van het rubber. Ik zette de zuignap op de afvoer en duwde hem heen en weer. Eerst schoot er een bel oude, smerige lucht uit, toen kwam er een troebele dot viezigheid naar de oppervlakte. Ik deed het nog een keer. De buis liet een scheet en braakte vuil. Ik haalde mijn rubber handschoenen en schoonmaakmiddel en boende het emaille rondom totdat het bad weer fonkelend wit was. Doordat het een vrij nieuw bad is, haal je de glans mooi op. Toen pakte ik dat spul waarmee je kalkaanslag van chroom verwijdert en maakte de kranen schoon. Ik wou dat Paul het kon zien. Hij zegt altijd dat ik me nergens om bekommer, dat ik er een zooitje van maak in huis. Op een keer zag hij een paar boterhammen die ik had vergeten achter de leunstoel staan, hij gaf een trap tegen het bord en zei: 'Het is een wonder dat je geen ratten hebt, zoals jij leeft.' Het was een uitgedroogde boterham met kipfilet, waar wat schimmel op zat. Niks ernstigs. Wat ik niet kan uitstaan, is als hij naar me kijkt alsof ik ook zo ben. Rottend van binnenuit, waar niemand het ziet.

Ik zit nu met de brief in de leunstoel. Ik heb het schone witte bad in mijn achterhoofd en dat geeft me een goed gevoel, ongeacht wat er vandaag nog meer gebeurt. Ik maak de brief open. Hij begint met woorden, niet met mijn naam.

*Ik ga volgende maand trouwen. Ik heb het Anna gisteren verteld en ze heeft Sonia al ontmoet, dus het was geen verrassing. We houden een flat aan in Londen, maar ik heb een huis gekocht in Yorkshire, waar Anna vanaf nu gaat wonen. Het doet haar geen goed om jou zo te zien. Ze weet niet waar ze aan toe is. Ik zal niet toestaan dat je Anna's kansen op een normaal leven bederft. Binnenkort hoor je via mijn advocaat over de regeling voor Anna.*

Ik blijf lange tijd in de stoel zitten. Een 'normaal leven'. Ik blijf erover nadenken tot de woorden loslaten als stiksels en nergens meer op slaan. De dagen waarop Anna op bezoek komt, loop ik constant te luisteren of ik de auto al hoor. Hij komt altijd pal op tijd, daar is Paul goed in. Ik kijk van achter het raam op de eerste verdieping naar Anna als ze uit de auto stapt. Al haar bewegingen zijn afgemeten en precies. Ze tilt haar benen zijdelings op en laat degene die rijdt haar helpen met uitstappen alsof ze een prinsesje is. Paul rijdt haar nooit hierheen. Dan staat ze op de stoep. Ik kijk van bovenaf op haar hoofd, met de zon op haar haren, tot ze in beweging komt, dan ren ik naar beneden, zodat ik vóór haar bij de deur ben. Ik zorg dat ze nooit hoeft aan te bellen. Ik gooi de deur wijdopen en daar is ze. Haar gezichtje is gesloten en beleefd, alsof ik de moeder van iemand anders ben, die haar van school haalt. Ze is altijd bleek.

Als ze weggaat, is het een beetje anders. Dan trekt ze haar jas aan en staan we in de gang op het geluid van de auto te wachten. We zeggen niet veel, maar nu staat ze dicht bij me. Een keer boog ze zich, net toen we de auto hoorden afremmen, snel voorover en gaf me door mijn trui heen een zoen op mijn buik. Het ging zo snel, zo vluchtig dat ik het bijna niet merkte, en toen keek ze omlaag alsof ze niet wilde dat ik haar gezicht zag.

Als we de auto horen, zeg ik: 'Tot volgende week', en dan knikt ze. De bel gaat, ik doe de deur open en dan gaat ze linea recta en zonder me nog één keer aan te kijken naar buiten. Ik ga naar boven. Ik kijk naar haar als ze in de auto stapt terwijl iemand de deur voor haar openhoudt. Het is meestal dezelfde chauffeur, want Paul is daar heel voorzichtig in. Ze leunt naar achteren, hij maakt de veiligheidsgordel vast. Ze zwaait nooit. Als de auto weg is, sta ik opeens midden in de keuken, maar ik kan me niet herinneren hoe ik daar gekomen ben. Ik weet niet wat ik wil. Ik ga naar de koelkast, maar ik heb geen honger. Ik kijk naar de rij yoghurtpotjes en de chocoladecake die ik voor

Anna heb gekocht, waar één punt uit gesneden is.

We zouden een keer samen een cake kunnen bakken. Dat zou ze leuk vinden. Dan koop ik een pak cakemix, van dat spul waar je alleen een ei aan hoeft toe te voegen. Het is raar, ze is hier maar twee uur, maar het lijkt een lange tijd als je hem moet vullen. Ze heeft haar spulletjes niet hier, daar komt het door. Alles wat we doen, is stijf, als kunstbloemen.

Een handtekening nodig. Deze keer niet, Paul. Al het andere heb ik ondertekend, maar dit teken ik niet. Ik ga het aan-vechten. Ik ga naar een advocaat, zo een met een bordje aan de muur van twee poppetjes die zich over een tafel buigen. Die geven gratis advies.

Is het niet raar dat je gedachten hebt waardoor je je beter voelt, ook al weet je dat je nooit zult doen wat je jezelf in gedachten beloofd hebt?

Ik sta bij de koelkast. Ik haal er een pakje roomkaas uit en leg het vervolgens weer terug. Er ligt een zak rode appels, die ik voor Anna gekocht had. Die vindt ze lekker, ze vindt het lekker om in de glanzende, harde schil te bijten. Maar deze waren melig, zo smakeloos dat je ze uitspuugde. Ik weet niet waarom ik ze bewaard heb. Ik heb nergens trek in.

Waar het om gaat is dat ik niet tegen Paul op kan. Ik ken hem te goed. We zijn net twee helften van een bot dat gebroken is en weer aan elkaar gezet, zodat de verbinding sterker is dan het bot zelf. En nu vertelt hij me dat hij met Sonia gaat trouwen en ik weet dat ik bozer zou moeten zijn dan ik ben. Ik kan het niet serieus nemen, omdat het zo onwerkelijk is. Anna is werkelijk en hij haalt haar en dingen die niet werkelijk zijn door elkaar.

Hij denkt dat ik zou kunnen stoppen met drinken. Hij zei: 'Je zou kunnen stoppen met drinken.' Zijn blik boorde zich in de mijne. Ik wist dat hij boos was omdat hij dacht dat we nog terug konden en weer net zo konden worden als we waren. Hij heeft verwachtingen die ik niet meer heb.

Er staat een fles martini, voor driekwart vol. Hij is heel koud. Ik maak hem open en schenk een glas in, een kleintje maar. Eerst is hij olieachtig op mijn tong, dan proef ik een bittere kruidensmaak die me goed zou moeten doen. Ik word er moe van tot in mijn tenen. Ik pak de fles en het glas op en ga terug naar de woonkamer, maar deze keer ga ik niet in de leunstoel zitten. Ik kies de bank, voor het geval ik zin krijg om even onderuit te gaan. De martini verspreidt zich al door mijn hele lijf. Heerlijk. Ik sta weer op en vind een citroen in de fruitschaal. Een beetje gerimpeld, maar dat geeft niet. Ik snij hem in partjes en leg die op een schoteltje. Het ziet er leuk uit om een schijfje citroen in de martini te doen, alsof het een echt drankje is dat je jezelf inschenkt voordat je ergens uit eten gaat. Ik zuig de laatste druppels martini uit het partje citroen. Het is een gek geluid en het doet me ergens aan denken. Ik vul het glas en de citroen drijft naar de oppervlakte. Na een tijdje worden fruitpartjes zo sponzig dat ze op de bodem van het glas blijven liggen, hoeveel drank je er ook bijschenkt.

Ik weet waar het zuigende geluid me aan doet denken. Aan het badwater, dat langzaam wegloopt, voordat ik de afvoer had schoongemaakt met de ontstopper.

Het bad is wit en schoon. Het ruikt naar Andy met citroen. Dat heb ik toch maar mooi gedaan. Dat moet ik onthouden.

Met Paul ga je niet naar een advocaat. Niet als je weet wat goed voor je is. Mannen verdienen niet het geld dat Paul verdiend heeft als ze niet heel leep zijn. Ik heb gezien hoe hij Bouw- en Woningtoezicht, de Milieudienst en de Belastingdienst de loef afstak.

Paul heeft gezegd dat ik dit huis mocht houden zolang ik wilde. Het staat niet op mijn naam, maar zolang ik me gedraag, mag ik het houden. En het geld dat hij me iedere maand geeft. Ik heb zelfs wat spaargeld: Paul weet daar niets van. Als Paul zegt 'zolang je je gedraagt', kijkt hij me weer met die verhitte, kwade blik aan. Hij is nog steeds ontzet door wat er van ons geworden is. Hij kan maar niet begrijpen dat ik niet ontzet ben. Ik begrijp wat er van ons geworden is en als ik terugkijk, kan ik je iedere stap laten zien die ons hier gebracht heeft.

Ik gedraag me. Drinken telt niet. Ik zie Anna. Anna komt iedere week met de auto. Ik zie haar op de stoep staan en ren naar beneden, zodat ze nooit hoeft aan te bellen.

Anna lijkt niet op mij. Ze lijkt op Paul, daarom wil hij haar.

Hij gaat een huis in Yorkshire kopen. Anna kan niet iedere week met een auto uit Yorkshire komen. Hij gaat trouwen. Ik wist dat dat eraan zat te komen. Hij heeft het me een tijd geleden al verteld.

'Dat kun je niet maken', heb ik tegen hem gezegd. Ik lachte erbij. Ik wist dat het míjn moment was. 'Het huwelijk is voor eeuwig.' Dat weet hij. Ik ben met Paul getrouwd toen ik nog heel jong was en we hebben samen heel wat meegemaakt. Ik weet dingen van hem die niet iedereen weet. Ik dacht altijd dat dat ons een band gaf. Het duurde lang voordat ik begreep dat het ons juist uiteendreef. Hij was voortdurend bezig dingen beter te maken voor ons, voor mij, voor Johnnie, voor Anna, en daar zat ik, stinkend naar waar hij vandaan gekomen was.

'Ik ga van je scheiden', zei hij.

'Van me scheiden', herhaalde ik. Het kwam niet onverwacht. Maar een scheiding betekent nog niet het einde van een huwelijk. Zoals ik al zei, we gaan nog steeds met elkaar naar bed. Of liever gezegd, we neuken nog steeds met elkaar.

'We blijven getrouwd,' zei ik, 'in de ogen van God.' Ik zei het om hem uit te dagen.

'De ogen van God', zei hij. Hij stond stil en keek me aan. Ik zag hoe snel hij nadacht en ik zag de dingen die niemand van hem mag zien, over waar hij vandaan komt en wat hij gedaan heeft om zover te komen. Ik zag het idee om me bang te maken door zijn hoofd flitsen en vervolgens wegzinken en wegzwemmen. Dat zal hij nooit doen. Ik weet niet hoe ik dat weet, maar ik weet het, ook al is Paul een verre van gewetensvolle man.

'Dan vraag ik een nietigverklaring aan', zei hij.

'Dat doe je niet', zei ik snel. 'Het zijn niet zulke idioten als je denkt. Je kunt niet uitvlakken wat gebeurd is. We moeten aan Anna denken. Wat zou zij dan worden? Een bastaard?'

Ik wist dat hij luisterde, al wilde hij dat liever niet. Deze ene keer had hij het mis. Hij dacht dat je kon doen wat je wou als je genoeg geld had. Niet dat hij een pak bankbiljetten naar een of andere Monseigneur zou sturen, dat is Pauls stijl niet meer. Nee, hij zou een nieuw dak op een klooster laten zetten. Maar dat zou hem deze keer niet lukken.

'Je kunt van me scheiden', zei ik. 'Je kunt trouwen met wie je trouwen wilt. Háár kan het niet schelen. Maar je vraagt geen nietigverklaring aan. Je kunt niet zeggen dat we nooit getrouwd zijn geweest en dat Anna nooit ons kind is geweest, het kind dat we allebei wilden.'

Ik kon zien dat hij verbaasd was. Het was langgeleden dat ik iets gezegd had wat hij niet wilde horen en dat ik hem gedwongen had te luisteren. Mijn geest was zo helder als een glas gin.

Vandaar dat we nog steeds getrouwd zijn. We zijn weliswaar gescheiden, daarin heb ik toegestemd, maar in mijn ogen, Pauls ogen en de ogen van iedereen die ertoe doet, zijn we nog steeds getrouwd. Gods ogen kunnen me niet schelen, dat was gewoon iets wat ik zei om mijn woorden te benadrukken. Maar als ik erover nadenk, word ik moe, net als wanneer ik naar al het eten in de koelkast kijk en me niet kan voorstellen dat ik er iets van zou eten. Ik eet helemaal niks.

Ik ben nooit in Yorkshire geweest. Het is een groot huis op een heuvel, met uitzicht over een dal. Hooggelegen. Voor Anna is het goed. Ze kan in het dichtstbijzijnde dorp naar school en ze kan in de weilanden en in het bos spelen, zegt Paul. Het staat allemaal in de brief.

Ik drink niet. Alleen dit ene glas, meer niet. Straks ga ik de stad in om naar gordijnstof te kijken. Ik zal zo een taxi bellen.

Weilanden en bossen. Laat me niet lachen. Ik wou dat hij nu hier was en het me recht in mijn gezicht zei. Wat weet Paul van weilanden en bossen? Wat weten wij er allebei van? Er was zelfs geen park, waar Paul opgroeide.

Ik ga er iets aan doen als ik eenmaal de tijd heb gehad om erover na te denken. Als ik, haar eigen moeder, me per slot van rekening niet om Anna bekommer, wie dan wel?

Verderop in de straat is een kinderdagverblijf. 's Ochtends zie ik er vrouwen stoppen met baby's in kinderzitjes. De vrouwen zijn gekleed op werk, niet op baby's. Ze bukken zich naar de achterbank en ik zie hoe hun benen zich spannen als ze de baby uit de auto tillen. Zo veel dingen in hun handen. De baby, de babytas, de handtas, omdat ze die niet in de auto kunnen laten staan. Ze schoppen de deur dicht, omdat ze geen hand meer vrij hebben.

Als ze uit het kinderdagverblijf komen, hebben ze altijd een frons op hun voorhoofd. Ze lopen snel, stappen in de auto, duwen de stoel met een klap terug, alsof ze opeens groter zijn geworden, en rijden weg. Ze zijn al laat.

Ik trek de band van mijn ochtendjas wat strakker en overweeg eens aanstalten te gaan maken. Ik schijn er maar niet in te slagen voor de middag aangekleed te zijn. Gisteren las ik een artikel in een vrouwenblad over hoe je met je tijd moet omgaan. Je moest een lijst invullen, waarop alles stond wat deel uitmaakt van een normaal leven. Kinderverzorging, kinderopvang, naschoolse kinderopvang, voorschoolse kinderopvang, tandartsafspraak, gang naar de supermarkt, kerstinkopen doen, kinderen naar school brengen, uit eten gaan, mammogram, benen harsen, promotie, pensioen. Blijkbaar kan kerstinkopen doen drie maanden lang je voornaamste vrijetijdsbesteding zijn.

Het gaf me het gevoel of ik bij het gat in de buik van een vliegtuig stond te wachten, klaar voor de sprong. Maar ik spring niet. Ik doe niets van dat alles. Anna kwam vorige keer met nieuwe schoenen aanzetten, maar ik weet niet meer welke maat schoenen ze heeft. Ik denk: wat ben ik? Ik ben niets waard. Maar ik voel het niet zo. Ik voel nog hetzelfde voor Paul als ik altijd gevoeld heb, en voor Johnnie en voor mezelf.

# 9

Anna blijft na schooltijd na. De anderen zijn allemaal al weg, die lopen in een lange luidruchtige rij de anderhalve kilometer terug naar het dorp of zitten opeengepakt in auto's. Vroeger was er een school in het dorp zelf, maar die is vijf jaar geleden gesloten. Men vindt dat er een bus zou moeten rijden, maar die rijdt niet. Anna sleept een kruk de voorraadkast in en strekt haar hand uit naar de plank waar de jampotten staan. Er staan twee honingpotjes, besmeurd en stoffig maar wel de goede maat. Anna spoelt ze af in de gootsteen in de klas. Er is alleen een koude kraan en de flessenborstel zit onder de smurrie van dertig schilderspaletten.

Ze is bloemenmentor. Dat betekent niet dat Anna alle bloemen hoeft mee te brengen, heeft mevrouw Fairway uitgelegd. Iedereen kan iets uit zijn tuin meebrengen en het is Anna's taak om de bloemen in het water te zetten, water bij te vullen, de bloemen weg te gooien als ze dood zijn en de potjes weer schoon te maken.

'Wat voor bloemen, juf?' vraagt Emily Faraday.

Mevrouw Fairway werpt haar een strenge blik toe. 'Ik heb net gezegd, Emily Faraday, alle soorten bloemen die je in je tuin hebt staan. Behalve je vaders schitterende chrysanten uiteraard.'

De halve klas giechelt. Emily slaat haar armen over elkaar, net als haar moeder, en staart mevrouw Fairway recht aan. Haar gezicht glanst van brutaliteit. Ze is buitengewoon mooi, ze heeft die springerige, wit krullerige mooiheid die iedere tienjarige herkent.

'We hebben geen tuin, juf', zegt ze.

'Dan ga je maar een stukje wandelen, jongedame, en pluk je wat bessen of wat klimopblaadjes uit de berm. Er staan er genoeg.'

'Ze kan me wat. Ik pluk helemaal niks voor haar', zegt Emily half binnensmonds. Fanny Fairway doet of ze het niet hoort.

De bloemen staan al de hele dag met hun hangende, was-achtige kopjes in een emmer onder het aanrecht, diep in het water, hun dunne stelen samengebonden met zwart katoen. Het zijn sneeuwklokjes uit Anna's tuin.

Anna beschouwt hem niet als haar tuin. De tuin is van het huis, niet van haar of van haar vader of Sonia. Het is een oude tuin, smal en vol licht, een terras van gras en steen, uitgehakt in de flank van een steile zwarte heuvel. Achterin staat een steun-muur, daarachter rijst de heuvel op. Waar de tuin naar beneden afloopt, staat nog een muur, een lagere, en daarachter een wonderlijk zwart hek, als rechtopstaande speren. Als je van voor naar achter door de tuin loopt, is het alsof je wachtloopt op het dek van een schip. De stenen zijn in de loop van honderden jaren uitgesleten door passerende voeten, maar Anna's schoenen passen niet in de gladde holtes.

De lente is vroeg dit jaar. Te vroeg, zegt iedereen steeds, maar Anna ziet niet in hoe de lente te vroeg kan komen. Drie februari, en nu al rukken pimpelmezen aan de vette knoppen van de rode ribes. De rabarber steekt al boven de mest uit die er van de winter opgestapeld is. De opgerolde bladeren zijn gif-geel, de scheuten doorschijnend rood. Gisteren is Anna de hele tuin door gelopen, langs het huis en de schuur, toen onder de stenen boog door naar het tweede terras. Links van haar was de steunmuur, hoog en roetzwart. Onder de appelbomen bloei-den sneeuwklokjes. Het was vier uur en in het dal begon het al donker te worden. Maar hierboven was het licht helder en de sneeuwklokjes glanzend wit. Waar ze ook keek, ze zag er steeds meer, alsof ze zich pas manifesteerden als je ernaar keek. Ze vormden lichtvlekken onder de bomen.

Ze raakte ze aan en tilde hun kopjes op. Ze waren wit en koud, strak gesloten alsof ze dachten dat ze nog steeds diep in de zwarte aarde zaten. Ze hadden een vleugje winterzon nodig om open te gaan. Anna pelde een van de strak gesloten bloemknopjes af. De slanke blaadjes gingen vaneen en toonden hun groene aderen binnenin. En toen wilde ze ze weer sluiten, ze weer net zo volmaakt hebben als ze waren geweest, maar ze gingen niet meer dicht. Het sneeuwklokje hing er stijf en gehavend bij. Anna stond snel op en liep weg, terwijl ze steels opkeek naar de blinde muur alsof daar iemand zat die haar zag. Een stukje verderop knielde ze op het gras en begon sneeuwklokjes te plukken. Toen ze een hele bos had, wikkelde ze er een grasspriet omheen en legde ze op de tuintegel. Straks zou ze een touwtje zoeken om ze goed bij elkaar te binden. Het maakte niet uit hoeveel ze er plukte, want de massa sneeuwklokjes lag als een dik wit tapijt op de kale aarde. Hun witheid was koel, compact, onberispelijk. Daarbij vergeleken zagen alle andere dingen eruit als een vergissing.

Het was heel stil. Ze keek achterom. In het bos aan de overkant van het dal was het al helemaal donker. Er trokken groene strepen door de lucht en heel hoog aan de hemel liep het spoor van een vliegtuig. De knieën van haar spijkerbroek waren nat van de grond. Ze stond op, terwijl ze haar bossen sneeuwklokjes losjes in de hand hield om te voorkomen dat ze ze fijnkneep. De steile heuvelwand aan de overkant van het dal leek in dit licht zo dichtbij dat ze bij wijze van spreken haar hand maar hoefde uit te steken om hem aan te raken. De rivier maakte na de natte winter een hoop herrie. Soms hoorde ze hem, soms leek alles stil, ook al was de rivier er altijd.

Het duister had nu de tuin bereikt. Het lag opgehoopt in de hoeken van de muren. Het gleed over het gras als een opkomend tij. Het was bijna bij Anna's voeten. Met kalme blik liep ze over het gras terug, waarbij ze haar voeten even voorzichtig neerzette alsof ze op stapstenen liep. Ze liep onder de boog door, met de rododendron rechts van haar. Hij zat vol vroege knoppen en het harde avondgekwetter van vogels. De spleet in de knoppen, waar de karmozijnrode blaadjes uit zouden komen, was goed te zien. Alles was te vroeg en stond naakt te wachten tot de vorst, die zeker nog zou komen, ze zou verschroeien.

In de voorraadkast staat een set oude schoolboeken met een hoofdstuk over Grace Darling erin. Anna gaat op de vloer zitten lezen.

…in de woestheid van de storm en de alles verslindende golven wordt hun boot bijna verzwolgen, maar Grace Darling en haar vader roeiden onverschrokken door. Ze wisten dat zij en alleen zij de doodsbange mensen die zich aan het wrak vastklampten een kans op redding konden bieden. Grace was een meisje van weinig woorden. Ze zei stilletjes een gebed en boog zich weer over haar roeispaan. Geen enkele ten strijde trekkende soldaat kon meer moed en vastberadenheid getoond hebben dan Grace Darling in die stormachtige nacht. Ze had er geen idee van dat ze een nationale heldin zou worden, wier naam op de lippen zou liggen van mannen, vrouwen en kinderen in het hele land. De gedachte aan beroemdheid of eer kwam niet bij Grace Darling op in die noodlottige nacht, waarin ze de reddingsboot even goed roeide als welke man ook. Haar ogen straalden een grimmige wilskracht uit…

Anna leest tot het einde van de alinea en neemt dan de vragen door.

Waarom werd Grace Darling een nationale heldin?
Welke onderscheiding kreeg Grace Darling als erkenning
voor haar moed?
Beschrijf in je eigen woorden wat Grace Darling dacht
toen ze in de reddingsboot naar het wrak roeide.
Kies drie van de volgende bijvoeglijke naamwoorden die
Grace Darlings daad beschrijven: *dapper, grootmoedig,
onbezonnen, gevaarlijk, mannelijk, moedig, alert, koppig,
onbaatzuchtig, onbesuisd.* Beschrijf Grace Darling met
een zin waarin je alle drie de bijvoeglijke naamwoorden
gebruikt.
Waar moest Grace Darling heen om haar onderscheiding
in ontvangst te nemen? (Let op: 'onderscheiding' volgt
de in hoofdstuk 4 geïntroduceerde spellingregel.)

Er staan acht bladzijden vragen en oefeningen in op drie bladzijden verhaal, en een zwart-witplaatje van Grace Darling in
een lange jurk en een sjaal om haar wapperende haren, die
helpt de boot het water in te duwen. Een van de vragen luidt:
Zoek drie bijwoorden die de manier beschrijven waarop Grace
Darling roeide. Bijvoorbeeld: Ze roeide langzaam. Ernaast
heeft iemand met potlood 'ze roeide sexy' geschreven en vervolgens geprobeerd het uit te gummen. Anna vraagt zich af of
Fanny Fairway één boek zou missen van de dertig. Ze zou dat
plaatje van Grace Darling graag willen hebben. Stoutmoedig,
dapper, vastberaden, onbevreesd. Misschien kon ze het er
uitscheuren. Ze gebruiken deze boeken niet meer, maar Fanny
Fairway telt ze waarschijnlijk nog steeds.

Anna vult de honingpotten met water. Ze maakt het zwarte
touwtje los dat de bloemen bijeenbindt, zodat ze, nat en vers,
op het houten afdruiprek vallen. Ze zet een paar bloemen in
het water, maar dat ziet er niet uit. Haastig pakt ze twee
handenvol en propt ze in de pot.

Anna's moeder zit in de zon, met ontspannen gezicht en haar hand om de steel van een glas. Het glas fonkelt. Iedere ochtend wast Anna's moeder haar glazen in een warm sopje, dan spoelt ze ze met schoon, warm water en dan met koud af. Ze heeft glazendoeken om ze op te poetsen. Ze moet voortdurend nieuwe kopen, want als ze eenmaal vies zijn, lukt het haar niet ze te wassen. Maar ze probeert wel altijd haar glazen mooi te houden. 'Je kunt je beter voor je kop schieten dan uit een vies glas drinken', zegt ze. De lijn van haar drankje golft rond in het glas.

'Als je gaat nadenken over wat mensen van je denken,' zegt ze, 'hou je nooit meer op.'

Anna's moeder zit met haar benen wijd en ontspannen, even ontspannen als haar gezicht. Haar witte dijen zijn gespreid. Bovenaan begint het bos dat daar groeit. Het krullende haar heeft niet dezelfde kleur als het haar op haar hoofd. De witte dijen bewegen, de benen gaan verder uiteen, het glas wiebelt naar Anna's moeders lippen. Ze neemt een slok. Een zoete, sterke geur verspreidt zich. Anna gaat in een hoekje op de grond zitten, ze pakt haar stripboek en leest *Kaatje Kattenkop*.

'Maar ík ben niet van plan me voor mijn kop te schieten', zegt haar moeder. 'Dat plezier gun ik niemand.' Ze pakt een witte papieren zak met zuurtjes van de vloer. 'Je moet erop zuigen,' zegt ze, 'niet bijten.'

Anna zuigt. Als het zuurtjesvocht en haar spuug door haar mond stromen, doet ze haar ogen dicht. Ze hoort een glazig gekraak van suiker.

'Je bent net zo erg als Johnnie', zegt haar moeder. 'Die kan ook niks in zijn mond hebben zonder erop te bijten.' En ze lacht alsof het grappig is wat ze gezegd heeft.

De sneeuwklokjespot is nog steeds vies. Anna veegt hem schoon. Ze heeft alle bloemen in één pot gezet, zodat er niet een meer over is voor de andere pot. De conciërge loopt in de derde klas met de stoelen te bonken. Zo dadelijk is hij hier en schreeuwt hij tegen haar: 'Heb je geen huis om naartoe te gaan?' Ze zet de pot op de vensterbank. De sneeuwklokjes glanzen, al staan ze er in het licht van de klas niet zo *sterk, dapper en stoutmoedig* bij als in het donker van de tuin.

Anna rent de weg af. Nog driekwart kilometer naar huis. De pony's in hun winterjassen kijken haar over hun hooi heen aan alsof ze iets van haar weten. Ze zou het pad door het weiland kunnen nemen of ze kan de weg en dan het landweggetje volgen. Ze doet het laatste. Het betekent dat ze langs de grote bomen moet, die de wind in hun takken vangen en hem laten dreunen. Ze kijkt de weg langs. Hij is leeg, veilig. Alle anderen zijn al lang naar huis. Anna denkt aan Emily Faraday en Billy Arkinstall, die nu thuis zijn, getemd, die hun bemodderde schoenen moeten uittrekken en de tafel moeten helpen dekken. Maar Billy Arkinstalls moeder is gemeen. Ze jaagt Billy met een bezem het huis uit en schreeuwt tegen hem. Daarom verstopt Billy zich langs de landweggetjes en heeft hij een hekel aan Anna.

Anna loopt onder de bomen door, waar de wind haar haren optilt en in haar ogen blaast. Met elke stap die ze zet, vallen de kilometers aan beide zijden sneller weg. Ze kan nu eindeloos ver kijken, over het netwerk van akkertjes en de muurtjes die zich naar de hei omhoog slingeren. Daar loopt het pad dat de mannen 's nachts nemen, als ze gaan drinken in het Gulden Vlies, dat zich niet aan vaste openings- of sluitingstijden houdt. Daar weet ze van, zoals alle kinderen. Ze kaarten om geld en nemen de kortste weg terug door het bos. Ze vloeken als ze strompelend op de terugweg over boomwortels struikelen. Het zijn mannen, maar ze zijn anders dan haar vader. Ze zijn ruwer dan hij, maar niet zo wild. Dat weet ze. Zij gaan op maandagochtend terug naar hun werk, omdat ze nou eenmaal moeten. Ze jagen haar geen angst aan.

Daar is de afslag. Het dal, het pad naar beneden, het aansluitende pad omhoog op de tegenovergelegen heuvelflank. Ommuurde akkers, hekken, een bleke, voortrazende lucht, de hei. Ze begint naar beneden te lopen.

Scherpe spatten vallen op haar mouw. Ze denkt dat het een onverhoedse regenbui is en dat de druppels in de val in ijzel zijn overgegaan. Weer een paar spatten. Ze krijgt iets tegen haar wang. Het schrijnt. Ze tilt haar hand op. Om haar heen vallen kleine steentjes op het pad. Ze denkt aan dieren die stenen wegtrappen, opspringende aarde. Iets lacht.

Iemand lacht. Gelach schalt haar tegemoet. Achter de muur verschijnt een hoofd, dan nog een. Dan duiken ze omlaag en houden zich schuil. Als ze doodstil op het pad blijft staan, hoort ze de wind suizen in de stilte. Waar de steen haar wang heeft geraakt, schrijnt het. Er valt een nieuwe regen van steentjes om haar heen, maar ze wordt niet geraakt. Nog meer gelach. Het gebonk van voeten die over het pad door het weiland wegrennen, terug naar het dorp. Ze probeert niet over de hoge muur te kijken. Ze kent hun gezichten, allemaal. Billy Arkinstall, Jack Barraclough, David Ollerenshaw, JohnJo Dwyer. Ze hoeft ze niet te zien.

Anna strijkt haar haar naar achteren, raakt haar wang aan, bekijkt de vinger waarmee ze hem heeft aangeraakt. Er zit geen bloed op. Een stukje verderop staan de beuken, dan komt de bocht in het pad en dan de scherpe bocht naar het huis. De jongens zijn weg en komen vandaag niet meer terug. Anna is zestien uur en vijfenveertig minuten van hen verlost. Ze richt haar blik op de overkant van het dal, waar de nacht valt. Daar gaan de mannen 's avonds laat heen. Ze komen niet zingend terug, ze strompelen het nauwe doolhof van dorpsstraatjes weer in, langs het plein, de steegjes en de zwarte hoge kerk. Ze kunnen nooit ontsnappen.

Er staat een bleke gestalte bij de stenen overstap verderop. Het is David Ollerenshaw. Ze hebben haar beetgenomen. Ze zijn hard weggehold over de akker, zodat zij zou denken dat ze terug naar het dorp waren gegaan. Toen zijn ze langs het weggetje verderop teruggelopen, het weggetje dat uitkomt bij het pad naar de stenen overstap. Ze wachten haar op. De rest zit natuurlijk verscholen achter het muurtje, klaar om haar te bespringen. Ze hebben haar afgesneden van het huis.

Haar gedachten racen door haar hoofd. Ren over het pad terug naar het dorp. Ren de winkel in. Mevrouw Barraclough zal haar van achter de toonbank scherp in de gaten houden. Anna heeft geen geld. Ze kan niet lang bij een van mevrouw Barracloughs plastic schaaltjes blijven staan om te kiezen uit spiegeleitjes, roze garnaaltjes, gombeertjes en trekdrop. Of ren heel hard verder, tussen de handen door die zich uitstrekken om haar te pakken, race het pad af, vlieg...

Maar nog steeds staat alleen David Ollerenshaw er. De anderen laten zich niet zien. Er verschijnt een vastberaden trek om haar mond en ze trekt zich diep in zichzelf terug, naar de plek waar niemand kan komen. Ze loopt verder het pad af alsof ze op stapstenen loopt, zonder naar iets of iemand te kijken.

Hij komt door de nauwe opening naast de overstap, die te smal is voor een beest, maar net breed genoeg voor een jongetje. Niemand volgt hem.

'Mijn vader heeft een hond', zegt Anna.

'Wat voor hond?'

'Een zwarte. Een grote zwarte hond. Hij laat zich door niemand aanraken, alleen door mij en mijn vader. Hij heeft hem gevonden bij de kruising.'

'Niet waar. Je liegt. Je hebt helemaal geen hond.'

'Luister maar,' zegt Anna, 'dan kun je hem horen.'

De wind huilt zachtjes in de boomtoppen. De heuvelflank leeft en beweegt, alles ruist in de wind die door het dal blaast.

'Hoor je', zegt Anna. 'Dat is hem. Mijn vader zet hem altijd bij het hek om me op te wachten. Hij is zo zwart dat je hem pas ziet als hij uit de schaduw springt. Het enige wat je ziet, zijn zijn tanden.'

'Je vader heeft helemaal geen hond.' Maar de hond zit daar ergens, niet ver daarvandaan, dat weten ze alle twee.

'Ik was het niet, die die stenen naar je gooide', zegt David.

'Ze hebben me toch niet geraakt.'

'Het was Billy Arkinstall.'

'Jij was er ook bij.'

'Ze zijn allemaal weg.'

'Waarom ben jíj dan nog hier?' vraagt Anna nu dapper, terwijl ze een stap dichterbij komt.

Hij haalt zijn schouders op. 'Ik dacht dat een van die stenen je misschien geraakt had. In je oog.'

Anna schudt haar hoofd.

'Waarvoor moest je dan ook zo veel sneeuwklokjes mee naar school brengen?' roept hij uit. 'Uitsloofster.'

'Ik ben bloemenmentor.'

'Alleen maar omdat Fanny Fairway je aardig vindt, omdat je in een groot huis woont.'

'Nietwaar.'

'En je zegt altijd dat je je werk af hebt voordat iemand anders het af heeft.'

'Het is te makkelijk', zegt Anna, terwijl ze hem aankijkt.

'Makkelijk voor jóú', tiert hij.

'Voor jou ook.' Dat weet ze. Ze heeft hem tweemaal zo snel als alle anderen een bladzij met sommen zien afwerken. Maar als juf Fairway de antwoorden vraagt, steekt hij zijn hand niet op. Hij raakt zijn huiswerk kwijt, maakt een puinzooi van zijn rekenwerk, zorgt er altijd voor dat hij een paar dingen fout heeft. Tegen de tijd dat de juf zijn werk onder ogen krijgt, is het vrijwel gelijk aan dat van alle anderen.

'Nou,' vervolgt hij, vriendelijker nu hij de verontwaardiging van de speelplaats heeft laten varen, 'ook al ben je bloemenmentor, de volgende keer breng je maar niet zoveel van die krengen mee.'

'Oké', zegt ze. 'Maar Emily Faraday heeft wel een tuin. Ze loog.'

'Ze liegt altijd.'

'Ja.'

Een tijd lang zegt hij niets. Ze zou nu kunnen weglopen, hij zou haar niet tegenhouden. Het is al bijna donker en ze moet terug zijn voordat het donker wordt.

'Je had het over de Gytrash, hè? Geen echte hond?'

Ze knikt, al heeft ze geen idee wat de Gytrash is.

'Ik dacht wel dat je die bedoelde. Mijn vader heeft hem gezien.'

'O ja?'

'Op een nacht toen hij langs het pad naar huis kwam. Hij heeft twee uur in dat beukenbos gewacht om er niet voorbij te hoeven.'

'O ja?'

Hij kijkt haar plotseling argwanend aan. 'Mijn vader was heus niet dronken, hoor, als je dat soms denkt.'

'Is hij echt of is het een geest? De Gytrash?'

'Hij is hartstikke echt. Maar alleen soms.'

'De Gytrash', zegt Anna, terwijl ze het woord op haar tong proeft.

'Nou, dan ga ik maar eens naar huis.' Hij draait zich om naar de donkere akker. Ze kijkt hem na. Het ene moment is hij er nog en het volgende moment is hij weg. Ze hoort zijn voet-stappen niet en geen van beiden roept iets ten afscheid.

Anna staat bij de bocht in het weggetje. Plotseling is het nacht en priemen alle lichten van achter de ramen het donker in. Het huis ziet eruit als een plaats waar ze graag zou willen wonen, als ze niet wist hoe het binnen was. Dit is het beste moment, als ze buiten staat en tegen zichzelf zegt: 'Dat is mijn huis. Ik ga naar huis.' Ze laat haar hand in haar zak glijden en raakt het uitgescheurde plaatje van Grace Darling even aan.

Anna is in het park met haar moeder en Johnnie. Haar moeder kijkt op, ziet katjes aan de takken en wijst ernaar. Johnnie komt naar voren, legt zijn handen om mama's middel en tilt haar hoog boven zijn hoofd, zodat haar gezicht de hangende katjes raakt. Anna ziet mama's voeten in haar hooggehakte, zwart-leren laarzen langs haar gezicht omhooggaan, zonder te schoppen, met gestrekte tenen, als een danseres. Johnnie houdt haar heel lang zo vast. Mama beweegt zich niet. Ze buigt zich naar achteren en duwt met een glimlach om haar bleke lippen haar gezicht in de katjes.

'Het is al bijna lente', zegt ze even later tegen Anna, als ze gedrieën verder lopen.

'Ja? Hoe weet je dat?'

'Eerst komen de sneeuwklokjes, dan de krokussen en dan de narcissen. En dan gaan we naar het park om naar de narcissen te kijken.'

'Hoe weet je dat?' wil Anna zeggen. Maar ze lachen, ze lopen heupwiegend naast elkaar en raken elkaar met iedere stap aan. Eerst de sneeuwklokjes, zegt ze bij zichzelf, om erbij te horen.

'En dan is het warm en loop jij hier in je korte broek en een T-shirt.'

Johnnie fluistert iets in mama's oor, waar ze om moet lachen.

'En dan gaan we onder die bomen daar picknicken.'

'Alleen als ik ook mee mag', zegt Johnnie.

'Ja, hoor', zegt mama. 'Zonder jou zou het niet half zo leuk zijn, hè, Anna?'

## 10

Anna's vader staat bij het raam. Hij bevindt zich hoog in het huis, in de zolderslaapkamer waar hij zijn werkkamer heeft ingericht. Het staat er vol apparatuur. Een computerventilator zoemt, een fax braakt papier uit. Er staan ordners, mobiele telefoons, printers. Het ziet eruit als het privé-kantoor van een succesvolle zakenman, met dien verstande dat de gelijkenis te groot is. Het maakt dat je laden wilt openen en boeken van de planken wilt pakken om te zien of ze nep zijn. Alles in de kamer straalt 'legitiem bedrijf' uit.

Het is een onroerendgoedbedrijf. Dat is wat Anna op school zegt.

'Wat doet je vader?'

'Hij heeft een onroerendgoedbedrijf.'

Op een dag moesten ze een opstel schrijven over wat hun vaders en moeders voor werk deden. Omdat Fanny Fairway haar neus nou eenmaal overal instak, dat wist iedereen. Ze moest het gewoon vragen, ook al wist ze het allang.

'Mijn vader is transportondernemer', zei Courtney Arkinstall. Billy keek haar kwaad aan. Ze is zijn nichtje.

'Bedoel je misschien vrachtwagenchauffeur, Courtney?' informeerde Fanny Fairway.

'Ze bedoelt verdomme een transportondernemer', zei Billy, waarop hij met uitgestreken gezicht Fanny Fairway bleef zitten aankijken om te zien of ze het gehoord had en of ze erop zou reageren. Toen ze daarna de klas uit dromden, greep hij Courtney beet. 'Waarom moest je haar nou van die onzin verkopen?'

Mevrouw Fairways blik richtte zich op Anna. 'Anna. Jouw beurt.'

'Mijn vader heeft een onroerendgoedbedrijf.'

'Een onroerendgoedbedrijf. Bedoel je een vastgoedmakelaardij, Anna?'

'Het zijn huizen in Londen', zei Anna met opzettelijk kinderlijke stem.

'En je moeder. Wat doet die?'

'Ze is huisvrouw', zei Anna. Onwillekeurig glimlachte ze. De brede, onmiskenbare glimlach bleef op haar gezicht geplakt zitten. Ze voelde mevrouw Fairways verbaasde woede.

'Ze past op het huis', vervolgde Anna. 'In Londen.'

Iedereen luisterde oplettend. Ze wilden de informatie, net als Fanny Fairway, maar ze wilden ook de strijd. Ze wisten niet zeker wie ze als winnaar wilden.

'In Londen. Zo, Anna, dat is ver weg.'

'U kunt het aan mijn vader vragen als u nog meer wilt weten', zei Anna. Fanny Fairway was heel even van haar stuk gebracht. Een blos trok van haar wangen naar haar neus. Ze wendde haar blik van Anna af.

'En nu gaan we een cirkeldiagram maken', kondigde ze aan. 'Wie weet nog wat een cirkeldiagram is?'

Anna's vader staat bij het raam. Het is donker. In de twee huisjes verderop op de heuvel gaat een zachtgeel licht aan. Hij staart er afwezig naar. Zijn handen rusten op de vensterbank, met de handpalmen naar beneden. Hij wacht ergens op. De fax begint weer papier uit te draaien, maar dat is het niet. Beneden rennen Anna's voeten zachtjes over de vloer. Hij reageert er niet op.

De telefoon gaat. Paul grijpt hem, luistert zonder iets te zeggen. Na een paar tellen onderbreekt hij de woordenstroom. 'Oké, oké, bel me terug als je ergens bent waar je kunt praten.' Er zijn dingen die hij tegen Johnnie wil zeggen.

Hij wacht opnieuw. Minuten gaan voorbij. Hij gaat terug naar het raam en staart omhoog naar de nachtelijke hemel, waar een patroon van sterren doorheen begint te prikken. Hij staat nog steeds versteld van de helderheid van de sterren hier. Het doet hem beseffen waarom mensen sterren altijd belangrijk hebben gevonden. Al die astrologische onzin die zijn moeder altijd las; maar opeens ziet hij in dat het met iets echts is begonnen. Hij kijkt hoe de sterren hun plaats innemen. Hij gebruikt nooit zijn koplampen als hij 's avonds het pad af rijdt. Doet ze boven op de heuvel uit en laat de auto bij het schijnsel van de sterren naar beneden rollen. Als je zo'n huis als dit koopt, besef je pas als je er daadwerkelijk woont wat je gekocht hebt. De hele vorige winter heeft hij sneeuw van het pad moeten ruimen. Het gewicht van de schep, de verblindend witte muren van sneeuw, zijn eigen adem die stoom de lucht in pompte. Kleine Anna die met een beker warme chocolademelk naar buiten kwam, ernstig fronsend voor het geval ze zou morsen. Hem de beker gaf, nog steeds zonder te glimlachen. In volkomen ernst. Hij dronk hem leeg terwijl zij wachtte. 'Dankjewel, Anna.' Waarop ze knikte, de beker weer van hem aannam en zei: 'Ik breng je straks nog wat, pap.'

De telefoon gaat. Zijn mobiel dit keer.

'Johnnie.'

Het is zijn broer weer.

'Hoe loopt alles?'

Hij hoort stadsgeluiden op de achtergrond. Hij probeert zich zijn broer ergens voor te stellen, maar het beeld breekt steeds in stukken. Hij hoort redetwistende stemmen op de achtergrond. Niks ernstigs. Een van Johnnies cafés. Johnnies stem klinkt vol, dicht bij de hoorn, opgewonden over iets. Hij heeft gedronken.

'Er zijn een paar dingen die ik hier even moet regelen, Paul.'

'Wat voor dingen?'

'Jezus, man, het is niks.' Zijn broer klinkt alsof hij moet lachen. Of misschien staat hij wel te lachen met zijn hand over de hoorn, terwijl zijn ogen glinsteren naar iemand die Paul niet kan zien.

Paul ziet zijn broers magere, lachende gezicht voor zich, waarvan hij de complexiteit niet kan vatten, niet kan breken. Hij zou Johnnies kop er wel af willen draaien.

'Ik dacht dat je Swindon voor me zou regelen, Johnnie.'

De Swindonlocatie is nieuw, een afbraakbuurt vol mogelijkheden. Maar uit de taxatie blijkt lood- en cadmiumvervuiling van de grond als gevolg van een afgebrande glasfabriek. De taxateur heeft Paul gisteren gebeld, hij wilde dat er iemand heen ging om de plek te bekijken. Ze zijn aan het uitzoeken wat het kost om de grond af te graven. Johnnie zou er eigenlijk heen gaan.

'Dat is in orde, dat is allemaal onder controle', zegt Johnnie.

'Ben je er geweest?'

'Wacht even.' Johnnie legt zijn hand over de hoorn. Hij praat met iemand anders, is bezig dingen te regelen die niks met Paul te maken hebben.

'Paul? Sorry, hoor.' Hij is terug, zijn stem dichtbij en vochtig in Pauls oor.

'Ben je naar Swindon geweest?'

'Allejezus, Paul.' Hij lacht, probeert Paul te paaien. Wie is het publiek? 'Luister nou, je hoeft je geen zorgen te maken over die taxatie. Ik ga morgen met hem praten. Ik los het wel op. Hij weet wat we willen. Ik heb het nu gewoon even druk met iets anders, da's het enige.'

Paul doet zijn ogen dicht. Hij voelt zich grauw en zweterig, als op een katterige ochtend. Waarom moeten ze dit toch iedere keer opnieuw doorlopen, dezelfde dingen zeggen, zonder iets te bereiken?

Opeens herinnert hij zich zomaar de keer dat hij het wiel van een auto moest verwisselen. Zijn eerste auto. Niet lang nadat hij zijn bedrijf was begonnen. Hij was negentien, dus wat was Johnnie toen? Zeven. Hun vader lag boven met een zuurstofcilinder naast het bed. Hij was al maanden thuis; zo lang was hij, voorzover Paul zich kon herinneren, nog nooit thuis geweest. Mam zorgde voor hem. Hij wilde nooit meer iemand anders, zei hij. Alleen haar en de jongens. Geloofde mam dat? Misschien. Paul kon er niks van zeggen.

Mam was naar de mis. Een warme namiddag, waarop Pauls auto, stinkend naar olie en metaal en warme plastic stoelen, voor de flat stond. De auto stond op de krik en Paul was bezig de wielbouten eraf te halen. Johnnie stond erbij te kijken. Hij wilde niet in de flat blijven. Niemand wilde binnenblijven bij het geluid van hun vaders ademhaling, dat zo afschuwelijk en meelijwekkend was dat het hen als een hand bij de keel greep en het gevoel gaf dat ze stikten. Het zou altijd zo blijven, daar waren ze van overtuigd, vader rechtop in bed met tot spleetjes geknepen, gele ogen; een verpleegster, een buurvrouw of mam naast het bed, het gesis van zuurstof, het geschraap en geschuur van vaders ademhaling. Vaders borst was een kooi, een afgesloten kooi. Er kon niets in of uit, alles kon alleen maar tussen de tralies door. En de tralies waren van ijzer, die konden niet open.

Paul zette de moersleutel op het wiel. 'Hier, doe jij het maar', zei hij tegen Johnnie. Samen haalden ze de wielbouten eraf, vervingen de band en schroefden de bouten weer aan. Johnnie lette goed op wat Paul allemaal deed. Zijn gezicht stond gespannen in zijn poging alles goed te begrijpen. De dag ervoor was Johnnie met Paul mee geweest om zijn dikke donkere haar heel kort te laten knippen. Hij dacht dat hij er stoer uitzag, maar in werkelijkheid zag hij eruit alsof hij net geboren was. Zijn ogen waren ontstellend groot onder de kale schedel en zijn nek was bleek. Paul had de kapper halverwege willen laten stoppen, maar zoiets kon je niet doen. Dan sloeg je alleen maar een stom figuur.

De klus was geklaard. Johnnie wachtte tot Paul het gereedschap had teruggelegd en vroeg toen: 'Wil je me leren autorijden?'

Het bracht Paul terug naar het verleden. Hij herinnerde zich dat hij zijn vader dezelfde vraag had gesteld op een dag waarop ze de accu hadden vervangen, toen Paul van Johnnies leeftijd was. Ze moesten wat geld gehad hebben in die tijd: het was een mooie auto. Dat was voordat zijn vader altijd weg was.

'Mag ik in je auto rijden als ik groot ben, papa?'

Maar Johnnie vroeg dat soort dingen niet aan zijn vader. Hij vroeg ze aan Paul. Onder de stoppels in zijn nek kon je de huid zien die nooit zon had gehad. Mam zei altijd hoe mooi Johnnie als baby was geweest. 'Te mooi voor een jongetje. Het is niet aan hem besteed.' Paul dacht dat het gewoon de dingen waren die moeders nou eenmaal zeiden. Als hij nu naar Johnnie kijkt, ziet hij dat het best waar kan zijn.

'Ja? Wil je het me leren, Paul?'

'Natuurlijk.' De woorden lagen al op zijn lippen, vlot en Amerikaans, waardoor hij een personage in de film van zijn eigen leven werd. Hij strekte zijn arm en liet zijn handpalm over het gekapte dons op Johnnies hoofd glijden. Het gekietel van het dons schoot als stroom door hem heen. Johnnie is nog steeds aan het andere eind van de lijn. Paul heeft er schoon genoeg van, maar hij moet het gesprek gaande houden, de band intact houden. Johnnie heeft Swindon verprutst. Hij is niet waar hij zijn moet. Het is zes uur en hij zit, waarschijnlijk al vanaf vanochtend, zo niet gisteravond, in het café. Hij is met vrienden. Is Johnnie ooit niet met vrienden? Johnnie is een van die mensen die je je niet in zijn eentje in een kamer kunt voorstellen. Probeer maar, het lukt je niet. Er zijn altijd vrienden en als er geen vrienden zijn, slaapt Johnnie, als een klok die is stilgezet.

Johnnie is niet meer dat jochie van zeven met een geschoren koppie. Hij is eigenlijk Pauls partner, maar hij laat alles voortdurend in het honderd lopen, omdat hij diep in zijn hart niet geïnteresseerd is in Pauls soort handel, dat soort geld. Hij wil het andere soort. Als hij iemand anders was geweest, zou Paul hem allang de laan uit gestuurd hebben, maar dat kan hij Johnnie niet aandoen. Hij kan niet geloven dat Johnnie niet op een goede dag zal inzien dat hij een stomme idioot is, dat Paul hem alles wat Paul zelf gehad zou willen hebben op een presenteerblaadje aanbiedt. Een aandeel in een solide zaak. Johnnie had in Swindon moeten zijn. Maar in plaats daarvan was hij zijn eigen zaakjes aan het oplossen: Jackie en Ian Briscoe.

'Ze zijn wat onvoorzichtig geworden', zegt Johnnie nu. 'Ian heeft een of andere rare auto gekocht en denkt dat niemand wat zal merken.'

'Zeg dat ze de stofzuigerzakken nakijken', zegt Paul. Hij weet er alles van: daar heeft Johnnie wel voor gezorgd. Hij schudt zijn hoofd, dat omloopt van dingen die hij liever niet weet. 'Laat ze niet al te nonchalant worden. Je kunt ze beter niet buiten zetten voor de vuilnisman. Zorg dat ze de zakken ergens in de stad dumpen, in een afvalbak van de gemeente.'

Het zijn de kleine dingen die je verraden. Stofzuigerzakken. Paul aast op die verhalen zoals een zwangere vrouw op verhalen over geboortes aast. Hij heeft eens iets gelezen over een proces tegen een stel dat veroordeeld werd op basis van bewijsmateriaal uit een stofzuigerzak. De aanklager baseerde zijn zaak op duidelijke cocaïnesporen, die na analyse van de inhoud van de zak waren gevonden. Hij kon hen verder op niets anders pakken, maar ze zitten nu wel veertien jaar in de bak. Paul heeft de Briscoes nooit ontmoet en zal hen ook nooit ontmoeten, maar hij kent hen goed. Ze zitten overal, zoals de mijten op je oogharen.

De Briscoes hebben het juiste gezicht, zijn van middelbare leeftijd, fatsoenlijk, saai. Het soort dat je onmiddellijk de datum van de volgende buurtwachtbijeenkomst toeroept als je ze op straat tegenkomt. Ze zijn met vervroegd pensioen, hebben een camper gekocht en kunnen maar niet genoeg krijgen van minivakanties in Europa. 'Och, met die kortingen die je buiten het seizoen op overtochten krijgt, ligt het voor de hand, hè? Thuisblijven kost meer!' Een maandje Amsterdam, dan Brussel. Ze nemen een enorme stoot geld mee. Het geld zit in handige bundels netjes weggestopt. In de wielbogen, in het reservewiel. Gebruikt geld dat niet knispert. Geld dat zacht is van zweet en vuil, geld waar door bankbediendes op gekrabbeld is en dat gescheurd is doordat het zo vaak van portemonnee is gewisseld. Als je die caravan zou openmaken, zou je een fortuin vinden. Ze brengen geld het land uit, maar ze nemen niks mee terug. Hun taak is het geld het land uit te brengen en de zaken af te handelen. Anderen brengen het spul terug. Niemand weet meer dan zijn eigen schakel in de ketting. Als je dat wat ze doen tenminste eufemistisch zou willen vergelijken met zoiets leuks en normaals als metaal gekoppeld aan metaal. Soms breekt de ketting en dan moeten de Briscoes hun geheime plekjes opvullen met platte, in dik plastic verpakte pakketjes. Dan moeten ze hier en daar wat wegen en meten en dat is het punt waarop de stofzuigerzakken een cruciale rol kunnen gaan spelen. En het geld is ook een probleem als het door zo veel handen is gegaan. Het zal een forensisch onderzoek waarschijnlijk niet kunnen doorstaan.

'Ga nou naar Swindon, Johnnie', zegt Paul. 'Godverdomme, man. Doe het nou.' Hij kijkt omhoog naar de sterren. Johnnie zou hierheen moeten komen, dan konden ze erover praten. Het heeft geen zin om te praten als Johnnie in het café zit met zijn vrienden om zich heen. Kon Paul hem maar drie maanden daarvandaan krijgen, dan zou Johnnie weer tot zichzelf komen.

'Dat gaat niet. We hebben een probleem hier.'

Paul klemt zijn hand om de telefoon, hoort de golf van gelach en geluid achter zijn broer. Een zangerige brabbelstem roept in zijn oor: 'Doe-iii! Ik breng Johnnie nu naar huis.' Nog meer gelach, dat als braaksel naar buiten spuit. Ze lachen hem uit, ze denken dat ze de hele wereld in de maling kunnen nemen, behalve zichzelf. Ze weten niets. Hij kan Johnnie niet meer horen. De stemmen klinken luider, ze bekvechten. Schreeuwt daar iemand? Was dat Johnnies stem? Het zweet staat Paul in de hand als hij de mobiele telefoon omklemt, die hem met niets kan verbinden dat echt gebeurt.

'Johnnie!' roept hij. 'Godverdomme!' Maar het gesprek verpietert. De telefoon hangt los naar beneden en vangt alleen nog achtergrondgeluiden op. Johnnie belde met een vaste telefoon, niet met zijn gsm. Hij is weg. De hoorn wordt opgepakt. Hij hoort iemand ademen en roept opnieuw: 'Johnnie!' Er klinkt een zacht lachje en dan een klik. Ze hebben opgehangen. De gsm ligt in zijn hand.

*Wil je me leren autorijden?*

*Rustig maar, Johnnie, ik zal voor je zorgen. Wat er ook gebeurt, ik zorg dat het goed komt. Dat zweer ik.*

*Gaat papa dood?*

*Ja, ik denk het wel.*

*Waarom?*

*Kijk eens goed naar hem, Johnnie. Je wilt toch niet dat hij zo verder leeft?*

*Hoe oud is papa?*

*Je weet hoe oud hij is. Hij is vierenveertig.*

*Hoe oud ben jij, Paul?*

*Je weet hoe oud ik ben. Ik ben negentien.*

Al zijn broers zijn aan het andere eind van de lijn. Johnnie op zijn zevende, op zijn twaalfde, Johnnie die zijn ogen uit zijn kop krijst in de slaapkamer in Barking, Johnnie met betraand gezicht en trillend van ellende toen zijn konijn doodging, Johnnie die bleek en met droge ogen staat te gapen van verdriet bij hun vaders begrafenis, Johnnie die op Pauls bruiloft met Louise danst.

Nu is het mooi geweest. Het is voorbij.

*Hoe oud ben jij, Paul?*

*Rustig maar, Johnnie. Ik zal voor je zorgen. Alles komt goed. Dat zweer ik.*

Er zijn nog andere dingen. Toen Louise na vijf jaar nog niet zwanger was, had hij zonder het haar te vertellen zo'n test laten doen. Ze wilde geen dokters of gedoe aan haar lijf en daar was ze zo beslist over dat hij niet had aangedrongen. Als het gebeurt, gebeurt het, had ze gezegd. Ik neem geen medicijnen en ik laat niet met mijn binnenste sollen. Maar hij had een artikel gelezen waarin stond dat het voor mannen simpel was. Het enige wat je hoefde te doen, was erheen gaan en je aftrekken in een reageerbuisje. Je kreeg zelfs een pornoblaadje mee om het makkelijker te maken. Dus was hij naar een kliniek gegaan en had gezegd dat hij zich zorgen maakte, dat hij zich wilde laten testen.

Wij hebben het nooit over onvruchtbaarheid, zeiden ze, toen hij het woord in de mond nam. Hij produceerde wel spermacellen, maar niet genoeg, en hun beweeglijkheid was minimaal. Het kwam erop neer dat een natuurlijke bevruchting onwaarschijnlijk was. Het was wel mogelijk, maar niet waarschijnlijk. Toen hij vroeg wat er, naast de natuurlijke manier, voor andere bevruchtingsmogelijkheden waren, hadden ze hem verteld wat er allemaal gedaan kon worden.

Hij was weggegaan en had er niets van aan Louise verteld. Hij had het voor zichzelf gerechtvaardigd door zich voor te houden dat Louise zelf die test niet had willen laten doen. Zij was degene die gezegd had: als het gebeurt, gebeurt het. Ze scheen zich er niet druk om te maken, dus had hij niets gezegd. Af en toe dacht hij aan de valse naam die hij bij de kliniek had opgegeven, dan hield hij snel op met wat hij aan het doen was en liep weg. Soms dacht hij aan zijn spermacellen, die als kikkervisjes in een jampot op de lagere school hadden gehangen, een onbeweeglijk sierrandje dat zich aan het glas had vastgezogen.

Toen was ze zwanger, en toen Anna geboren werd, leek ze op hem.

# II

Hij liet me Johnnie pas ontmoeten toen we al bijna zes maanden met elkaar uitgingen. Paul was eenentwintig, ik negentien. Hij was de knapste man die ik ooit had gezien. Tegenwoordig zeg je niet meer knap, maar voor Paul was het het enige juiste woord. Hij had altijd iets formeels, iets ouderwets. En hij droeg ook al pakken, terwijl de meeste jongens die ik kende spijkerbroeken droegen. Mooie pakken. Ik wist ook toen al het een en ander van kleermakerij en ik wist dat die pakken geld gekost hadden. Het kamgaren had een warme, matte glans, de snit was scherp maar volmaakt. Hij had altijd iets met puur katoenen overhemden. Hij droeg nooit van die kreukvrije dingen. Als ik aan de Paul uit die tijd denk, zie ik hem voor de spiegel zijn das strikken. Hij was niet ijdel. Hij was nooit zelfvoldaan. Alles moest precies goed zijn, dan vergat hij het. Of liever gezegd, dan leek hij het te vergeten. Als we samen langs een spiegelruit liepen, keek hij nooit naar zijn spiegelbeeld. Donkere pakken, antracietgrijs, witte overhemden, mat zijden dassen. Hij hield nooit van opzichtige dingen. Niervormige gouden manchetknopen, zwaar voor hun afmetingen, en een gouden horloge. Hij had ze zelf gekocht, toen hij het geld ervoor had, maar ze zagen eruit als het soort horloge en manchetknopen dat van vader op zoon overging.

Behalve dan dat Paul nooit zo'n vader gehad had en evenmin zo'n zoon was. Hij was een serieuze koper, ging naar serieuze winkels, alsof hij het recht had daar te zijn, en zij schatten hem op waarde. Ik was daar niet handig in. Ik moest mezelf altijd inprenten: als ze echt zo chic waren, werkten ze niet in een winkel. Maar ik kon mezelf nooit helemaal overtuigen. Mijn moeder kocht haar boodschappen op krediet toen ik klein was en we liepen altijd een week achter met betalen. Ik was gewend aan het idee dat winkeliers en restauranthouders hun klanten beoordeelden, en niet andersom. Al is dat bij nader inzien tamelijk belachelijk.

Ik hield van Pauls stijl. Ik begon me net zo te kleden toen ik geld begon te verdienen. Ik denk dat Paul me aanvankelijk daarom zo leuk vond. Ik leek niet op de Engelse meisjes met hun wegwerprokjes en -topjes. Dan heb ik het over het midden van de jaren zeventig. Ik was wel Engels, maar mijn moeder niet, en ik had gezien hoe ze stof tussen duim en wijsvinger testte en naar de naden keek om te zien hoe ze waren afgewerkt, hoe ze de voering in een jasje nakeek voor het geval het een goedkoop ding was en zou kreukelen als het jasje gestoomd werd. Niet dat ze veel kocht, daar hadden we geen geld voor. Maar wat ze kocht, was goed. Ze leerde me hoe je zijde moest wassen en hoe je fijne wol moest verzorgen, zodat het zijn vorm niet zou verliezen. Toen ik achttien was, had ik genoeg geld gespaard om een paar pakken te laten maken. Het ene was marineblauw, het andere zwart. Beide van kamgaren, de beste kwaliteit die ik me kon veroorloven. Ik wilde ze zo eenvoudig mogelijk, ik wist dat dat kon als de stof goed genoeg was. Met een figuur als het mijne was het soort snit dat je slechte kanten verdoezelt niet nodig. Er waren geen slechte kanten. Dat was nog zoiets met mijn moeder. Ze was geen Engelse, daarom praatte ze gewoon met mij over mijn borsten, mijn heupen en mijn taille. En die waren rond die tijd, toen ik achttien was, allemaal perfect.

Ik kan het nu wel zeggen, omdat het weg is. Het is geen ijdelheid, het is alsof ik over iemand anders praat.

Ik droeg het marineblauwe pak met een koraalkleurig truitje de eerste keer dat ik Paul ontmoette. Ik was die avond met een paar vriendinnen uit. We waren naar de bioscoop geweest en daarna koffie gaan drinken. Ik weet nog precies waar we zaten. Het was warm in het café en ik had mijn jasje uitgetrokken. Het truitje was nieuw, van kasjmier, en het had korte mouwen. Ik had een maand gespaard om het te kunnen kopen. Je weet hoe het is als je iets draagt dat zo perfect past dat je er niet aan hoeft te denken. Je kunt je bewegen zoals je wilt, je kunt gaan zitten of je arm opsteken om iets te pakken en het beweegt gewoon met je mee.

Toen ik me rekte om een sigaret aan te pakken van Mandy, zag ik een man naar me kijken. Ik dacht 'man', niet 'jongen'. Hij was eenentwintig, een paar jaar ouder dan ik. Hij droeg een donker pak met een donkerblauwe das en dronk espresso. Hij was met een paar mannen die qua uiterlijk heel goed zijn broers hadden kunnen zijn, maar dat bleek niet het geval. Het kwam doordat ze van hetzelfde type waren, donker, tamelijk goedgekleed, af. Ze zagen er niet Engels uit. Maar hij was degene die opviel. Ik wendde me af, een klein stukje maar, en stak de sigaret aan. Ik herinner me dat ik met Mandy en Sue zat te lachen en te praten met die extra concentratie waar waarschijnlijk niemand ooit in trapt. Ik voelde me gloeien alsof iemand mijn lichaam met licht streelde. Alles was uitvergroot: mijn truitje werd zo zacht als een jong poesje, de koffie was de zwartste en de bitterste die ik ooit had gedronken. Ik slikte mijn sigarettenrook in en kneep mijn ogen tot spleetjes toen de rook naar buiten sijpelde. Dat leek me heel geraffineerd. Ik had natuurlijk helemaal niet zijn kant op gekeken, maar ik wist dat hij nog steeds naar me keek.

Ik heb Anna acht maanden niet gezien. Toen ze klein was, vroeg ik me altijd af hoe ze eruit zou gaan zien als ze groot was. Ik weet nog goed hoe ze in haar blootje van de badkamer naar de slaapkamer rende. Ze moet ongeveer tweeënhalf geweest zijn. En toen al had ze niet zozeer het lichaam van een peuter als wel het lichaam van een meisje. En ik weet nog dat ik bedacht hoe haar heupen en borsten zouden zwellen en haar taille kleiner zou lijken te worden. En ik vroeg me af of ze op mij zou gaan lijken. Ik bedacht dat ik kleren met haar zou gaan kopen en haar zou leren geld aan zichzelf te spenderen, zodat ze er goed zou uitzien.

Hij heeft geld zat.

Johnnie is niet knap, zoals Paul. Hij is veel meer… iemand van wie je in de war raakt. De eerste keer dat ik hen tweeën samen zag, was het alsof me een licht op ging. Je denkt: o, zit dat zo. En alles valt plotseling op zijn plek. Wie ze waren, waar ze vandaan kwamen en waarom Paul was zoals hij was.

Johnnie deed het niet zo goed op school. Maar dat deed er niet toe, want Paul verdiende inmiddels geld en hij zou Johnnie van die rotbasisschool afhalen waar ze allebei op hadden gezeten en hem naar een particuliere school sturen, zo'n livreigildeschool. En hij deed het ook. Johnnie haalde zonder enige moeite het toelatingsexamen. Het was een intelligent kind, hij was ook niet lui. Hij was alleen… gauw afgeleid is de beste omschrijving.

Paul begon naar ouderavonden te gaan. En waarom ook niet, hij had er het recht toe, hij was degene die betaalde. Ik stond er destijds niet zo bij stil, maar achteraf gezien zullen er bij de onderwijzers wel een paar wenkbrauwen omhoog zijn gegaan. Paul die met zijn tweeëntwintig jaar oplettend luisterde naar alles wat de onderwijzers zeiden en vragen stelde. Aanvankelijk niet helemaal de juiste vragen, maar hij leerde snel. Sommige onderwijzers waren twee keer zo oud als hij en Paul was nooit verder gekomen dan de vierde klas van de havo. Maar hij was degene die hun salarissen betaalde, dat vergat hij nooit. En bovendien was hij slimmer dan de meesten van hen. Ik ging er nooit heen, ook niet toen we getrouwd waren en Johnnie bij ons woonde. Paul heeft het me nooit gevraagd. Johnnie was zijn zaak. Ik vond het prettig dat hij zich zo om

Johnnie bekommerde. Ik was niet jaloers; ik was nooit jaloers. Ik dacht altijd: als Paul zo is met zijn kleine broertje, dan wordt hij een fantastische vader.

Ik heb Anna meer dan acht maanden niet gezien. Ik weet dat Paul haar niet heeft meegenomen omdat hij van haar hield. Hij houdt wel van haar, maar dat is niet de reden. Hij had ook van haar kunnen houden en haar bij mij kunnen laten. Hij nam haar mee zoals hij Johnnie bij zijn moeder had weggehaald. Het is het enige wat hij kan bedenken als hij van iemand houdt.

Anna schrijft me af en toe, maar ze is niet zo goed in brieven schrijven. Ik zou erheen kunnen gaan. Ik zou een hotelkamer kunnen nemen en haar opzoeken. Hij zou me heus niet tegenhouden. Maar ik geloof niet dat ik dat moet doen.

Paul is heel erg slim geweest. Het allerbelangrijkste is dat hij over zelfbeheersing beschikt. In onroerend goed is het net zo makkelijk om geld te verliezen als om het te verdienen, omdat de meeste mensen op den duur inhalig worden. Ze willen meer dan de winst die er te behalen valt. Ze willen iets groots, een grandioos gebaar dat bruisend de lucht in gaat en hen meevoert. Dat is wat Paul zegt. Iets anders wat fout gaat, is als iemand niet met een verlies kan omgaan. Je moet het kunnen afschrijven en er nooit meer aan denken. Je hebt maar zoveel energie, zei Paul altijd, en daarvan moet je niets aan mislukkingen besteden. Zelfs niet aan je eigen mislukkingen. Toen begreep ik de volle omvang van wat hij zei nog niet, omdat ik nog niet wist dat mislukkingen net zo'n grote aantrekkingskracht kunnen hebben als succes. Nu weet ik dat.

Paul had altijd een plan. Tegen de tijd dat we vijf jaar getrouwd waren, verruilde hij de huizenhandel voor de handel in braakliggend land. Hij wist niets van vervuilde grond toen hij begon, maar hij besefte al snel dat er veel geld te verdienen viel als je vervuilde stukken grond tegen een lage prijs van de gemeente kocht, de schoonmaakoperatie uitbesteedde en de grond dan in ontwikkeling nam. Hij had hele dagen met raadsleden, planologen, milieudeskundigen en gemeenteambtenaren doorgebracht. Alles wat ze hem vertelden, gebruikte hij. Hij stak hen in zijn zak en gebruikte hen, en ieder van hen dacht dat ze hem niet meer dan waar voor zijn geld gegeven hadden. Ze zagen niet hoe naderhand alle stukken op hun plaats vielen en wat Paul ermee kon doen. Hij verdiende meer geld dan we ooit voor mogelijk hadden gehouden, maar hij vergeleek 'nu' nooit met 'toen'. Hij wilde zich niet laten terug slepen. Zo is Paul nou eenmaal als het over het verleden gaat. Wat hem betreft, kun je het afkappen en er nooit meer over nadenken.

Althans, hij zou dat gekund hebben als Johnnie er niet geweest was. Johnnie begon in troebel water te vissen. Paul kon het domweg niet geloven. Johnnies bedje was geheel gespreid. Paul begreep niet hoe iemand zo stom kon zijn als het zo makkelijk was om slim en rijk en veilig te zijn. Johnnie had gehad wat Paul nooit had gehad: hij had een vader en een broer gehad, twee in de persoon van één, en een toekomst waar iemand anders al voor had betaald.

Ik weet niet precies wat Johnnie op dit moment doet. Ik weet dat Paul nog steeds probeert hem voor het bedrijf te redden. Er is een auto, een kantoor en een hoop geld voor Johnnie. Maar tot dusverre heeft het weinig aantrekkingskracht op hem gehad. Johnnie ging van school zodra hij zestien werd. Wat mij daar het meest aan stoorde, was de gedachte dat al die onderwijzers zeiden dat ze het altijd wel hadden geweten. Dat ze dachten dat ze Paul op een of andere manier te slim af waren geweest, ook al was het hun taak om Johnnie een opleiding te geven. Twee jaar later werd Johnnie bijna gepakt. Hij zat glimlachend tegenover me aan de keukentafel en vertelde dat ze bij de fabricage van lsd in een boerderij in Herefordshire de zaak totaal verkloot hadden. Hij had er een miljoen mee kunnen verdienen. Het was altijd een miljoen bij Johnnie: een schitterend bedrag waar je niet echt je vinger achter kreeg.

Vervolgens had hij een aandeel in een bootlading hasj, die in een onbekend baaitje aan de noordkust van Cornwall aan land gebracht zou worden. Zo onbekend, bleek later, dat de schipper die ze hadden ingehuurd het niet kon vinden. Destijds deed Paul net of hij van mening was dat dit allemaal onderdeel was van Johnnies proces van volwassen worden en zelf verantwoordelijkheid nemen, maar ik zag dat hij buiten zichzelf was. Het was de manier waarop Johnnie je aankeek met ogen die gloeiden als die van een kind met Kerstmis en zei: 'Maar het is perfect, Paul! Er gaat dit keer niks fout.'

We maakten onszelf wijs dat hij als een kind was. Het was de hoek van waaruit we hem beschouwden. Als je een kat ziet spelen, als je het tenminste spelen kunt noemen, dank je God dat hij niet groter is dan dat.

## 12

Anna en David zijn inmiddels vrienden. Niemand weet het. Ze ontmoeten elkaar altijd ergens halverwege. 'Ik zie je morgen bij de beuken', zegt de een, of: 'Ik ga morgen naar de rivier. Ga je mee?' Het voorjaar vordert, knoppen worden dikker, wilgen-katjes schudden zich los en de pluimen van de rode ribes verspreiden een waterijsgeur. De paasvakantie breekt aan en de last van school valt weg alsof hij nooit bestaan heeft. Anna vergeet het, ze is goed in het vergeten van dingen. Ze wordt wakker, hoort de wind door de takken ruisen, kijkt naar buiten en ziet licht en schaduw over het land jagen. Tijdens vakanties gaat ze niet naar het dorp. Iedere ochtend houdt ze zichzelf voor dat ze pas over meer dan twee weken Emily Faraday of Billy Arkinstall weer hoeft te zien of zich dood hoeft te vervelen als Fanny Fairway over het regenwoud zit te zwammen.

David staat op de stenen brug over de rivier op haar te wachten. Zij aan zij kijken ze hoe het bruine water van poel naar poel schiet. Als ze kleiner waren, denkt Anna, zouden ze bootjes kunnen maken en ze onder de brug door de rivier laten afglijden om te zien wie er zou winnen. Maar dat doen ze niet. Ze zijn tien, bijna elf. Anna is het afgelopen jaar achttien centimeter gegroeid en onder haar bruine tricot truitje is een begin van borsten te zien. De ene is groter dan de andere, maar het is nog niks om je druk over te maken. Er was een programma op school-tv, waar alle meiden uit de hoogste klas naar hebben gekeken, dicht opeengezeten in de docentenka-mer. Het ging over borsten en menstruatie en aan het eind kregen alle meisjes gratis een blanco wit doosje. Buiten liepen de jongens te klieren. Billy Arkinstall sloeg een meisje de doos uit handen en rende zwaaiend met een zelfklevend maandverband de speelplaats rond.

'Prop hem maar in je bek, Billy!' schreeuwde Courtney, die ruzie met haar neef had om geld dat hij had geleend en niet terugbetaald. 'Ze moesten eens goede sloten op de meisjestoiletten zetten in plaats van ons zo'n stomme film te laten zien', zei Emily Faraday. Anna kon het alleen maar met haar eens zijn. Het gebruik van de schooltoiletten was een nachtmerrie, tenzij je een betrouwbare vriendin had die de deur voor je dichthield. Soms drongen de jongens naar binnen, ze bonsden op de deuren en duwden ze open, ze gooiden de afvalemmers leeg die de school gedwongen was geweest te plaatsen toen mevrouw Faraday met veel vertoon naar school was gekomen om te vertellen dat Emily 'begonnen' was.

David en Anna staan samen te kijken hoe de stroming als lange stevige kabels door het water kronkelt. Ze kijken naar de bruine schaduwen en de schuilplaatsen van vissen. David weet alles van de rivier. De lentezon prikt in hun rug. 's Zomers komt hier geen zonlicht, enkel schaduw, zwaar en groen. Achter hen staat de fabrieksschoorsteen. De rest is verdwenen: de fabriek, de rokende schoorstenen, het hakken van brandhout, de watermolen, het getik van de met ijzer beslagen klompen op de keienpaden, het heen en weer schieten van ontelbare vingers aan de weefgetouwen. De zwartgeribbelde bomen wachten op hun groene getij. Verderop staan rookblauwe campanula's onder ondiep wortelende beuken. De rivier ligt vol zware stenen, die poelen en snelle, schuimende doorgangen in het water kneden.

'Verderop is een poel waar je kunt zwemmen', zegt David. 'Ik heb er vorig jaar de hele zomer gezwommen. Maar iemand heeft er een oude auto in gedumpt.'

'Hoe hebben ze dat gedaan?'

'Over het pad en toen over de rand geduwd. Mijn vader zegt…'

Anna hoort hem niet meer. Ze denkt aan vorig jaar zomer. Ze was toen nog niet bevriend met David en wist niet dat hij hier kwam zwemmen. Wat als ze toen langs de rivier was gelopen en hem gezien had? Ze weet hoe hij eruitziet in zijn zwembroek, want ze gaan iedere week met zijn allen in een dubbeldekker naar Halifax om te zwemmen. Maar toen zij in de rivier was gaan zwemmen, had ze niets aangehad. Ze had rondgekeken, haar kleren uitgetrokken en zich erin laten glijden. Toen ze er eenmaal in lag, had ze niet het idee gehad dat iemand haar kon zien, zelfs niet als diegene over het overwoekerde pad liep. Ze was zo gefragmenteerd door licht en schaduw dat het leek alsof ze helemaal geen lichaam had.

'…je moet wel oppassen, want de randen van het metaal zijn rafelig', zegt David.

Anna legt haar hand op zijn mouw. 'Ssst.'

Ze horen het gejank van een auto die in lage versnelling over het pad uit de richting van het dorp komt rijden, aan de overkant van de rivier, vanaf Anna's huis gezien. De kinderen drukken zich stevig tegen de stenen brugleuning aan, zodat de auto erlangs kan.

'Wauw', zegt David. 'Van wie zou die zijn?'

Het voorjaarszonlicht glinstert op het chassis van de auto. Hij nadert langzaam, grommend, de wielen diep weggezakt in het winterse bladslijk.

'Het is mijn oom', zegt Anna, blozend tot aan haar haarwortels.

'Weet hij niet dat hij zo niet bij jullie huis kan komen?'

Het pad van de rivier naar Anna's huis zit vol diepe voren, het is door het weer zo uitgesleten dat de keien er uitsteken. God mag weten hoelang het geleden is dat iemand het gerepareerd heeft.

'Iemand heeft hem de verkeerde kant op gestuurd', zegt David.

De auto rijdt vlak langs hen, de felrode zijkant op enkele centimeters van hun benen.

'Johnnie!' schreeuwt Anna. 'Johnnie!'

Hij hoort haar. Hij draait zich om, draait zijn flitsende lach, zijn magere, hongerige, mooie gezicht naar haar toe. Hij stopt en buigt zich over de stoel naast hem om het portier te openen. 'Stap in', zegt hij.

'Je gaat de verkeerde kant op', zegt Anna. 'Je moet omdraaien.'

'In het dorp hebben ze me verteld hoe ik moest rijden', zegt Johnnie.

'Ze hebben je de verkeerde kant op gestuurd', zegt David.

Johnnie kijkt van de een naar de ander. 'Dat zullen we nog wel eens zien', zegt hij. Zijn ogen schitteren in het gele licht. Hij houdt zijn hand boven zijn ogen en staart naar het pad, naar de voorjaarskale, glinsterende heuvelflank. 'Rijden jullie mee?' vraagt hij.

David laat zijn hand verlangend over de zijkant van de auto glijden. Maar hij kan niet mee naar het huis. Dat weet hij en Anna weet het, het hoefde nooit gezegd te worden. En trouwens, het is gekkenwerk, wat Johnnie probeert te doen. Hij kan die mooie auto toch niet langs dit hobbelpad naar boven dwingen. Dan rijdt hij hem helemaal aan gort.

'Je uitlaat gaat eraan, hoor', zegt David.

'Ik denk het niet. Ik denk dat het prima gaat lukken', zegt Johnnie. Hij kijkt schattend naar de kale, schitterende bomen, het te helle licht. Het pad loopt omhoog, uitgesleten en ontwricht door winterse overstromingen. Johnnie schakelt en raakt het gaspedaal even aan, zodat de motor gromt. Hij kijkt naar Anna, die tot haar eigen verbazing met haar hand aan het portier staat en zich gehoorzaam op het dikke, soepele leer van de zitting laat glijden. De geur van de auto stijgt om haar heen op en transporteert haar naar een andere wereld.

'Gaat je maatje niet mee?'

'Hij kan niet. Hij moet naar huis.' In het verbijsterde besef dat ze hem hier niet achter hoort te laten, kijkt ze David aan. Maar hij redt zich natuurlijk wel. Hij kent iedere centimeter van dit dal. Het is zijn terrein, niet het hare, ook al woont ze hier. David kijkt fronsend naar de auto en probeert in te schatten hoe hij de klim zal maken, die hij kent als zijn broekzak. Hij ziet er volwassen uit. Verbaasd bedenkt Anna dat David er ouder uitziet dan Johnnie, ook al is Johnnie een man en David nog maar een jongen. En hij kijkt met dezelfde schattende blik naar Johnnie als hij naar het pad en de auto kijkt.

'Ik zou wel mijn gordel omdoen, Anna', zegt hij. Maar voordat ze de gordel kan pakken, komt de auto al in beweging. Stenen springen weg als de banden het pad nog verder uit-hollen en dan glijdt Davids gezicht langs, bleek als de winter.

'Ik moet eens een hartig woordje met Paul spreken over dit pad', zegt Johnnie. Zijn tanden zijn wit, zijn lippen lachen. Maar het is niet echt een lach, zo staat zijn gezicht nou eenmaal. Wat wil ze hem graag laten lachen. Het is als een kramp, die aanhoudt zolang Johnnie er is. Hem zover krijgen dat hij lacht, haar aankijkt met die plotseling oplichtende blik van herken-ning, die haar binnentrekt in zijn cirkel. Zolang als hij er is, is dat het enige wat ze wil: bij Johnnie horen.

'Het is niet van mijn vader, dit stuk', zegt Anna. Ze rijden heel langzaam, heel voorzichtig over de rechterhelft van het pad. Het geknerp van de banden klinkt vreselijk dichtbij. Ze kruipen als het ware de scherpe bocht om.

'Jezus', zegt Johnnie. 'Ik zie wat je bedoelt.'

Dit is het steilste stuk en het slechtste. Niemand komt hier ooit met zijn auto. Hij gaat vast terug, denkt Anna. Hij kan achteruit naar de brug en dan rijden we over het pad door het dorp terug en dan kan David ook meerijden.

'Hou je vast', zegt Johnnie. Hij geeft een dot gas en een diep, dierlijk motorgeluid is het antwoord. De banden springen weg. Steentjes spatten tegen de muur op. De auto entert stuiterend en slingerend de volgende keienrichel. De banden schrapen als klauwen over de grond en komen tot stilstand. De auto valt met een schok terug in de greppel die hij zelf gegraven heeft.

'Allejezus', zegt Johnnie. Hij lacht nog steeds. Hij trapt het gaspedaal in, de auto steigert met tollende banden tegen de richel op en valt voor de tweede keer terug. Het ruikt naar rubber en heet metaal. 'O, allejezus.'

Anna houdt zich stevig aan haar stoel vast. De auto trilt, de voorwielen draaien knarsend in het rond. Dan geeft de motor een brul en springt de auto plotseling vooruit. Er klinkt een schurend geluid van metaal op steen. Eén voorwiel is over de rand, het andere jankt in de lucht. De motorkap schittert en komt omhoog. Voor Anna lijkt het alsof ze op weg zijn naar de toppen van de glinsterende, kale bomen. Johnnie geeft opnieuw gas en de auto schiet zigzaggend over de voren en keien naar boven.

'Jezus, hij heeft het gehaald', hijgt Johnnie. Hij schijnt het rammelende metaal niet te horen. Zonder de auto op adem te laten komen, dwingt hij hem, hortend en stotend maar in één rechte lijn, naar de top, waar het doorgerotte hek tegen de muur leunt. En verder, tot op het gladde asfalt waar Paul voor betaald heeft, tot op het pad dat bij het huis hoort. Johnnie zet de auto stil en de sleutel komt met een korte, ferme klik uit het contact.

De stilte daalt op hen neer als Anna uitblaast. Johnnie stapt uit, loopt om de auto heen naar achteren en bukt zich. Anna draait zich in haar stoel om.

'Ga je niet bij het huis parkeren?' vraagt ze. Johnnie komt overeind, veegt zijn handen af aan een dikke witte zakdoek en schudt zijn hoofd.

'Hier wordt hij misschien gestolen', zegt Anna.

Johnnie lacht. 'De uitlaat is naar de klote', zegt hij. Hij kijkt er zo tevreden bij dat zij er ook om moet lachen.

'Lekker ritje, hè, Anna?' Ze knikt. 'Ik zal je leren autorijden', zegt hij, 'zodra je zeventien bent. Hoe oud ben je nu?'

'Bijna elf.'

'Op dit pad mag je trouwens wel oefenen. Dat is privé. Weet je wat, morgen gaan we lessen, Anna. Wij met z'n tweeën. Wat vind je daarvan?'

'Oké', zegt Anna op bedeesde en hoogst bedrukte toon. Als ze laat zien hoe graag ze het wil, gebeurt het niet.


Ze lopen onder de beukenboom door en langs hoge donkere muren naar het huis. Johnnie blijft staan bij een plas water in een stenen teil, die in de muur gemetseld lijkt te zijn.

'Niet je handen er insteken, Johnnie! Je hebt olie aan je handen.'

'Wat krijgen we nou? Dat gaat er heus wel af, hoor.'

'Dat is ons drinkwater. Het is het water voor het huis.'

'Christus, Anna. Bedoel je dat jullie met een emmer naar buiten moeten?'

'Nee, het gaat door die pijp daar. Het is bronwater.'

'Drinken jullie dat spul echt? Dat is vast smerig. Zo in de buitenlucht en alles.'

'Papa zegt dat het schoner is dan kraanwater in Londen.'

'O ja? Oké, Anna, doe jij je handen er dan maar in. Geef me wat te drinken.'

Ze steekt haar tot een kom gevouwen handen in het water. Het is koud, een einde-van-de-winter-kou die tot ver in het voorjaar duurt.

'Het is zacht water', zegt ze, terwijl ze haar vingers erdoorheen laat glijden.

'Alle water is zacht.'

'Heel anders dan Londens water.'

'Londens water is het beste van de wereld. Het is door heel wat topnieren heen gegaan. Hé, Anna, zou je niet terug willen naar Londen?'

Anna kijkt op. 'Nee.'

'Ook niet om je moeder te z…?'

'Nee. Ik vind het leuk hier.'

'Ze heeft me iets voor je meegegeven.'

'Nietwaar. Je hebt haar helemaal niet gezien.' Maar ze wil het graag geloven. Hij ziet de strijd in haar ogen. 'Wat is het dan, Johnnie? Wat heb je?'

'Aha.'

'Het is niks. Je zegt maar wat.'

'Ik heb het hier in mijn zak.'

Ze springt op. Haar natte vingers zijn vlug als water.

'Hé, laat dat, Anna, zo krijg je niks. Hoe zit het met die slok water die je voor me zou tappen?'

'Ik tap helemaal niks voor je. Tot je me over mama vertelt.'

'Kom op. Alsjeblieft.'

En plotseling laat ze zich vermurwen. Ze schept twee handenvol water en houdt ze hem voor. Hij buigt voorover, laat zijn hoofd zakken en slurpt het water op. Zijn neus is nat.

'Je lijkt wel een paard dat drinkt, Johnnie.' Maar ze geeft hem nog meer, waarna de rest glinsterend op de grond tussen hen in valt, op de in groen bont gehulde keien. Doordat het aan de heuvelkant ligt en omgeven is door muren, is het altijd dompig aan deze kant van het huis.

'Ja, je hebt gelijk. Het is lekker.'

Er klinkt geen geluid achter hen, maar Anna en Johnnie draaien zich gelijktijdig om en daar staat Paul boven aan de drie stenen treden die naar het huis leiden. Zijn blik is niet voor Anna. Hij glijdt langs haar heen en omarmt Johnnie. De twee mannen blijven op enige afstand van elkaar staan zonder elkaar aan te raken of te begroeten.

'Waar is de auto?' vraagt Paul.

'Bij het hek.' Johnnie geeft met een rukje van zijn hoofd de plek achter zich aan.

'Waarom zet je hem niet bij het huis?'

'Hij staat daar goed.'

'Laten we even kijken.'

Haar vader weet het. Hij heeft de auto vanaf de rivier naar boven horen rijden. Misschien kon hij aan het geluid horen dat de uitlaat gebroken was. Haar vader weet dat soort dingen. Maar hij wil dat Johnnie het hem laat zien. En plotseling staan ze bij elkaar, de twee mannen: haar vader en haar oom, maar vóór alles broers, en dat heeft niets met haar te maken. Ze glijdt langs hen heen.

Het is laat. De wrakstukken van een maaltijd liggen op tafel, de kaarsen zijn stompjes geworden en in de ijzeren kachel ligt een hoopje roodgloeiende kolen. De lucht is zwaar van de sigaretenrook. Paul buigt zich naar de kaarsvlam om nog een Marlboro aan te steken. Sonia is naar bed gegaan. Buiten de kring van kaarslicht is de kamer in schaduwen gehuld. Plavuizen vloer, stenen muren en haard, lange, donkere houten tafel. De ramen kijken uit op nog meer steen, het betegelde terras, als het sloependek van dit huis in de flank van de heuvel, hoog boven de rivier, de fabrieksschoorsteen, het dorp in de verte, waarvan de straatlantaarns te ver weg staan om de nachtelijke hemel te vervuilen.

'Zijn dat echte uilen?' vraagt Johnnie opeens.

'Tuurlijk zijn ze echt. Wat zou het anders moeten zijn?'

'Moet je mij niet vragen. Soms zijn dingen die heel echt klinken, niet echt, als je begrijpt wat ik bedoel.'

'Ja.'

'Ik zou niet graag iets zijn waar ze hun oog op hebben laten vallen.'

'Ze lokaliseren hun doel en blijven het automatisch volgen,' zegt Paul, 'net als raketten. Het is gewoon oorlog daar.'

'Jij zei dat ik hierheen moest komen om mijn kop helder te krijgen.'

'Nou, dat heb je gedaan', zegt Paul. Hij kijkt naar Johnnie, wiens haar weer kortgeknipt is omdat het de mode is. Te kort naar Pauls smaak. 'En nu ben je hier. Vind je het leuk?'

Johnnie staat op, rekt zich uit, werpt een blik over zijn schouder naar het zwarte gat van het raam. 'Je zou gordijnen moeten ophangen, Paul. Iedereen kan naar binnen kijken.'

'Er is hier niemand om naar binnen te kijken.'

'Je zou een hond moeten nemen.'

'Ik néém ook een hond.' Paul zwijgt even voor het effect. 'Een cockerspaniël.'

'Een cockerspaniël! Ik zei een hónd.'

'Zo een wil ik er niet.'

'Een dobermann.'

'Heb ik niet nodig.'

'En Anna dan?'

'Anna gebeurt niks.'

'Ook niet als je weg bent?'

'Ze is niet alleen. Sonia is er.'

'Sonia!'

'We zijn hier niet in Londen. En er is niks mis met Sonia. Ik heb je auto trouwens weggezet, Johnnie.'

'Waarom?'

'Omdat het een rare auto is. Zulke auto's hebben ze hier niet. Zulke auto's hebben ze hier niet nodig.'

'Het is een prima auto.'

'Waarom behandel je hem dan als een stuk vuil? Hij staat bij de schuur.'

Johnnie geeuwt nogmaals, hij steekt zijn armen in de lucht en trommelt als een kind met zijn vuisten op zijn hoofd. Hij lacht naar zijn broer, zijn tederste, verleidelijkste lach. 'Het is maar een auto', zegt hij. 'Als hij naar de klote is, koop ik een andere.'

Paul houdt zijn mond, maar het doet wel pijn. Je hoeft maar iets verkeerds te zeggen en Johnnie gaat ervandoor, het deksel klapt dicht. Dan hoort hij je niet meer en ziet je zelfs niet meer.

Dan ben je enkel nog een schim die de verlichte uitweg blokkeert voor Johnnie.

'Kom eens mee naar zolder. Kun je mijn nieuwe speeltje zien', zegt Paul.

'Heb je weer een nieuwe computer gekocht?'

'Nee. Iets veel leukers.'

Ze gaan de brede, lage trap op naar de eerste verdieping. Gek hoe de stilte van slapende mensen bijna klinkt als geluid. Anna, Sonia. Hun deuren zijn dicht. Anna is nooit bang geweest voor het donker. Het huis is lawaaiiger dan het huis in Londen, ook al is het overal kilometers vandaan. Er is water: de rivier, de stroompjes die er langs de heuvelflank naartoe lopen. Dit dal lekt uit alle poriën. De planken vloer kraakt zoals volgens Paul een voor anker liggend houten schip kraakt. Heen en weer, alsof er de hele nacht voortdurend iemand loopt. Er zijn muizen. Alle oude huizen hebben muizen. Er zijn twee of drie katten om ze binnen de perken te houden. Ratten in de schuur, al ligt daar nu niets meer van hun gading. Het is enkel een grote, koude ruimte. Een echte schuur is nooit koud. Hij zou er iets mee moeten doen.

Verder naar de volgende verdieping, hij opent de deur in de muur. De trap naar zolder is smal en kaal. Hij heeft geen moeite gedaan hem te bekleden, want hij hoort graag voetstappen. Hij wil niet dat iemand hem zachtjes besluipt. Johnnie hijgend achter hem. Dan de drie deuren voor hem, elk kaal en klein. Hij neemt de rechterdeur.

'Waar zijn de andere kamers voor?' vraagt Johnnie.

'Dat is mijn werkkamer. Ik heb de muur eruit geslagen.'

'Waar gaan we dan heen?'

'Mijn observatorium', zegt Paul. Hij knipt het licht aan.

'Wat is dat?'

'Een telescoop.'

'Christus, Paul, je kunt Mars verkennen met dat ding. Wanneer heb je hem gekocht?'

'Vorig jaar Kerst.'

'Waar is hij voor?'

'De sterren.'

'Je bedoelt dat je met astrologie bezig bent?'

'Astronomie.'

Johnnie legt zijn hand op de telescoop. De cilinder is dik anderhalve meter lang.

'Russisch', zegt Paul.

'Een behoorlijke kanjer, hè?'

'Het minimum. Met een kleinere tel je niet mee.'

De muren tonen de geografie van de hemel. Ze laten de hemel stilstaan. Ze kunnen het draaien van de aarde, de baan van de planeten en de geluidloze explosies van de sterren nooit evenaren.

'Het beweegt', zegt Paul. 'Alles beweegt. Zelfs de zon beweegt.'

'De zon? Ik dacht dat het de aarde was die bewoog.'

'Ja, en de zon ook. Het hele zonnestelsel draait om zijn as.'

Johnnie werpt Paul een blik toe die hij goed kent. Niet zozeer ongeloof als wel onwilligheid om meer te weten.

'Ik had op school meer aan wiskunde moeten doen', zegt Paul. 'Wist je dat ze precies voorspeld hebben waar Neptunus stond, voordat iemand hem ontdekt had? Louter met behulp van wiskunde. Dus toen ze hem ontdekten, ontdekten ze niet alleen een planeet. Omdat de wiskundige formule werkte, betekende het dat wiskunde universeel werkte. En dat was iets wat ze daarvoor niet wisten.'

'Is dat dan het soort dingen waar je mee bezig bent, met die telescoop?'

'Ze hebben Neptunus in 1846 ontdekt.'

'O. Oké.'

'Ik zeg net dat ik niks van wiskunde afweet. Ik zou dat soort dingen niet kunnen uitrekenen.' Pauls ingehouden woede vult de kamer. Johnnie zegt niets. Hij kent Paul en hij kent die woede. Paul heeft de telescoop gekocht plus boeken en kaarten en software. En op voorhand genoeg uitgezocht, zodat hij bij de man in de winkel niet voor schut zou staan. Hij is een snelle leerling. Te snel om plotsklaps voor dingen te staan die hij niet kent en niet kan begrijpen, niet zonder terug te gaan naar het begin. En dat zal hij niet doen. *Mijn observatorium.* Johnnie weet dat hij de enige is tegenover wie Paul de woorden uitspreekt die zijn geheime dromen gestalte geven. Sonia denkt waarschijnlijk dat hij hier zit uit te dokteren hoe hij het Douane- en Accijnsbureau een oor kan aannaaien.

'Nadat ze Neptunus ontdekt hadden, wisten ze dat er nog een moest zijn.'

'Wat?'

'Een planeet. Nog een planeet.'

'Laat je me nou nog eens door dat ding kíjken? Hoe moet je erdoor omhoogkijken?'

'Dat doe je niet. Je kijkt omlaag, hier, door dit oogstuk kijk je in de lens. Op de bodem zit een spiegel die je blik door de cilinder heen leidt.'

Paul schuift het zolderraam open. De telescoop staat te wachten.

'Ik zie niks.'

'Ga eens opzij, je moet er ook niet gewoon doorheen kijken, je moet hem instellen. Niet met die ring, die staat vast afgesteld.'

Johnnie gaat opzij. Zijn broer fronst en frutselt. 'De gebruiksaanwijzing was waardeloos', mompelt hij. 'Allemaal Russisch.'

'Hoe heb je hem dan gelezen?'

'Ach, niet echt Russisch. Maar het had net zo goed Russisch kunnen zijn. Al het denkwerk was in het Russisch gedaan en daar hebben ze wat Engelse woorden overheen geplakt. Hier. Alsjeblieft. Beweeg hem nou niet. Gewoon recht naar beneden kijken.'

Johnnie kijkt recht naar beneden. Een trillende lichtvlek, veel te groot en te fel, komt op hem af. Hij knippert met zijn ogen. Hij wil ze sluiten. Hij kijkt net lang genoeg om Paul niet voor het hoofd te stoten en komt weer overeind.

'Godskolere, ongelooflijk, hoor', zegt hij beleefd.

'Wat zie je?' mompelt Paul, die zich weer over de lens buigt. 'O ja. Te gek. Dat is de Grote Beer. Ursa Major.' Hij blijft geruime tijd, althans, zo komt het op Johnnie over, gebiologeerd door de lens kijken. Af en toe stelt hij hem met de ring een klein beetje bij. Met tegenzin trekt hij zich ten slotte terug.

'Sorry, Johnnie. Jij had eigenlijk moeten kijken. Ik kan het iedere avond doen.'

'O, geeft niet. Wat vindt Sonia er allemaal van?'

'Ze is hier nog nooit geweest.'

'Ach, maak hem.'

'Nee. Ze is hier nog nooit geweest.'

'Wat, mag ze dat niet van jou? Hangt er een groot bord met Verboden Toegang erop onder aan de trap?'

Paul fronst zijn voorhoofd. Hij loopt naar het raam om het dicht te doen, maar iets trekt zijn aandacht. Een geluid. Stemmen in het bos, die goed hoorbaar op de nachtwind meedrijven. De maan staat aan de hemel, hij is aan het afnemen. Tussen half en vol. Vanuit het zuidwesten komen wolken aandrijven, die de heldere nachtelijke hemel besmeuren. En die stemmen. Helder, maar niet helder genoeg om woordelijk te verstaan. Ladderzat.

'Ik dacht dat het zo rustig was op het platteland', zegt Johnnie.

'Ze zijn van de kroeg op weg naar huis.'

'Het is halftwee in de ochtend, Paul.'

'Ze hebben hier geen vaste sluitingstijden.'

Johnnie staat bij het raam. De nabijheid van Johnnies lichaam brengt Paul altijd in verwarring. *Johnnie was een prachtige baby.* Johnnie heeft een manier van je aanraken, tegen

120

je aanleunen, alsof de normale afstand tussen mensen voor hem niet geldt.

'Ik ben afgepeigerd', zegt Johnnie.

'Je moet ertussenuit', zegt Paul. Hij merkt dat hij te snel praat, op de toon die bij Johnnie nooit werkt. Hoe komt het toch dat hij dat maar niet leert? Hij hoort zichzelf doorgaan. 'Luister. Blijf een maandje hier. Dat handeltje waar je mee bezig bent... je denkt dat je alles de baas bent, maar je bent het nooit de baas. Het is jou de baas. We hebben de zaak, je hoeft je niet met die handel in te laten. Luister, nog twee jaar en dan maak ik je volwaardig compagnon. Ieder de helft. Wat vind je? Blijf een maandje hier. Je moet ermee ophouden, Johnnie.'

'Niet nu', zegt Johnnie. Zijn stem klinkt gesmoord. 'Dit is niet het juiste moment.'

'Het is verdomme nooit het juiste moment. Het juiste moment komt nooit. Ja, als je veertien jaar krijgt. Iedereen denkt altijd dat hij geweldig is, totdat hij gepakt wordt, Johnnie, niet alleen jij. Iedereen denkt altijd dat hij nog één zaakje doet en dat hij er dan mee ophoudt. Maar dat komt er helemaal nooit van. Ja, als iemand anders zorgt dat je ermee ophoudt.'

'Daar gaat het niet om.'

'Dat weet ik.'

Je bent bang, denkt Paul. Aan een dobermann heb je even weinig als aan een cockerspaniël als het om dat soort angst gaat.

'Ik heb een fout gemaakt', zegt Johnnie opeens op opgewekte toon, alsof hij op het punt staat in lachen uit te barsten.

'Natuurlijk heb je een fout gemaakt', zegt Paul.

'Nee', zegt Johnnie. 'Ik bedoel een echte fout.'

Paul zegt niets. Hij legt zijn hand op Johnnies schouder. In een opwelling draait Johnnie zich naar hem om en klemt zich net zo stevig aan hem vast als het jochie met het geschoren hoofd deed die avond dat het ademen eindelijk stopte. Zijn moeder, die naast pa's bed zat, stond op en vlocht haar rozenkrans door zijn dode vingers. Paul neemt zijn broer in zijn armen. Johnnie gloeit onder zijn katoenen overhemd. De bijna volle maan schiet langs de wolken, de planeten bewegen. Het zonnestelsel draait traag om zijn as onder invloed van een zwaartekracht die niet zo sterk is als die waardoor Johnnie uit de armen van zijn broer wordt getrokken.

# 13

Paul kan niet slapen, daarom kijkt hij naar de sterren. Hij denkt na over wat er allemaal voor nodig is om van een gaswolk een supernova te maken en over de vluchtigheid van alles wat er door zijn telescoop zo stabiel uitziet. Zijn gedachten zijn vol van de woorden die hij geleerd heeft om een naam te kunnen geven aan wat hij ziet. Feiten worden opgepoetst met taal. Dat is wat hij op school nooit begreep als ze het over woordenschat hadden. Een opleiding heeft te maken met nieuwe woorden opdoen omdat je die nodig hebt. Neutron, ring, nevel, heliumflits, planetesimalen. Dat soort dingen kan pas bestaan in je hoofd als je er de woorden voor kent. Moet je je voorstellen dat er mensen zijn die alle woorden kennen voor de groei en de dood van een ster, ook al zullen ze die nooit zien. De cyclus is te lang: daarbij vergeleken zijn mensen niets.

De woorden die Paul heeft geleerd, verdringen zich op zijn lippen, maar hij zegt ze nooit hardop. Hij leest dingen en schrijft ze dan op in een rood schrift, maar bladert nooit terug om nog eens te kijken wat hij opgeschreven heeft. Hij kijkt hoe planeten, in de greep van zijn telescoop, door de ruimte zwemmen. Ze zijn van iedereen, maar niettemin zo persoonlijk als dromen. Hij praat er nooit over, niet met Sonia, zelfs niet met Johnnie, al had hij, toen hij Johnnie mee naar boven nam, misschien vagelijk het idee dat deze woorden gedeeld konden worden. En niet met Anna. Het is zelfs nog nooit bij Paul opgekomen om de sterren aan Anna te laten zien. Waarom zou het haar interesseren. Op haar leeftijd interesseerde het hem ook niet.

*'Ik heb een fout gemaakt.'*
*'Natuurlijk heb je een fout gemaakt.'*
*'Ik bedoel een echte fout.'*

Zelfs de zon is van middelbare leeftijd en heeft alles al gezien. Johnnie denkt dat ik van niks weet, maar ik weet het wel. Natuurlijk weet ik het. Het is mijn zaak te weten wat hij weet. Je zet dat soort dingen uit je hoofd. Je gebruikt woorden waar niemand wijzer van wordt. Je zegt: 'Hij is oké.' Je zegt: 'Ik heb alles voor hem geregeld.'

En bij jezelf zeg je: zwart gat. Je kunt een zwart gat nooit zien. Daar verandert alles, daar gaan sterren dood, daar gaan zelfs de natuurwetten niet meer op. Het licht kan er niet uit, omdat het wetteloze plaatsen zijn, waar de bandieten van de zwaartekracht de macht hebben overgenomen. Paul glimlacht.

Hij gaat nu niet meer slapen. Hij kan net zo goed opblijven en tussen vijf en zeven een tukkie doen. Daarmee komt hij wel vaker de dag door. Hij is wakker, de sterren zijn wakker, en ieder grijpt zijn tijd. Johnnie ligt beneden te slapen. Als een lijk, hij slaapt altijd als een lijk. Althans, dat zegt hij.

Paul herinnert zich een andere plaats, een andere tijd. Nadat hun vader gestorven was en hun moeder in de keuken van de flat in Grays zat. Haar handen balden en strekten zich op de witte geborduurde tafellakens die ze iedere dag waste, steef, streek en teruglegde op tafel. Ze leek niet te merken dat ze met haar vingers aan het kanten randje van het tafellaken plukte. Haar knokkels waren droog en gezwollen, net als de huid rond haar ogen. Ze had alle kleur uit haar gezicht gehuild en haar ogen waren dof en aangekoekt met zout.

Paul was niet thuis, hij was geld aan het verdienen. Hij had zijn eigen flat in Notting Hill en een auto. Hij had kleermakers die 'meneer' tegen hem zeiden. De stad was van hem, hij maakte er deel van uit. Geen metro's en bussen meer, niet meer eindeloos in de rij staan, niet meer kijken naar andere mensen die geld uitgaven en respect kregen. 's Avonds niet meer terug naar de flat in Grays. Hij kwam op zondagmiddag als hij kon, maar had er een bloedhekel aan. Waar hij vooral een bloedhekel aan had, was zijn moeders verdriet, waarvan het geluid de kamers van de flat leek te vullen, zelfs als ze heel stil was. Haar haar lag plat en klam om haar schedel. Hij gaf haar er het geld voor, maar ze weigerde naar de kapper te gaan. Iedere keer als hij op bezoek kwam, droeg ze dezelfde donkere rok en lichte blouse en hetzelfde donkere, wijde vest. En zoals hij van zijn moeder gewend was, waste ze ze fanatiek vaak, zodat de wol van het vest helemaal pluizig en vervilt was. Wat hij niet kon uitstaan, was dat ze buitenshuis een panty droeg, maar binnen blootbeens tegenover hem zat met haar spataderen die langs de binnenkant van haar knieën omlaag kronkelden. En dat ze onwillekeurig van die diepe zuchten slaakte, die ze vervolgens inslikte.

'Allejezus, ma, laat je toch opereren. Je hoeft het maar te vragen. Je kunt het in een privé-kliniek laten doen, zonder dat je hoeft te wachten.'

En de keuken was smerig. Niet zo smerig dat iemand anders het zag, maar naar zijn moeders normen was het er smerig. Op de kookplaat zat een vettige laag stof, een jampot met doorweekte theezakjes stond te lekken op het aanrechtblad en de vuilnisbak zat stampvol kant-en-klaarverpakkingen. En te midden daarvan zat zijn moeder met haar vlijmscherpe oog voor slecht huishoudelijk werk.

Hij zette het vuilnis buiten. Hij bracht zijn moeder de schoonste bankbiljetten, die ze zonder vragen te stellen aannam. Ze was moe en wilde van niets weten. Ze stond op en legde de bankbiljetten achter de klok. Ze had het er nog steeds af en toe over om naar West te verhuizen en hij dacht: ze bedoelt waar ik woon. Maar hij wist dat ze nooit zou gaan.

Op een nacht was hij gebleven. Hij kan zich nu niet meer herinneren waarom; misschien had ze het hem gevraagd.

Waarschijnlijk was hij gewoon moe geweest. Hij sliep in de kamer die hij altijd met Johnnie had gedeeld en die nu van Johnnie was. Hij was wakker geworden van het geluid. Johnnies zachte voeten op het kleed, heen en weer. En toen een wrijvend geluid dat Paul niet kon thuisbrengen.

'Johnnie? Wat doe je?'

Stilte.

'Johnnie?' Paul kwam overeind en knipte het nachtlampje aan. Zijn broertje stond stokstijf naast zijn bed, betrapt, en probeerde zijn magere lijf te verbergen. Hij was in zijn onderbroek. De lakens waren van het bed getrokken.

'Wat is er?' Toen zag Paul de donkere vlek in het matras. 'Kom hier, je vat nog kou. Ga in mijn bed liggen', zei hij.

'Er is niks aan de hand.' Johnnie verzette zich, alsof het Pauls schuld was, alsof er niks aan de hand zou zijn geweest als Paul niet wakker was geworden.

'Doe niet zo stom. Kom hier.'

Paul trok zijn eigen dekens weg. Ze hadden nog geen dekbedden in die tijd. Zijn moeder had van die ruwe, dikke dekens, die ze al gebruikte sinds ze getrouwd was. Die drukten je in slaap als waren het zware handen. Paul stond op en gaf Johnnie een zacht duwtje richting bed. 'Schiet op. Ik regel dit wel.'

Toen pas zag hij dat zijn broer stond te trillen. Johnnie was mager, het soort magerte dat jongens hebben voordat hun hormonen hen met spieren bekleden, en zijn schouderbladen staken uit als vleugels.

'Heb je je gewassen?'

Johnnie knikte.

'Oké. Nou, kom op, naar bed en ga slapen. Ik regel dit wel met mama.'

'Niks zeggen, hoor.' Het schoot zijn mond uit.

'Wat geeft dat nou? Het enige wat ze hoeft te doen, is de lakens in de wasmachine stoppen. Daar gaat ze niet dood van.'

Hij had de wasmachine gekocht en ook een droger, omdat hij niet kon verdragen dat zijn moeder haar ondergoed nog steeds met knijpers ophing aan een droogrek op het balkon, waar de wind eraan rukte en haar sjofele beha's, onderbroeken en nachthemden deed opbollen.

Paul voelde woede als een smaak in zijn mond opkomen bij de gedachte aan zijn moeder die ontredderd aan de tafel met het sneeuwwitte tafelkleed zat en de stroken kant tussen haar vingers liet knisperen, die niets deed en niets wist van Johnnies lakens. Ze leek op iemand die zat te wachten tot er een fotograaf langs zou komen. Op een vluchtelinge wier hele familie was uitgemoord. Alsof ze niemand meer had, terwijl Johnnie in de slaapkamer lag te slapen.

'Niet doen, hoor.'

'Oké. Luister. Ik zal deze nu in de wasmachine doen. Ik zal wel zeggen dat ik een kop koffie op bed heb laten omvallen als je dat liever hebt.'

Johnnie knikte. Langzaam liet hij zich op Pauls bed en achterover in de kussens zakken. Paul trok de dekens op tot aan zijn broers kin. 'Zo.' Hij legde zijn hand even op Johnnies wang en Johnnie voegde zich bijna instinctief naar die aanraking.

'In orde?' vroeg Paul.

Johnnies gezicht was moe en ingevallen in het zijdelings vallende licht van de lamp. Hij had wallen onder zijn ogen. Hij was vast nacht in nacht uit zo opgestaan. En zij had niets gemerkt. Of ze had net gedaan of ze niets merkte, zodat ze er niets aan hoefde te doen. En ze zat maar aan die tafel, en dan die vriendinnen die binnenkwamen met hun gekakel en hun hoofddoeken. De priester die thee kwam drinken en net zolang roerde tot de suiker op de bodem van het kopje knarste, terwijl hij zei dat het allemaal het beste was zo, na al dat lijden. De rouwkaarten die zijn moeder op het dressoir had staan en weigerde weg te halen. Ze las ze zichzelf 's nachts voor met zachte stem, maar niet zacht genoeg. Alsof Johnnie er niet was, in de slaapkamer, aan de andere kant van de muur. Ze moest toch weten dat je alles dwars door de muren heen kon horen.

'Kut', zei Paul.

'Wat?' Johnnies ogen vlogen open.

'Niks. Ga slapen.' Paul ging op de rand van het bed zitten. Hij zou zo die lakens wel doen.

'Luister, Johnnie. Morgen gaan we de stad in en koop ik een pak nieuwe lakens voor je. Gloednieuw. We leggen ze hier in de kast. Mama hoeft er niets van te weten. Heb je een probleem, gooi je er gewoon een stel nieuwe op. En als je een nieuwe matras wilt, bel je me even. Oké?'

'Oké.' Johnnie hield zijn ogen dicht, stijf dicht. Er gleed een glimlach over zijn gezicht en hij zag eruit als een kind. Christus, dacht Paul, het is toch ook nog maar een kind.

'Wat doen we dan met die lakens?' mompelde Johnnie vanuit de grot van zijn slaap. 'Wat moet ik met…?'

'Zet ze maar buiten voor de vuilnisman. Het gaat niemand wat aan, alleen jou. En als je geen lakens meer hebt, koop ik wel weer nieuwe voor je. Je hoeft me enkel maar een seintje te geven.'

De glimlach weer, sterker, duidelijker. Toen verdween hij, als water dat op dorstige grond wordt gegoten. Johnnie sliep.

Paul zat stil. Hij hoorde het verkeer in de verte over het viaduct razen. Het was laat, maar hij had geen zin meer om te slapen. Hij zou zo opstaan, Johnnies matras omkeren, zijn broers bed weer opmaken en de lakens naar de keuken brengen. Dan kon hij de wasmachine aanzetten, daarna de droger, en de lakens 's ochtends weer klaar hebben. Die machines maakten bijna geen geluid.

Ma had niet willen geloven dat de kleren er schoon uit zouden komen. Ze dacht dat een wasmachine die niet veertig minuten lang klotste en gromde en daarna ronddraaide met een geluid alsof er een straalvliegtuig opsteeg, niet goed waste.

Paul had haar maar niet verteld dat hij twee keer zo duur was als de machines waar zij naar had staan kijken bij Floyd in High Street. Dat kan allemaal met geld. Je kunt er je gemak voor kopen. Het lijkt misschien onbeduidend dat je gewoon door kunt praten terwijl je wasmachine staat te centrifugeren. Een kleinigheid, zoiets als een auto hebben die er niet mee ophoudt of de verwarming aanhebben met het raam open, omdat het prettig is om het warm te hebben en evengoed frisse lucht te kunnen ademen. Maar wat ze je niet vertellen is dat al die kleinigheden tezamen een groot verschil maken, dat al die kleinigheden tezamen leiden tot de gladde, ontspannen gezichten van mensen die altijd geld hebben gehad.

Toen Paul een trui van kasjmier kocht, zei de verkoper, terwijl hij hem in vloeipapier pakte: 'Alstublieft, meneer, de eerste van vele.' Hij wist dat het de eerste was, vanwege alle vragen die Paul stelde over wasvoorschriften. Toen vervolgde hij: 'Uit ervaring weten we dat als een klant eenmaal gewend is aan kasjmier, hij niet meer teruggaat naar wol.' Paul had de man doordringend aangekeken, zoekend naar eventuele bedekte spot. Maar hij zag niets: de man was volkomen serieus.

Paul kon lakens voor Johnnie kopen, ze weggooien en zijn schouders erover ophalen. Hij had een gave. Hij kon mensen dingen laten doen. Hij kon vooruitdenken, hij kon organiseren. Hij kon als een slangenbezweerder de hebzucht van anderen bespelen. Hij kon niet verhoeden dat het geld hem vond. Hij wist dat, hij was op zijn top. Maar belangrijker dan dat was dat hij iets wist wat geen van de anderen wist: dat het tij waarop hij meedreef hem terug zou zuigen als hij dat zou toelaten. Niet veel mensen schenen dat te begrijpen. Ze werden hoogmoedig. Ze geloofden dat het leven hun een geheim had verklapt. Niemand anders scheen de harde, heldere stemmen te horen die Paul hoorde, die hem vertelden dat hij zijn geld moest vasthouden, dat hij het moest terugploegen en op zoek moest naar het volgende waaraan nog niemand anders had gedacht. Met geld maak je geld. Je hoeft niet dom te zijn, je hoeft niet inhalig te zijn, je hoeft alleen maar iets te willen en je niet laten afleiden. Het enige wat je hoeft te doen, is je geld aan het werk zetten, het zo snel mogelijk laten wegrollen van het smerige gat in de grond waar het uitkwam, het te laten rollen en al doende wit te laten worden. De geld-voor-niets-wonderen van de misdaad waren niets vergeleken met de wonderen van het grootkapitaal, zo leerde Paul al voordat hij vijfentwintig was. Hij liep op water.

Paul had zich nooit zelfverzekerder gevoeld dan die nacht waarin hij het gezicht van zijn broer steeds dieper in een vergetelheid brengende slaap zag wegzinken. Hij had het gevoel dat hij die rust voor Johnnie had veroverd. Een rauwe, tedere drang om hem te beschermen roerde zich in hem. Hij sprak opnieuw met zichzelf af – alsof Johnnie net geboren was – dat niets zijn broertje ooit meer mocht deren nu hij zo veel moeite had gedaan om zover te komen. Zolang Paul er was om het te voorkomen, zou niemand hem ooit kwaad doen.

Maar hier had Johnnie niets. Ze kookte zelfs niet meer voor hem. Johnnie wist waar haar portemonnee lag en zij vond het goed dat hij die plunderde om kebab, pizza, hamburgers en vis met patat te kopen. Het was een wonder als ze zichzelf ertoe bracht sinaasappelen te kopen. 'Vitaminen, Johnnie. Die zijn goed voor je.'

Maar Johnnie at de sinaasappelen niet, ze lagen in de schaal te verschrompelen.

Ze ging maar één keer per dag het huis uit, en dat was om naar de mis te gaan. Paul voelde een vlaag van haat jegens de kerk als hij bedacht hoe zijn moeder haar vingers in het wijwater stak, een kruis sloeg en wat water op haar vest spetterde. De lucht van steen en oude kaarsen bezorgde hem kotsneigingen. Die vrouwen met hun vesten en hun handen gevouwen als heilige hamsters als ze ter communie gingen: wat haatte hij hen. Ze zaten maar bij zijn moeder te kwekken en ze fronsten tegen Johnnie als hij met het vette bakje waarin zijn avondeten zat de flat binnen denderde. En Johnnie pikte ook geld van haar. Ze had Paul nooit in de buurt van haar portemonnee geduld, vroeger had ze het benul gehad dat dat de eerste stap was. 'Als je geld wilt, dan wacht je tot ik mijn portemonnee pak. Je gaat niet zelf in mijn tas graaien.' Toen had ze overal normen voor gehad.

Alleen bij Paul was Johnnie veilig. Hij liet zijn gedachten dwalen over alles wat komen ging, hoe hij Johnnie uit deze kamer zou halen, weg van de herinnering aan hun vaders moeizame ademhaling, die nog altijd door de dunne muren heen klonk. Hun opa had nog drie jaar van zijn pensioen kunnen genieten, hun vader was twintig jaar voor de pensioengerechtigde leeftijd doodgegaan. De wereld had nooit haar benen voor hen gespreid, maar voor Johnnie zou alles anders worden. Af en toe stak Paul zijn hand uit en streelde zijn broers haar.

# 14

's Ochtends zijn de sterren weggevaagd door de zon. Sonia zit aan de lange, pas geboende tafel met haar rug naar de schittering van het dal, de zwarte bomen, de puntige citroengele trompetnarcissen. Ze zit het liefst met haar rug naar de zon, in deze kamer, waar het binnenstromende voorjaarslicht aandoet als witte narcisblaadjes, samengevouwen in papierachtige knoppen. Het licht tast de tafel af, de plavuizen vloer, de zware eiken zittekist. Het zonlicht vormt een nevel rond Sonia's bleke, gladde hoofd. In haar krachtige handschrift maakt ze een lijst, waarbij ze om de zoveel tijd even stopt om zich de wereld die ze bezig is vorm te geven, voor de geest te halen.

Johnnie zit met beide handen om een kop koffie gevouwen tegenover haar, zijn ogen helder en wijdopen. Zijn haar is nat, zijn gezicht gloeit van het koude water. Sonia neemt hem op en is niet onder de indruk. Er zijn maar zo weinig vrouwen niet onder de indruk van Johnnie dat hij nog geen techniek heeft ontwikkeld om met Sonia om te gaan. Sonia draagt een strakke tuniek in de tint van rottende bramen over een nog strakkere rok met een zijsplit die tot bijna twintig centimeter boven haar knieën komt. Ze draagt alleen maar dingen die haar een katachtige soepelheid van bewegen geven. Sonia heeft volmaakte knieën, die ze net vaak genoeg laat zien om je eraan te herinneren dat ze ze heeft.

'Waar is Anna?'

'Buiten. De katten eten geven.'

'Katten? Hebben jullie katten? Dat lijkt me niks voor Paul.'

Sonia haalt haar schouders op. 'Het stikt hier van de ratten. Die moet je binnen de perken houden. De katten zijn geen huisdieren, ze zitten in de schuur.'

'Katten', zegt Johnnie. Met zijn blik wendt hij geamuseerdheid voor, maar Sonia kan zien dat hij de verandering niet leuk vindt. 'Wat dacht je van een cockerspaniël, Sonia?'

'Anna wil graag een hond', geeft Sonia toe. Ze pakt de eerste sigaret van de dag, tikt ermee op tafel, maar steekt hem niet aan.

'Maar ze krijgt er geen', zegt Johnnie.

Hij is te ver gegaan. Sonia's gezicht verliest alle uitdrukking als ze zich verschanst achter haar regelmatige trekken. Ze werpt een blik opzij naar het landschap, dat glinstert in het voorjaarslicht.

'Ga Anna nou niet op rare gedachten brengen, Johnnie', zegt ze. 'Zoals het is, heeft ze het goed.'

'Met jou om voor haar te zorgen', zegt Johnnie. Zijn kwetsende woorden lijken Sonia in het geheel niet te deren. Ze glimlacht, alsof ze elkaar te goed kennen om te hoeven reageren, dan steekt ze haar sigaret aan en neemt de eerste, teerachtige trek. Bij de prikkeling in haar keel sluit ze haar ogen van genot. Zwijgend zitten ze bij elkaar, Sonia rookt, Johnnie staart in zijn koffiekopje.

'Lekkere koffie, Sonia', zegt hij ten slotte. 'Ik dacht dat je hier alleen maar Nescafé kon krijgen.'

'Het is Nova Scotia niet, Johnnie', zegt Sonia sarcastisch. Johnnies gezicht glimt van pret als hij haar ergernis bespeurt over het feit dat ze hier, driehonderd kilometer van Londen, geparkeerd is om op Anna te passen.

'Maar wel een beetje te stil voor je, hè?'

'Ik heb paardrijles', zegt Sonia.

Hij wil wedden dat ze weet dat ze er goed uitziet in dat soort kleren. Vrouwen als Sonia, met kleine, hoge borsten die er hard uitzien ook al zijn ze zacht, een slanke taille en een onverzettelijk, blond koppie, zien er goed uit in die strakke donkere kleren. En vanaf een paard kijkt Sonia op iedereen neer, wat ze waarschijnlijk ook zo vindt horen. Wat een stom wijf. Maar hij moet hoe dan ook toegeven: Sonia zeurt niet. Ze kijkt om zich heen, zet dingen op een rij en maakt er het beste van. Daar kan Johnnie wel waardering voor opbrengen. Ze zal Paul in een ommezien zover hebben dat hij een paard voor haar koopt.

'En Louise? Is die hier al geweest?'

'Die komt hier niet.'

'Een kind hoort haar moeder te zien.'

'Dat ligt eraan wat voor moeder het is, vind je niet?'

Johnnie staart haar verbijsterd aan. De woorden lijken te veel echo te hebben. Wie weet verdomme nou wat voor moeder iemand is?

'Ze is haar móéder, Sonia.'

'Zoals jouw moeder jouw moeder was.'

Johnnie houdt zijn mond. Hij wil zeggen dat ze de pest kan krijgen, dat ze niet weet waar ze het over heeft, wie denkt ze wel dat ze is, om zo over zijn moeder te praten? Maar dat kan hij niet maken. Sonia heeft recht van spreken. Iedere maand neemt Sonia de trein naar Londen en stapt daar over op een andere trein naar het verzorgingstehuis buiten Horsham. Sonia neemt een taxi door het glinsterend groene landschap van Sussex, waar het beste gewas nu bestaat uit oude schattebouten wier familie geld genoeg heeft om hen van alle comfort te voorzien. Het verzorgingstehuis kan net zo goed op de maan staan, wat zijn moeder betreft. Als ze uit haar stoel in de tv-kamer opstaat, loopt ze nog steeds de onzichtbare routes van de flat in Grays. Van fornuis naar tafel, tafel naar kast, kast naar gootsteen. Haar handen dragen lasten die niemand anders kan zien. Ze dweilt, ze sjouwt, ze haalt warme schalen uit de oven. Dan verdwijnt alles plotseling en blijft ze op weg van de ene naar de andere stoel verward staan, met het afzakkende incontinentieverband tussen haar dijen.

Sonia gaat op bezoek. Ze neemt druiven mee en dozen Milky Ways, die zijn moeder verslindt. Sonia neemt geen bloemen meer mee, omdat zijn moeder overstuur raakt van hun geur. Ruikt ze een narcis, dan is ze urenlang rusteloos in de weer met onzichtbaar huishoudelijk werk. Soms is ze dagen van de kook. Paul en Johnnie vragen zich af wat Sonia weet te zeggen tegen hun moeder, maar ze vragen het niet en Sonia zegt niets. Nogmaals, je moet het Sonia nageven: ze gaat namens hen en ontslaat hen daarmee van hun plicht. Veel vrouwen zouden die moeite niet nemen, zeker niet als het enige wat zijn moeder schijnt te willen weten, is wanneer Louise komt. Ze mocht Louise altijd graag.

'Met Anna gaat het goed', zegt Sonia kalm maar nadruk-kelijk.

'Heeft ze ook paardrijles?' vraagt Johnnie om wat lichtheid in het gesprek te brengen. Sonia negeert hem en begint de kopjes en bordjes op te ruimen. Ze heeft alles graag netjes, Sonia. De rommel van gisteren was al afgevoerd voordat Johnnie beneden kwam. De rij Bosch-keukenapparaten begint te zoemen zodra Sonia opstaat; de vuile was, de afwas, natte kleren, alles wordt gedaan. Alleen omdat je op het platteland woont, hoef je je nog niet te gedragen alsof je de beschaving achter je gelaten hebt, zegt Sonia.

Ze duwt de deur open met haar heup, terwijl ze de stapel serviesgoed in evenwicht houdt. Raar eigenlijk dat hij Sonia helemaal niet aantrekkelijk vindt, maar toch niet kan nalaten te bedenken hoe goed ieder deel van haar lichaam werkt. Elke beweging komt voort uit de vorige. Ze verplaatst het gewicht van de deur naar haar elleboog, schuift de stapel serviesgoed om de deur heen en verdwijnt zonder enig gerinkel door de deuropening. Sonia draait er haar hand niet voor om. Ze maakt nooit een verslagen, onzekere, verloren, betrapte of bange indruk. Hij stuurt zijn gedachten een andere kant op.

Hij is hier niet gekomen om over dat soort dingen na te denken. Hij draait zich om naar het raam, waar zelfs in het felle ochtendlicht geen veeg op Sonia's glas te zien is. Achter hem gaat de deur weer open: Sonia. Ze is terug.

'Paul is de hele ochtend boven op zijn werkkamer. Hij zei dat hij een heleboel telefoontjes moest plegen.'

Loop ons niet voor de voeten, bedoelt ze. Kom hier niet alles overhoop halen wat ik voor elkaar gekregen heb. Ze weet dat Paul graag wil dat hij hier is, maar zij voelt daar niets voor. Sonia is in staat realistisch te zijn ten opzichte van hem, zijn broer niet.

'Ik moet toch zo weg. Ik heb van alles te doen. Ik zal Londen gedag zeggen voor je.'

'Ga nou niet weg zonder het hem te zeggen.'

'Ik ga eerst kijken of ik Anna kan vinden.'


Hij slentert de tuin in en loopt naar het hek. Hij staart naar het landschap, maar het kan hem absoluut niet boeien. En het zonlicht is te fel. Hij kan niet begrijpen waarom Paul hier naartoe is gegaan. Johnnie kijkt al verlangend uit naar de rit terug naar Londen, het moment waarop huizen en auto's in aantal toenemen, de bakstenen om je heen klotsen en er van alles gebeurt. Hier kan iedereen je al van kilometers ver zien aankomen, omdat er niets tussen jou en hen in staat.

Hij vindt Anna in de schuur, gebogen over een kartonnen doos.

'Hoi.'

Ze schrikt, probeert instinctief de doos met haar lichaam te bedekken.

'Wat heb je daar?'

'Niks.'

Haar gezicht staat fel. Dit keer wil ze het hem eens niet naar de zin maken. Hij ervaart het als een kleine, nauwkeurige schok en vindt het niet leuk. Instinctief probeert hij haar meteen terug te winnen. In de hoek van de schuur ligt een stapel houtblokken en hij rolt een van de dikste tot op veilige afstand van Anna en gaat zitten. Hij kan hier vandaan niet in de doos kijken en zij weet dat.

'Je hebt me nooit om die brief gevraagd', zegt hij.

'Je was me aan het pesten.'

'Nee, absoluut niet. Zou ik zoiets doen bij jou, Anna?'

Haar gezicht verstrakt van ergernis als ze zich omdraait, terug naar haar doos.

'Ik weet toch wel dat je hem niet aan me geeft. Trouwens, ik wil hem niet eens. Ik ben bezig.'

Johnnie steekt zijn hand in de zak van zijn spijkerbroek en haalt Louises brief eruit.

'Alsjeblieft. Je mama zei dat er iets voor je in zat, dus pas op hoe je hem openmaakt.'

In één beweging staat ze rechtop naast hem en graait de brief uit zijn hand. Ze bekijkt hem, draait hem om, taxeert de dikke blanco enveloppe.

'Maak je hem niet open?'

'Zo meteen.'

'Oké. Laat me eerst die poesjes maar eens zien?'

'Hoe weet je dat het poesjes zijn?'

'Ik kan ze toch horen.'

'Je mag niks zeggen.'

'Ik zeg het tegen niemand.'

Langzaam, op zijn dooie akkertje, staat hij op van het houtblok en slentert naar de doos. Net wat hij dacht: blind en pasgeboren, een wriemelende kluit kaal kattenvlees.

'Wat een lelijke krengen zijn het toch, hè?'

'Ze zijn niet lelijk. Zo horen ze eruit te zien. Je weet ook helemaal niks van jonge poesjes, hè?'

'Waar is de moederpoes?'

Anna aarzelt. 'Die komt zo terug.'

'Weet je het zeker? Anna, je hebt ze melk gegeven, hè?'

'Nou en?'

'Dat moet je niet doen. Ze geeft geen melk als jij dat doet.'

'Ze geeft ze sowieso geen melk', zegt Anna gedecideerd. 'David, dat is mijn vriendje, zegt dat ze te klein was om jongen te krijgen. Daardoor is er iets fout gegaan in haar buik en nu laat ze ze aan hun lot over. Hij heeft me de druppelaar uit zijn scheikundeset geleend om ze te voeren.'

Johnnie steekt zijn hand in de kluit jonge poesjes. Als ze hem voelen, wrijven ze hun gesloten kopjes tegen zijn vingers voor melk.

'Ze zien er verschrikkelijk uit, Anna. Je doet ze hier geen goed mee, weet je.'

'Als ik ze in mijn kamer kon houden, zouden ze het beter hebben, dan kon ik ze 's avonds voeren.'

'Ja, maar weet je, Anna, ze voelen niks. Daarom verdrinken mensen ze als ze zo zijn, voordat ze gevoel krijgen.'

'Je mag het niet aan mijn vader vertellen.'

'Oké. Oké. Ik heb toch gezegd dat ik niets zou zeggen. Luister, krijg ik nog een kus van je voordat ik ga of kun je enkel nog aan die poesjes denken?'

'Ga je weg, Johnnie?' En haar blik is zoals hij wil dat hij is: leeg van teleurstelling. 'Ga je nú weg?'

'Ja. Ik moet er weer vandoor.'

'En je auto dan?'

'Die laat ik hier. Ik heb in het dorp een huurauto besteld.'

Haar zwarte ogen glinsteren. 'Mag ik je rode auto hebben?'

'Ja, oké.'

'Echt, Johnnie?'

'Ze hebben er zat waar die vandaan komt.'

'Wauw!' Al smelt haar vreugde bijna zodra hij opkomt alweer weg, de intensiteit is er niet minder om. 'Je liegt.'

'Nee. Je mag hem hebben tot je vader hem voor me verkoopt.'

'Ik wist wel dat je het niet meende.' Ze bukt en pakt een van de poesjes en de druppelaar op. Voorzichtig knielend naast een schoteltje op de grond knijpt ze in de druppelaar tot het buisje vol is, dan houdt ze de glazen punt tegen de bek van het poesje. 'Zie je wel, hij drinkt.'

Maar de melk sijpelt langs de bek van het poesje, dat in Anna's hand kronkelt. Fronsend wrijft ze met de glazen punt langs zijn bek. Er loopt nog meer melk uit.

'Je verdrinkt het arme beest, Anna.'

'Nee, nietwaar. Hij heeft alleen geen honger. Ik heb ze door elkaar gehaald; dit is dezelfde als die ik net gevoerd heb.'

'Anna', zegt hij. 'Anna. Ze kunnen beter dood zijn. Dat weet je toch?'

Hij wil haar helpen. Hij wil de uren bekorten dat ze in de schuur melk over ze heen druppelt en zichzelf wijsmaakt dat het erin gaat, om ze daarna een voor een te zien doodgaan. Als een rat ze niet eerst te pakken krijgt. Hij zou ze zelf voor haar verdrinken als hij dacht dat ze het zou toestaan. Maar zoals ze daar geknield zit, als een oud vrouwtje gebogen over haar kartonnen doos, weet Johnnie dat het geen zin heeft met haar in discussie te gaan. Tijd om te gaan.

'Allejezus, Anna, wil je nou eens ophouden met die poezen te pesten, en me gedag komen zeggen?'

'Ik wil niet dat je weggaat', zegt ze met gebogen hoofd, alsof ze het tegen de poesjes heeft.

'Kom hier.'

Het poesje is terug in zijn doos, de druppelaar ligt op het schoteltje. Anna heeft haar magere armen strak om zijn nek geslagen, zodat ze dicht tegen hem aan staat, en haar adem is warm en licht onder zijn oor. Hij ruikt de knaagdierenlucht van de jonge poesjes, die om haar heen hangt, en de lucht van melk en haar eigen schone haar. Hij tilt haar op, ze slaat haar benen om zijn heupen en drukt zich tegen hem aan. Ze krijgt tietjes, Anna. Stel je voor. Het lijkt nog geen vijf minuten geleden dat ze in haar wandelwagentje zat. Dan verdringt hij de gedachte, omdat die hem het gevoel geeft dat hij oud is. Magere, spichtige Anna met haar ogen dicht en haar fel fluisterende mond: 'Je blijft nooit. Je gaat altijd weg.'

'Zeg, wat krijgen we nou? Ik wil een behoorlijk afscheid.'

De armen klemmen zich vaster. 'Dag.' Hij voelt haar adem. En dan: 'Johnnie…' Maar ze zegt het niet. Gisteren zei hij dat hij haar rijles zou geven, maar vandaag weet ze wel beter dan erom te vragen.

'Ben gauw terug, hoor.'

'Ja.'

'Lees je brief als ik weg ben. Het is leuk om een brief te krijgen van je mama.'

'Oké.'

Hij pelt haar van zich af. 'Pas maar goed op die poesjes voor me.'

Ze zinkt op haar knieën en buigt zich over de doos alsof die het enige ter wereld is wat haar interesseert. Ze kijkt niet meer op of om. Hij dringt niet aan. Met Anna kun je beter niet te ver gaan, anders kun je wel eens plotseling een rand bereiken die je pas ziet op het moment dat je er bovenop staat en je de grond kilometers onder je voeten vandaan ziet zakken. Hij kijkt nog één keer naar haar, naar het zwarte, zachte, steile haar, dat naar voren valt en haar gezicht verhult. Hij wil nog iets zeggen, maar bedenkt zich. Johnnie laat haar alleen en loopt door de stoffige lichtbanen die door de hoge schuurramen vallen naar buiten.

# 15

Je neemt de brief mee het bos in. Je gaat op de gedraaide grijze wortel van een beuk zitten en maakt hem open. Je maakt de envelop open, schudt hem heen en weer en er vallen vijftig biljetten van twintig pond uit. Ze zijn vettig en kleven aan elkaar en in eerste instantie weet je niet zeker of het echt geld is of nep. Misschien is mama vergeten hoe oud je bent en denkt ze dat je nog steeds winkeltje speelt met plastic sinaasappeltjes en nepgeld. Maar als je er een afpelt en ophoudt naar het licht, zie je het metalen strookje. Je telt de biljetten hardop. Mama heeft je duizend pond gestuurd.

Duizend pond. Je zou je eigen tweedehands caravan kunnen kopen en hem het bos in kunnen slepen tot bij de rivier. Je kunt een set kampeerpannen kopen die in elkaar passen en een campinggasstelletje. De caravan zou een opstapje hebben waar je worstjes op kunt zitten eten. Er zou niemand anders zijn, behalve David misschien. Je zou een worstje voor hem koken, het op een broodje doen en hem vragen of hij er ketchup of mosterd op wilde. En je zou het niet erg vinden als het donker werd. Je zou de deur goed dichtdoen en naar de rivier luisteren tot je in slaap viel. Trouwens, je zou een hond hebben die blafte als er iemand in de buurt kwam, en de katten zouden op je bed slapen.

Je leunt achterover en sluit je ogen. In het bos is het zo stil dat het warm aanvoelt. Je slaat je armen om je knieën en klemt ze tegen je aan. Je mama heeft je duizend pond gestuurd, maar het is een eeuwigheid geleden dat je haar gezien hebt en je weet niet zeker of je je haar gezicht nog wel voor de geest kan halen, zelfs niet vlak voordat je 's avonds gaat slapen. Je probeert het ook niet, voor het geval het niet lukt. Je kunt natuurlijk altijd een foto bekijken, maar dat is wat anders. Op de foto's is mama jong en lacht ze en ze heeft jou in haar armen. Jullie lachen allebei en weten niets van wat er nog gebeuren zou, als twee vreemden.

Je zult zo meteen de brief lezen, daarna opstaan en teruggaan naar de schuur om de poesjes weer te voeren. Dit keer zullen ze goed zuigen. Ze worden al wat dikker, dat ziet iedereen. Je houdt je armen stevig om je knieën geslagen, dan rol je de pijp van je spijkerbroek op om met je vinger een indrogende korst te onderzoeken. Het is de plek waarop je bent gevallen en waar je je been hebt opengehaald op het landweggetje. Als je de korst een stukje optilt, is de huid eronder glanzend roze, maar je weet dat de wond in het midden nog niet dicht is. Je overweegt hem er toch af te trekken en je denkt aan Johnnie, die dwars door Engeland terugrijdt naar Londen. Hij blijft nooit. Hij zegt dat hij blijft en dan gaat hij weer. Je rolt de pijp van je spijkerbroek omlaag.

De brief ligt op je schoot. Je mama heeft hem in grote duidelijke letters geschreven, het soort letters waar je twee jaar geleden wat aan had, voordat je het handschrift van volwassenen kon lezen. Maar nu heb je ze niet meer nodig. Als Sonia een van haar lijstjes laat slingeren, kun je het in één oogopslag lezen. Je vraagt je af of het oké is om dit aan je moeder te vertellen, zodat ze vanaf nu in haar normale handschrift kan schrijven.

*Lieve Anna,*

*Iedereen zou wat geld voor zichzelf moeten hebben, zodat ze als ze ergens heen willen of iets willen doen, dat ook kunnen. Stop dit weg op een veilige plaats.*
*Ik heb gisteravond over je gedroomd. Je had een puppie, een*

*dalmatiër, waar je mee speelde. Misschien kunnen jij en ik*
*op een dag als je wat ouder bent en er zelf voor kan zorgen,*
*een puppie nemen. Maar je moet er dan wel een boek over*
*kopen, want ik weet niets van honden.*
*Ik ga misschien binnenkort op vakantie voor wat zon en*
*plezier. Waarom vraag je Paul niet of je mee mag? Dan*
*nemen we een appartement.*
*Nou, dat is het wel ongeveer, want met mij is alles hetzelfde*
*als altijd. Ik denk vaak aan je en hou veel van je.*
*Heel veel liefs,*
*mama XXXX*

Je vouwt de brief voorzichtig op, precies zoals mama hem had gevouwen, en stopt hem terug in de enveloppe. Je legt het geld op je schoot en kijkt er een poosje naar. Het is niet oké om iets tegen mama over haar handschrift te zeggen. Je denkt aan wat mama heeft geschreven over zon en plezier, alsof je vijf bent.

Je legt voor de zekerheid een steen op de bankbiljetten als je de kleinste, droogste takjes bij elkaar zoekt en daar een handvol schillen van beukennootjes van vorig jaar aan toevoegt. Je legt ze op een hoopje midden in een kring van stenen en zet er meer takken als een wigwam bovenop. Het is een perfecte vorm voor een vuurtje, maar je hebt geen lucifers. Je hebt geen zin om terug naar huis te gaan en betrapt te worden door Sonia, die je vraagt om iets te doen.

'Anna, ben je daar?'

Je bent niet bang. Je weet dat het David is, die vanuit het dorp het bospad op komt. Je had half en half met hem afgesproken, maar door Johnnie en toen de poesjes ben je het vergeten. Je kijkt even achterom naar de plek waar de biljetten onder de steen vandaan steken, maar je maakt geen aanstalten ze te bedekken.

'Ik dacht al dat je hier was. Wat ben je aan het doen? Je mag geen vuurtje stoken in het bos.'

'Het is toch niet aangestoken. Ik heb geen lucifers.'

David bukt zich en inspecteert het vuurtje. 'Het is te klein. Dat brandt niet, ook niet als het je lukt om het aan te steken.'

'Ik heb wat om erop te leggen als het eenmaal brandt. Heb je lucifers bij je?'

'Ik heb mijn aansteker.'

David rookt soms, maar jij niet. Hij haalt zijn Camel-aansteker uit zijn zak en knipt hem aan. Het vlammetje schiet omhoog en gebiologeerd blijft hij hem steeds opnieuw aanknippen. 'Steek jij het vuur aan', zeg je. Je blijft met je rug naar hem toe staan als je de steen weghaalt en het geld opraapt.

'Wat is dat, Anna? Wat ben je aan het doen?'

Je pakt een bankbiljet en houdt het tussen duim en wijsvinger boven het nog niet aangestoken vuur. 'Toe nou. Toe nou. Steek het nou aan.'

'Dat kun je toch niet verbranden. Dat is geld.'

'Ik kan ermee doen wat ik wil. Het is van mij.'

'Moet je zien, je hebt er een hele zooi van, hoeveel heb je?'

'Duizend pond', zeg je.

'Geef eens hier.'

Je geeft het pak bankbiljetten aan David. Hij laat het ritselen en telt het dan zorgvuldig. 'Waar heb je het vandaan?'

'Mijn moeder heeft het me gestuurd.'

'Uit Londen?'

'Ja.'

'Die zal wel rijk zijn dan.'

'Nee, hoor. Mijn vader geeft haar geld. Ze zei dat ze wil dat ik wat geld heb voor als ik ergens heen wil.'

'Je bedoelt weglopen.'

Je haalt je schouders op. 'Misschien.'

'Ze wil dat je haar komt opzoeken, dat is het, omdat ze je moeder is. Waarom ga je niet? Je kunt toch een ticket kopen?'

Je zit op je hurken bij de takken, schikt de wigwam tot hij perfect is. 'Dat kan niet', zeg je.

David vraagt niet waarom niet. Hij zegt: 'Dit is het meeste geld dat ik ooit in mijn hand heb gehad', dan legt hij het terug waar jij het eerder had neergelegd. Hij knipt zijn aansteker aan, de vlam schiet omhoog, zodat de blauwe kern zich strekt, en dooft dan.

'Ik wil best het vuur aansteken als je dat wilt', zegt hij. 'Maar ik heb een beter idee.'

'Wat dan?'

'We verbranden één biljet en begraven de rest. We merken deze boom, dan weten we waar het ligt. Niemand zal het vinden, ook al zien ze het merkteken.'

'Oké.'

'Ik heb een zak chips. We kunnen het geld in de chipszak wikkelen.'

Jij en David eten een voor een de chips op, waarbij je de grootte vergelijkt, opdat jullie elk steeds een grote, een middelgrote en een kleine nemen. Als ze allemaal op zijn, wikkel je de bankbiljetten in de vette zak en vouwt hem dicht. Schrapend met je hakken en gravend met je handen maak je een kuil in de grond, waar je de chipszak in legt. De zak begint zich los te wikkelen en uit de kuil te puilen die je gegraven hebt.

'Je moet dieper graven', zegt David en hij pakt een stok, waarmee hij de aarde tussen de grijze wortels van de beuk wegsteekt. Je duwt het pakje er zo diep mogelijk in. Je bedekt het, begraaft het. De aarde laat zich makkelijk van je handen vegen, daarna strooi je bladeren en takken over de begraafplaats. David schroeit de bast van de dichtstbijzijnde boom met zijn aansteker om hem te merken. Er is nog één bankbiljet over.

'Steek nu het vuur maar aan', zeg je.

Het vuur is klein, snel en heet. De vlam maakt een knetterend geluid, als een fluitje dat niet wil fluiten.

'Toe dan', zegt David en je houdt een hoekje van het biljet boven de vlam. Het vuur grijpt het biljet, zodat je bijna je vingers brandt. Je laat het brandende biljet op de takken vallen en kijkt hoe het verschrompelt.

'We moeten het uittrappen', zegt David. 'Het is gevaarlijk om een vuurtje te stoken in het bos.'

Hij pakt een handvol aarde, gooit het op het vuur en stampt erop tot het vuur uit is. Het biljet is helemaal verdwenen.

'Zo', zegt hij. Er zit een houtskoolveeg op zijn gezicht. 'Die is weg.'

'Blij toe', zeg je. 'Ik wou dat we de rest ook verbrand hadden.'

'Je weet waar het ligt', zegt David en hij lacht. Het is net als wanneer mensen zeggen: je weet waar je mond zit.

Jullie kijken elkaar aan. Je hebt iets gedaan wat mensen normaliter niet doen. Je hebt geld verbrand met het hoofd van de koningin erop.

'Heb je een peuk?' vraag je.

Hij geeft je er een. Je houdt de punt bij de vlam van de Camel-aansteker en als hij brandt, hou je hem losjes tussen je vingers, net als Sonia. Maar je wilt niet net als Sonia zijn. Je verplaatst de sigaret naar je andere hand, ook al ben je niet linkshandig. Je neemt een trekje, blaast het uit en neemt nog een trekje. Je rookt.

David zegt: 'Je kunt beter niet beginnen met roken, Anna.'

Je zegt: 'Echt wel', met de stem van Courtney Arkinstall.

'Ik probeer te stoppen', zegt David. Je weet dat hij het meent. 'Want ik wil niet net zo'n hoest als mijn vader.'

Je kijkt hem aan, ziet zijn bleke gezicht en de sproeten, die als spetters op zijn huid verschijnen zodra na de winter de zon te voorschijn komt. Hij heeft zijn ogen tot spleetjes geknepen tegen de rook. Het zijn de enige echt grijze ogen die Anna ooit heeft gezien. Grijze ogen en nietskleurig haar, net als de regen. Hij is tenger en maakt een kalme indruk, als een kat die uit het raam zit te kijken en dingen ziet die niemand anders ziet. Dat soort dingen wil jij ook zien. Je wilt dat hij ze aan jou laat zien.

# 16

Ik heb haar een brief geschreven. Ik wilde dat ze wist waarom ik haar niet kwam opzoeken. Ik denk niet dat Anna ooit zou geloven dat ik dat niet wilde, maar aan de andere kant is ze al heel lang bij me weg nu. Ik heb haar niet in de waan gebracht dat ik haar ieder moment kon komen ophalen.

Ik ben van mijn leven nog niet ten noorden van Birmingham geweest. Ik had best willen gaan, maar niet naar Sonia's huis. Ik heb geen hekel aan Sonia, maar ik mag haar ook niet. Ik denk nooit aan haar. Ze denkt dat ze met Paul getrouwd is. Nou, ze doet maar. Ik ken de waarheid.

Ik zou een boek kunnen schrijven over wat Sonia niet weet. Ten eerste weet ze niet dat Paul nog altijd met mij getrouwd is. Ten tweede weet ze niet dat Anna nog steeds mijn dochter is. Ten derde weet ze niet dat Anna's geboorte als het uitpoepen van een ananas was en dat Paul er aldoor bij is gebleven, aanvankelijk zeer tegen zijn zin, maar hij bleef, hij sponsde mijn gezicht af en hield mijn knieën vast toen ze niet wilden ophouden met trillen.

Er zijn momenten waarop je denkt dat je leven voor altijd veranderd is en het nooit meer kan worden zoals het was. Die nacht in het ziekenhuis was er zo een. Tegen de tijd dat Anna werd geboren, was het geen nacht meer maar ochtend. De vroedvrouw liet ons een paar minuten alleen met de baby voordat ze me kwamen opkalefateren. Paul liep naar het raam en keek naar buiten. Hij zei: 'Het regent.' Daarna kwam hij terug naar het bed en ging er op zijn knieën naast zitten, zodat zijn gezicht op gelijke hoogte was met de baby, die ik, gewikkeld in zo'n handdoek met de naam van het ziekenhuis erop, in mijn armen hield. Ze was diep in slaap. Hij raakte haar niet aan. Hij keek alleen maar heel lang. En ik zei: 'Het is ons gelukt', en hij knikte. Er was geen ruimte voor vragen, want alle antwoorden lagen ingepakt in mijn armen.

Paul was afgepeigerd. Hij was zo moe en zag er zoveel jonger uit dan ik hem ooit had gezien, jonger zelfs dan toen we elkaar voor het eerst ontmoetten. Paul is zo'n man die zichzelf nooit heeft toegestaan er jong uit te zien. Hij moest er altijd ouder uitzien dan hij was, opdat men hem serieus zou nemen.

Hij raakte haar niet aan. Dat herinner ik me heel duidelijk. Ik denk dat hij bang was, meer niet. Plotseling was er een nieuwe persoon bij ons in de kamer, die we niet kenden. Ik had me er geen zorgen om hoeven maken, want er was tijd zat, maar ik maakte me er wel zorgen om. Ik had het gevoel alsof hij haar niet opeiste. Het bezwaarde me, zelfs op het moment dat ze geboren werd. Ik wist natuurlijk waar ze vandaan gekomen was en daardoor bezwaarde het me. Mijn moeder zou gezegd hebben dat het mijn tong verlamde. Het weerhield me ervan al die onzinnige dingetjes te zeggen die je tegen iemand wilt zeggen, over hoe mooi ze was en dat ik het niet kon geloven. Dat er niets in de wereld zo mooi was als zij en dat wij haar gemaakt hadden. Het verlamde mijn tong, want het zou een leugen geweest zijn.

Ik wou dat hij haar had aangeraakt. Ik wou dat hij haar in zijn armen had genomen. Ik wou dat ik haar in zijn armen had gelegd. Hij heeft haar nu wel opgeëist, maar niet zoals het had gemoeten: op het moment dat we allebei bij haar waren en wisten dat het goed was.

Ik hoorde de regen toen Paul me eenmaal had verteld dat het regende. We zaten op de vijfde verdieping van het ziekenhuis, in een privé-kamer. De wind blies de regen tegen de ramen en liet hem dan los, zodat het water langs het glas stroomde. Het

148

regende alle vijf de dagen dat ik in het ziekenhuis lag. Ik lag er altijd naar te kijken. Ik zou Anna niet zelf voeden, omdat Paul, toen ik zwanger was, niet zo gecharmeerd was geweest van het idee. Veel mannen hebben dat. Maar nadat hij die ochtend was weggegaan, zei ik tegen de zuster dat ik van gedachten was veranderd, dat ik het wilde proberen. Ze was tevreden over me.

Paul kwam twee keer per dag op bezoek, al bleef hij nooit lang, omdat hij iets tegen ziekenhuizen had. En hij had het druk met de flat die hij bezig was te kopen voor Johnnie. Hij begreep niet hoe ik het daar al die tijd uithield en ik zei maar niet dat ik het er prettig vond. Het was een wereldje op zich. Ik nam Anna over de gang mee naar de huiskamer, waar de andere moeders tv zaten te kijken. Ik vond het heerlijk om een eigen kamer te hebben, maar ik wilde ook over Anna praten en over mijn tepels en mijn hechtingen en al die dingen waarvan je je niet kunt voorstellen dat je ze niet goor vindt, tot het jezelf overkomt.

Paul kwam op bezoek en praatte over geld. Ik wist dat dat was omdat er niemand anders was met wie hij erover kon praten, niet vrijuit, zoals wanneer je al pratend je gedachten de vrije loop laat. Zijn zakenpartners wisten alleen wat ze moesten weten, verder niets. Hij liet ze opzettelijk in het duister.

Hij had kort daarvoor bijna al het geld verloren dat hij in een vastgoedbedrijf, Bluebell Securities, had gestopt. Een tijd lang wilde hij niet toegeven hoeveel precies, maar ik wist dat het heel wat was. Paul zei er niet veel over. Wat voorbij was, was voorbij. Daar was hij altijd erg pragmatisch in. Maar hij was kwaad op zichzelf, omdat hij zich volledig in de luren had laten leggen door die man, Christopher Ross. Chris Ross. We waren bij hem thuis geweest, met hem en zijn vrouw uit eten geweest. Chris betaalde. Hij had alles: de stem, de auto, het huis, plaatjes van kinderen en een vrouw in een haute-couturespijkerbroek, een witte linnen blouse en enkel een zware diamant aan haar linkerhand. Ik vond haar wel geschikt. Ze zei heel

aardige dingen tegen me over de baby, maar ze was zo onge-
durig dat je niet echt ontspannen met haar kon praten. Ik
begreep destijds niet waarom.

We gingen met zijn allen een weekend naar Parijs, waar we
in een klein grijs hotelletje achter de Boulevard Saint Germain
logeerden. Ik vond het er heerlijk. Er was een binnenplaats met
kuipen vol bloemen, vooral hortensia's met grote trossen witte
bloemen die over de rand van de kuip hingen. Dan was er
binnen nog een binnenplaats, donker en verscholen, met een
goudvissenvijver en ranke ijzeren tafeltjes en stoeltjes. Iedereen
in het hotel was heel kalm en voorkomend en niemand viel je
lastig. Ik had niet zo'n zin om veel uit te gaan. Ik was er
volkomen tevreden mee om lekker in een stoel te zitten, koffie
te bestellen en de stapels tijdschriften te lezen die in de salon
lagen. Alle nieuwste nummers, de Franse *Vogue* en de Engelse
*Vogue,* de Franse *Elle* en de Engelse *Elle.* Wat ik echt heel prettig
vond aan het zwanger zijn, was dat je naar foto's van mooie,
slanke modellen kon kijken zonder je zorgen te hoeven maken
dat je er zelf zo moest uitzien.

Paul ging uit met Chris en Alicia. Ze lieten hem alles zien,
namen hem mee naar alle restaurants waar iedereen altijd heen
wil in Parijs. Ik was blij dat hij zich zo amuseerde. Ik vond het
fantastisch dat hij zijn zaken nu eens kon combineren met echt
goed gezelschap, vriendschap bijna. Chris sprak briljant Frans,
hij leerde Paul voortdurend allerlei zinnen en zei dat Paul het
zo snel oppakte, dat hij echt aanleg voor talen had en dat hij
daar iets mee zou moeten doen. Ik zat daar te dagdromen bij
het vijvertje, waar de goudvissen aan mijn vingers knabbelden
als ik ze stil genoeg hield, en ik dacht dat we hier misschien nog
heel vaak zouden komen en dan terug zouden kijken op ons
eerste bezoek, met Chris en Alicia.

Paul heeft er veel van geleerd. Hij wist alles van echte
schurken, maar als het op oplichters als Chris aankwam,
was hij nog een beetje naïef. We hebben er beiden veel van

geleerd trouwens. Ik besefte dat het niets te maken had met geld, opleiding of achtergrond. Chris móést je gewoon belazeren. Dat was veel belangrijker voor hem dan seks of geld, al zou je denken dat het allemaal om geld draaide. Het zou niets uitgemaakt hebben als je Chris een miljoen pond had gegeven, de volgende dag zou hij opnieuw begonnen zijn. Hij móést gewoon dat moment hebben waarop hij wist dat hij je zover had dat je hem vertrouwde en hij met je kon doen wat hij wilde. In zekere zin was hij echt dol op je, maar alleen voor dat moment, omdat je hem gaf wat hij wilde. Die tweede dag in Parijs leek het wel of Paul zijn broer was.

We zijn nooit meer teruggegaan naar Parijs, wat eigenlijk erg jammer was, de hele stad werd erdoor verpest.

Ik heb geen hekel aan Sonia. Ik heb medelijden met haar als je het eerlijk wilt weten, al zou ze dat nooit geloven. Ze kijkt op me neer. Ze zal alles doen om voor zichzelf te verhullen dat ze diep in haar hart bang is voor alles wat Paul en ik samen gehad hebben en wat zij nooit zal hebben.

Ik heb Anna wat geld gestuurd met de brief. Ik heb geschreven dat ze het weg moet stoppen voor het geval ze het ooit nodig mocht hebben. Ik bedoelde: je moet niet denken dat ik, omdat ik je niet kom opzoeken, je moeder niet meer ben. Ik heb de brief voor de zekerheid 's ochtends geschreven, toen ik me goed voelde. Wat heeft het voor zin om haar van haar stuk te brengen?

Als je een moeder bent die haar kind niet bij zich heeft wonen, denken mensen al gauw dat je een vals kreng bent. Ze denken: het zal zijn reden wel hebben. Maar ik hou van Anna. Soms denk ik aan de andere moeders in het ziekenhuis, hoe we over alles praatten. We wisten dat we allemaal teruggingen naar ons eigen leven, dus het deed er niet zo toe wat we zeiden.

Nee. Zo was het eigenlijk niet. De anderen waren al plannen aan het maken om bij elkaar te komen nadat ze uit het ziekenhuis waren. Met de baby's bij elkaar, lekker koffieleuten en lachen. Maar ik zei niets, want ik wist dat dat met Paul niet zou gaan. Hij wilde niet dat ik vriendinnen over de vloer had, niet wat ik vriendinnen noem. Mensen met wie hij zaken deed, ja. En ook hun vrouwen, zodat het soms bijna op vriendschap leek. Stellen die lachend kwamen en gingen. Zoals met Chris en Alicia.

Ik herinner me hoe Paul in Parijs samen met hen de binnenplaats overstak om uit te gaan en zich omdraaide om me gedag te zwaaien. Toen hij terugkwam, vertelde hij me honderduit over waar ze geweest waren en wat ze gegeten hadden. Ik wist dat hij Chris ongemerkt geobserveerd zou hebben om geen fouten te maken. Hij zat op de rand van het bed zijn schoenen uit te doen en we lachten en voelden ons geweldig, alsof we Parijs helemaal voor onszelf gekocht hadden.

Maar het bleek dat Chris en Alicia het op Pauls honderdduizend pond gemunt hadden. Eerst hield ik mezelf nog voor dat het alleen Chris was en dat zij er niets van afwist. Dat wilde ik geloven omdat ze zo aardig tegen me was geweest over de baby. Maar ik wist dat ze het in feite alle twee waren. Alicia was een deel van de reden waarom mensen Chris vertrouwden, dat beseften ze beiden heel goed. Voor hem was het een blij besef, voor haar een treurig besef, maar dat was het enige verschil tussen hen. Het was een stel judassen. Ze hadden zich bij geld moeten houden, maar ze moesten geld en genegenheid per se door elkaar halen.

Ik praatte altijd meer met Johnnie dan wie ook. Hij was de beste vriend die ik had. Ik kon Johnnie alles vertellen. Paul vond dat niet leuk, omdat hij Johnnie voor zichzelf wilde. Daarom kocht hij de flat. Het duurde lang voordat ik dat door had. Ik dacht dat hij jaloers was op Johnnie, maar het was andersom. Hij was jaloers op mij.

Ik ben daar heel lang bang voor geweest en als ik niet uitkijk, ben ik dat nog. Op slechte nachten zie ik steeds Anna in mijn armen liggen, stijf in haar gele doek gewikkeld, zoals de vroedvrouw het me geleerd heeft. En dan til ik haar op en leg haar in Pauls armen. Dan kijk ik van zijn armen naar zijn gezicht en ik zie dat het Paul niet is maar Johnnie. Hij houdt haar op een verkeerde manier vast en omdat ik bang ben dat hij haar laat vallen, steek ik mijn armen uit om haar terug te nemen. En dan zegt hij met een stem die voor de helft van Paul en voor de andere helft van Johnnie is: 'Je hebt haar aan mij gegeven. Je krijgt haar niet terug.'

## 17

Die flat voor Johnnie. De eerste keer dat Paul er naar binnen ging, was er niks. Hij was leeg en rook naar lucht die in de gevangenis heeft gezeten. Vliegen op de vensterbank, peuken op de vloer. Hij had lang leeggestaan. Niemand anders had gezien wat Paul zag: dat dit een gewilde buurt zou worden. De flat was onteigend. Paul had een neus voor veranderingen in de waarde van onroerend goed, zoals anderen een neus hebben voor weersveranderingen. Hij wist zelf niet hoe hij het deed. Hij wist dingen. Informatie zette zich op hem vast als stof op statische elektriciteit. Hij wist wanneer een achterstandsschool een nieuw hoofd kreeg, en plotseling was het onder ouders bekend dat er veranderingen op til waren. Hij wist hoe planologische commissies zich bogen over de route van een nieuwe weg. Hij had aan zijn vinger kunnen likken, hem kunnen opsteken en je vertellen welke kant het geld op waaide. Alleen, hij vertelde het je niet. Hij kocht.

De flat rook naar mislukking. Paul kende die lucht en haatte hem. Hij wilde hem wegvagen. Hij vertelde niemand waar hij mee bezig was, zelfs Louise niet. Het zoveelste stukje onroerend goed kopen… dat betekende niets voor haar. Indertijd zette hij ook een overeenkomst door om vijftien voormalige woningwetwoningen op te kopen. Er waren asbestproblemen, wat ze ongeschikt maakte voor directe verkoop aan bewoners. Een ongeregelde partij. Hij kende de problemen en wist dat hij, als het asbest eenmaal geregeld was, de flats voor drie keer het aankoopbedrag kon verkopen. De taxateur had zijn werk gedaan, het onderste uit de kan gehaald door verwarring te stichten over de kostenramingen.

Maar deze flat, Johnnies flat, was iets heel anders. Sierpleisterwerk, kroonlijsten, prachtige brede vloerdelen onder het goedkope vilttapijt. Er zat een smalle keuken in, een badkamer met een gebarsten kunststof badkuip.

Hij wilde de flat leeg hebben. Hij wilde hem schoon hebben. Hij begon iedere dag naar de flat te gaan, alsof hij een vrouw bezocht. Het werk ging snel, met mannen die van de gemeenteflats waren afgehaald om lagen oud behang af te stomen, de muren op te knappen en ze met bouwbehang te beplakken. Er moest wat pleisterwerk hersteld worden, niet veel. Het meeste hoefde alleen maar wat aangestreken te worden. Hij haalde alles uit de badkamer en de keuken en begon opnieuw: wit gietijzer in de badkamer, simpel licht hout in de keuken, nieuwe kookplaat, nieuwe koelkast. Niet dat Johnnie kookte, maar het moest er wel allemaal zijn. Hij kocht Italiaanse tegels, handgemaakt, zodat je niet met een doods blok kleur zat dat je vanaf de andere kant van de kamer aanstaarde.

De woning begon vorm te krijgen. Hij betaalde de mannen een bonus en stuurde hen terug naar de flats. Hij wilde zelf de vloeren schuren, de muren schilderen, de tapijten, de bank en een bed uitzoeken. Hij bracht er iedere avond een uur of twee, drie door, in het weekeinde meer. Hij vertelde Louise dat hij veel om handen had, met die flats en de onderhandelingen over een voormalig pakhuis met een vergunning voor splitsing in appartementen. Dit keer kon het hem nou eens geen reet schelen of hij het pakhuis kreeg of niet. Hij was terug waar hij begonnen was, iets maken uit niets. De vloeren waren inderdaad zo goed als hij gedacht had. Hij huurde een machine en schuurde en vulde gaten in de hele flat. Hij was vergeten dat het zo kon zijn, de zon die langs de grote kale ramen trok, de pot koffie en de pot suiker, de blikjes bier in de koelkast. Hij had de radio aan en at afhaalmaaltijden met zijn benen languit voor zich op de vloer en een nieuw pakje sigaretten op de vensterbank. Het voelde alsof hij thuis was.

Toen het schuren klaar was, was hij een hele avond bezig geweest de muren af te borstelen. Zo was het geweest toen hij begon, met het eerste huis dat hij gekocht had, met geleend geld van Charlie Sullivan, aangezien geen enkele bank hem destijds een blik waardig keurde. Charlie belazerde hem en dacht dat Paul te groen was om te merken dat hij werd belazerd. Dat was zijn fout. Paul werkte alle uren die God hem gaf aan de miezerige zit-slaapkamertjes, de scheidingswandjes van gipsplaat, het klotesanitair en de elektriciteit waar in geen veertig jaar iets aan gedaan was. Hij wist wat hij wilde. Drie driekamerwoningen, waarvan eentje met een tuin, waar hij vijfduizend winst op kon maken. De tuin was een schroothoop vol brokken beton, oude banden, een afgedankte koelkast, een afgedankte wasmachine. Paul keek er niet eens naar. Daar zou aan het eind nog tijd genoeg voor zijn.

Hij leende nog meer geld van Charlie om bouwvakkers te kunnen aannemen en machines te huren. Hij zag de glimlach, die Charlie niet echt verdoezelde. 's Nachts werd hij wakker en berekende het tempo waarmee zijn schuld groeide, dan stond hij op, reed naar de bouwplaats en ging aan het werk. Er was altijd wel iets wat gedaan kon worden. Hij wist wat het soort mensen dat zijn woningen zou kopen, wilde. Hij kon hen zien alsof ze met open portemonnee voor hem stonden: dat was zijn droom. Als ze eenmaal de hypotheekovereenkomst getekend hadden, zouden ze niet veel geld meer over hebben, dus wilden ze geen werk kopen. Ze zouden willen dat alles er af uitzag, maar geen oog hebben voor details, zoals hij. Hij kon zich goedkope vurenhouten deuren die niet bij het huis pasten permitteren, zolang ze maar witgeschilderd waren, maar er moest een turbodouche in en zo veel keukenapparatuur als hij maar kwijt kon in de nauwe keukentjes. Hij zorgde ervoor dat Charlie naar het huis kwam kijken toen het op zijn ergst was.

'Dat is een flink karwei, dat je hebt aangenomen, Paul', zei Charlie.

'Zeker', zei Paul. Hij liet zijn vingers met een sigaret spelen. Hij schraapte zijn keel. 'U hoeft zich geen zorgen te maken om uw geld, meneer Sullivan.'

'Dat doe ik ook niet', zei Charlie. 'Ik maak me nooit zorgen om mijn geld. Ik weet wanneer het veilig is.' En hij liet zijn tanden weer zien, op een manier die hij voor een glimlach hield.

De woningen waren in zeven maanden klaar. Paul schilderde alle muren zelf, in luchtige neutrale kleuren.

Hij legde warm roze-beige tapijt van vijftig procent wol, vijftig procent kunststof in alle woningen en hetzelfde tapijt in een donkerder tint op de gemeenschappelijke trap. In de tuin rolde hij groene graszoden uit op de kale, geëgaliseerde grond. En toen het sluitstuk: een enorme terracotta pot vol hanggeraniums, die vanuit ieder raam zichtbaar was. Hij rukte de armoedige ligusterhaag en het ziekelijke gazonnetje uit de voortuin en liet er klinkers leggen, zodat er drie auto's konden parkeren. En hij zag Charlie voorbijrijden, afremmen, aandachtig kijken. Een matte, chic aandoende terracotta verf op de voordeur, koperen deurbeslag en verder alles simpel wit geschilderd. Het was tijd om te verkopen.

Paul had geluk. In de maanden dat hij aan de woningen werkte, waren de onroerendgoedprijzen hand over hand omhooggegaan. Achteraf bekeken joeg het risico hem angst aan, maar indertijd wist hij het wel, hij wist gewoon dat hij goed zat. Zelfs als hij duizelig werd van het berekenen van Charlie Sullivans rente, twijfelde hij er nooit ofte nimmer aan dat hij het kon terugbetalen. Nee, zijn twijfels over Charlie Sullivan waren van andere aard.

En de kopers kwamen, zoals hij aldoor had geweten. Het ene jonge stel na het andere. Hij beschouwde hen als jong, hoewel ze ouder waren dan hij, maar zij waren jong op een manier die hij nooit gekend had. Hij trad hun in een donker pak tegemoet toen de tussenpersoon hen naar het huis bracht. Hij was traag, weloverwogen, een tikje terughoudend, alsof het voorrecht om een van deze woningen te bezitten iets was waarvan hij met moeite afstand deed. Hij hoefde niet na te denken over hoe hij het moest spelen. Er was maar één manier, de juiste manier, de manier die zou werken. Ze keken waar hij wilde dat ze zouden kijken. Trouwens, het was niet eens echt kijken, het was alsof ze hun blik lieten glijden over iets waarvan ze vanaf het eerste moment wisten dat ze het wilden. De prijs was goed. Hoog, maar niet inhalig. En alleen al door rond te kijken, naar de nieuwe stopcontacten, de nieuwe radiatoren en de glanzende kranen, konden ze zien dat ze geen verdere kosten meer zouden hebben. Het werk was voor hen gedaan.

Alle drie de woningen waren binnen een week verkocht. Hij koos contante betalers. Toen het geld loskwam, ging hij naar Charlie Sullivan om zijn schuld af te lossen. Hij was niet van plan Charlie een extra dag rente te betalen.

Charlie begroette hem hartelijk. 'Goed werk, Paul. Heb ik je niet gezegd dat je daarmee iets goeds te pakken had?'

'Ik heb uw geld, meneer Sullivan.'

Hij telde het voor Charlies neus uit, biljet voor biljet. Duizenden en duizenden en duizenden ponden. Maar minder dan de helft van wat hij verdiend had en Charlie wist dat inmiddels.

'Er ontbreekt nog iets', zei Charlie op het laatst, nadat hij de schuld had afgetekend.

'O ja, meneer Sullivan?'

'Wat we in het vak "goodwill" noemen. Ik heb je de kans gegeven om te starten, Paul. Je hebt goodwill nodig als je in een vak als het jouwe iets wilt bereiken.'

'Inderdaad, meneer Sullivan. Ik kom morgen terug.'

'Jij en ik zouden partners moeten zijn', zei Charlie, terwijl hij zich omdraaide.

Met geld kun je alles kopen. Paul wist dat nu. Hij ging naar een café, waar hij, zo wist hij, de man zou vinden die hij hebben moest.

'Ik wil dat je iets voor me doet', zei hij.

'Wat dan?'

'Het is een veterinair klusje. Ken je Charlie Sullivan?'

De man liet zijn keu op zijn onderarm rusten en liet hem daar heen en weer wiebelen en balanceren. 'Ja?'

'Hij heeft een hondje. Een cockerspaniël.'

'Niks op tegen.'

'Ik wil dat je het bij hem weghaalt.'

'Kan lastig worden.'

'Kan een goeie prijs worden.'

'Wat is een goeie prijs?'

'Een rug.'

'Een rug voor Charlie Sullivans cockerspaniël? Je bluft.'

'Ik wil hem niet hebben. Ik wil dat je zijn poten breekt.'

'Wat, allemaal?'

'Inderdaad. En dan zet je hem ergens neer waar hij hem vindt. En dan schrijf je iets wat ik je zal zeggen op een stukje papier dat je aan zijn halsband vastmaakt. Hij is erg dol op zijn cockerspaniël, Charlie, heb ik gehoord.'

'Hoe krijg ik hem te pakken?'

'Hij laat de hond altijd in zijn auto als hij boodschappen doet.'

'Luister eens, maat, ik ben een dierenliefhebber, hoor.'

'Dan geef je het geld toch aan de dierenbescherming.'

'Wat moet ik opschrijven?'

'Goodwill.'


En nu was hij de flat aan het opknappen voor Johnnie. Het voelde goed. Hij was vergeten hoe goed het voelde om iets uit niets te maken. Iedere keer als hij zijn roller in de verf doopte, vervaagde zijn moeders flat in Grays een beetje meer, zoals de

maan bij daglicht. Alles was weg, alle vuil en rotzooi en teleurstelling. Het was perfect. Hij had Johnnies flat contant betaald,
hij had de mannen die eraan gewerkt hadden al betaald, hij had
gekocht, geveegd, schoongemaakt en het licht naar binnen
laten komen. Het was een begin: het begin dat hij nooit gehad
had. Dat hij het voor Johnnie deed, maakte het nog beter dan
als hij het voor zichzelf deed.

Als hij aan het werk was, dacht hij ergens in zichzelf altijd
aan het moment waarop Johnnie de deur zou opendoen en het
voor de eerste keer zou zien. Het was onverstandig om te veel
aan dat soort dingen te denken, want het liep nooit zoals je je
het had voorgesteld. Dat wist hij heel goed. Hij was trouwens
niet op dankbaarheid uit. In zijn verbeelding reed Paul Johnnie
soms naar de flat, dan zette hij de auto stil en stapte uit alsof het
een gebouw was waar hij belangstelling voor had, meer niet. En
dan deed hij de deur open en kreeg Johnnie op een of andere
manier zover dat hij als eerste de trap op ging en dan prikte hij
de sleutel in het slot en duwde de deur wijdopen, zodat al het
licht in de hal viel. En dan bleef hij bij de open deur staan
kijken als Johnnie naar binnen ging. Hij zou niets zeggen.

Andere keren dacht Paul dat het beter was om Johnnie
alleen te laten komen. Hij zou Johnnie een papiertje geven
met het adres erop en hem de sleutels toewerpen. 'Schiet op, ga
kijken. Het is van jou. Alles wat je niet bevalt, kunnen we
veranderen.'

Hij schilderde de muren in verschillende tinten wit. De woning leek groter dan ooit. Hij kocht een paar tapijten, een voor
de slaapkamer, een voor de zitkamer. Hij kocht een enorme
spiegel met bronzen lijst en hing hem boven de open haard. Hij
ging naar stoelen en tafels en banken kijken; hij ging in een
betere beddenzaak zelfs languit op de bedden op en neer liggen
wippen om te voelen hoe de vering was. Toen bedacht hij iets
beters, hij schreef een cheque uit en deed hem in een envelop

met Johnnies naam erop en legde die midden op het donker-groene Chinese tapijt. Het was tijd om te gaan.

Het was tijd, maar hij wilde niet loslaten. Hij bleef maar klusjes zoeken. Hij ging erop uit, kocht stofdoeken en schoon-maakmiddel, poetste de spiegel. Hij ruimde de koffiepot op, veegde de gemorste melk weg in de koelkast. Het werd al te gek. Toen bleef hij gewoon staan kijken hoe het donker werd.

Zodra Johnnie in de flat stond, wist Paul dat hij stom geweest was. Het beste deel was altijd vóórdat Johnnie kwam, waarom had hij dat niet beseft? Johnnie was ergens naar op weg geweest toen Paul belde. Hij had Johnnie niet willen laten weten wat er aan de hand was.

'Er is een flat waar ik je naar wil laten kijken, Johnnie. Er is wat van te maken. Het duurt maar een halfuurtje.'

'Ik kan niet, ik heb om vier uur een afspraak met een gozer. Het is een Nederlander en hij is hier maar tot morgenochtend.'

'Heeft hij geen gsm?' Want ze hadden verdomme allemaal gsm's. Paul wist dat.

Johnnies ogen vonkten even. Johnnie dacht even snel als vissen zwommen, dat moest Paul hem nageven.

'Ik kan niet met hem sollen, Paul.'

'Een halfuur. Langer dan dat duurt het niet', drong Paul aan, terwijl hij de weken en weken liet wegglippen, de lucht van verf en geschuurd hout en voegenvuller, de lucht van gist die opsteeg uit een blikje bier waar je het aluminium lipje af trok. Grote schaduwen op lichte muren, het striemende geluid van auto's die in de regen voorbijreden en het geluid van iemand die floot, dat hij hoorde voordat hij besefte dat hij het zelf was. Het warmste, geheimste plezier dat hij zichzelf ooit had gedaan: het geven aan Johnnie. Dat alles liet hij wegglippen.

Johnnie wist het een en ander van dankbaarheid. Hij wist wat er van hem verlangd werd en hij deed het allemaal, binnen een halfuur. Toen ze weggingen, keek Paul in de deuropening achterom en daar lagen de sleutels die Johnnie vergeten had op te rapen. Maar de witte envelop met de cheque erin was weg.

'Hier, Johnnie,' zei hij, 'je hebt deze vergeten.'

Weer die vonk, die snelle blik in Johnnies ogen, terwijl hij jongleerde met zijn wens om Paul te geven wat hij wilde, zoals hij iedereen altijd gaf wat hij wilde, zolang hij bij hem was. En toen keek Johnnie ook achterom, over zijn schouder, naar de flat, die even fris en licht was als een kinderkamer voor een nieuwe baby. Hij keek naar de flat en keek vervolgens Paul aan, zijn gezicht was vijftien centimeter van hem vandaan, zijn ogen waren warm en enthousiast, glanzend als nieuw geld. En Paul wist, alsof de woorden op de muur geschreven stonden, dat Johnnie de flat zou verkopen. 'Er was een probleem met het juridisch eigendom', loog hij snel. 'Het duurt nog even voordat de akten op jouw naam kunnen worden gezet. Maar hij is van jou, dat weet je.'

Hij ging ervan uit dat Johnnie het niet zou natrekken. Het was niet Johnnies soort informatie. Maar onwillekeurig, zonder dat hij wist dat de woorden eruit zouden komen, hoorde hij zichzelf vragen: 'Vind je hem mooi?'

En Johnnie zei: 'Het heeft klasse.'

'Inderdaad', zei Paul. 'Je kunt er alles van maken wat je wilt.' En hij keek Johnnie oplettend aan om te zien of hij de boodschap had begrepen. Luister, wilde hij zeggen, begrijp je wel wat ik je geef?

Maar hij deed het niet. Hij dacht aan de cheque, die in Johnnies verbeelding al in iets anders was vertaald. Hij wist dat hij stom was geweest, maar hij kon het op geen enkele manier terugdraaien.

# 18

Anna knielt bij een plekje rulle aarde. Ze klopt het met haar handpalmen vlak. Naast haar ligt een bos bloemen: forsythiatakken, rode ribes en wilde narcissen. Ze begint de bloemen in de grond te steken in de vorm van een kruis. Boven haar hoofd zwaait een merel op en neer, heen en weer op zijn tak. Ze fronst, veegt een vlerk van haren naar achteren en vult de ruimten tussen de takken op met losse gele forsythiabloesems.

De zon warmt Anna's bleke nek. Ze leunt naar achteren, op haar hielen, en kijkt recht omhoog naar de heldere lucht. Ze trekt haar sweatshirt uit, wrijft met haar blote armen langs haar gezicht, besnuffelt haar huid, likt eraan. Een vroege bij duikt omlaag, zwabberend door de lentelucht op zijn eerste vlucht. Johnnie is weg. Ze heeft de brief van haar moeder nog, die ligt warm en zacht tegen haar lichaam. Het papier kraakt niet meer. Ze heeft altijd geweten dat brieven openmaken en berichten krijgen moeilijkheden opleveren.

Het dode poesje ligt onder de aarde, waar niemand het kan zien. Vanochtend lag hij er stil en stijf bij, weggerold naar een hoek van de doos. Heel even herkende ze het niet als een poesje. Ze dacht dat het iets anders was, dat op een of andere manier in de doos terechtgekomen was. Toen ze het oppakte, was het stijf en licht. Zijn oogjes waren nog steeds dicht, dus die hoefde ze niet te sluiten, zoals ze in boeken gelezen had dat je de ogen van mensen moest sluiten als ze dood waren gegaan. Plotseling had ze kippenvel gekregen van de aanraking. Ze had hem achter een stapel houtblokken laten vallen en was weggerend om een cornflakesdoos te halen om hem in te begraven. Maar de doos was veel te groot. In de doos leek het poesje op een weggevertje, oud speelgoed dat je niet meer wilde. Ze haalde een schaar en knipte de doos af tot hij net groot genoeg was voor het poesje, daarna dwong ze zichzelf het erin te leggen op een bedje van gevouwen tissues. Ze vouwde er meer tissues overheen tot niemand meer kon zien dat er een poesje in de doos lag.

Halverwege heeft ze geen zin meer in de begrafenis. Als David erbij was geweest, had ze wel doorgezet, maar in haar eentje is er niets aan. Zelfs het bloemenkruis is iets wat ze zomaar bedacht heeft en nu moet afmaken. Het poesje is dood. De rest gaat nu ook dood, een voor een. Johnnie had gelijk, het was beter geweest ze te laten doodgaan voordat ze wisten dat ze leefden.

Anna rilt en pakt haar sweatshirt. Ze trekt het aan, maar het is koud van het op de grond liggen. Ze gaat op haar hurken zitten en kijkt schattend naar de kale, met bloemen versierde aarde. Het ziet er stom uit. Snel staat ze op en trapt de bloemen met haar hak de grond in.

Johnnie is weg. Paul pleegt telefoontjes, verstuurt faxen, e-mails. In de nasleep van Johnnies vertrek heeft hij er behoefte aan zijn geld te voelen rollen. Roy kan wel naar Swindon in plaats van Johnnie. Die had sowieso eigenlijk moeten gaan. Paul had die opdracht nooit aan Johnnie moeten geven. Die weet niets van vervuiling met zware metalen en het interesseert hem ook niets. De taxateur was al op de zaak gezet. Stom. Het steekt Paul, omdat hij nergens in zijn leven ooit zoiets zou doen. Alleen op dat plekje dat aan Johnnie toebehoort.

Op zijn computerschermen krioelt het van de getallen. Hij is gek op e-mail. Je weet dat het er is, maar je kunt zelf kiezen wanneer je er iets mee wilt doen. Mensen bellen hem voortdurend op om te laten weten dat ze gedaan hebben wat ze moesten doen. Sommigen antwoordt hij, sommigen laat hij een poosje wachten en sommigen moeten leren dat wat ze gedaan hebben geen antwoord nodig heeft. Zijn verwachtingen zijn hoog. Hij loopt mensen geen schouderklopjes te geven voor het feit dat ze doen wat ze moeten doen. Maar hij weet wanneer hij hun lof moet toezwaaien, als ware het een boodschap waarmee hij laat zien dat hij het aldoor geweten heeft, dat hij zich voortdurend van alles bewust was. Zakendoen is een zaak van ritme. Als je het hebt, hoef je er niet steeds aan te blijven denken. Als Paul zich realiseert dat hij iets doet zonder te weten waarom, gaat hij gewoon door. Hij verschijnt op een bouwplaats zonder precies te weten waarom. Hij volgt zijn neus, kuiert eens hierheen, dan daarheen. Hij kijkt wiens ogen hem bespieden, wie een nerveuze indruk maakt. Er wordt heel wat afgeknoeid en hij weet er alles van. Maar veel belangrijker dan dat is dat hij weet wanneer hij het door de vingers moet zien en wanneer hij er als een leeuw bovenop moet zitten. Hij is voor niemand bang. Er is niemand die hij niet kan missen.

Hij leunt met een zucht achterover. Alles is oké. Zijn zaak van winsten en geheimen is intact. Hij wrijft met zijn vuisten in zijn ogen en draait zich in zijn stoel om, zodat hij met zijn gezicht naar het raam zit. Dan staat hij op. Het enorme landschap ontvouwt zich in de rechthoek van zijn raam, hij wordt er duizelig van. Zo'n uitzicht kun je nooit kopen. Je kunt er nooit onroerend goed van maken. Je kunt het hooguit bederven. Hij denkt aan de verpeste, stinkende grond die hij goedkoop aankoopt en duur verkoopt, waar gasbedrijven hebben gestaan en fabrieken. Bouwen op schone, groene grond, daar zit geld in, zeggen sommige projectontwikkelaars. Dat komt omdat ze geen verbeelding hebben.

Hij kijkt naar beneden. Daar is ze, zo vreemd vanaf deze hoogte dat hij haar bijna niet herkent. Anna. Hij kijkt hoe ze langzaam over het pad loopt, met wapperende haren, gebogen hoofd en haar armen, waarin ze iets draagt, tegen haar lichaam gedrukt.

Ze was de schuur in gegaan in de veronderstelling dat ze het laatste poesje moest begraven. Maar het poesje in de doos leeft. En het blijft in leven. De andere zijn weg, in hun snel gegraven kuilen gekieperd. Ze kon geen begrafenissen meer doen toen ze zo snel doodgingen, allemaal binnen een uur na het eerste.

Maar deze leeft. Anna daagt hem uit. Ze probeert niet het puntje van de druppelaar in zijn bek te duwen. Ze laat het kleintje net zolang kronkelen totdat het een drupje melk vindt, dat aan de punt van het glazen bolletje trilt. Plotseling loopt de melk niet meer uit zijn bek. Het peil in het glazen buisje zakt met iedere hartklop, terwijl het poesje slikt, niest, nogmaals slikt.

Anna stapelt de doos vol watten, gestolen uit Sonia's keurige voorraadkast. Ze weet dat het nu niet veilig meer is om het poesje in de schuur te laten. Nu het echt leeft, is de kans groot dat een rat het te pakken krijgt. Ze wacht af, kijkt of de kust veilig is. Alles is stil in het bleke zonlicht. Sonia's auto staat niet op de oprit; Anna vermoedt dat ze naar paardrijden is. Met gebogen hoofd en haar lichaam over het deksel van de doos gevouwen, trippelt ze snel van de schuur naar de achterdeur.

Op de manege berijdt Sonia een wit paard, dat ze grijs heeft leren noemen. Met haar laarzen en rijbroek aan ziet ze er bijna precies zo uit als Johnnie het zich had voorgesteld, maar hij had zich niet voorgesteld hoe ze lacht om iets wat een van de andere ruiters haar toeroept, noch had hij zich voorgesteld hoe een lok van haar blonde haar losraakt en haar wang en nek streelt. Schaduwen vliegen over de omheinde wei waar Sonia leert paardrijden. De grote, goedaardige merrie, geko-zen om haar lankmoedige humeur, lijkt plotseling al Sonia's gedachtesprongen te begrijpen en die in beweging om te zetten. Voor het eerst rijdt Sonia in gestrekte draf de wei rond. Daar gaat ze, met rode wangen, haar blik vurig naar voren gericht, in een roes.

# 19

Ik zeg niet dat ik hem niet verwacht had. Johnnie, bedoel ik. Het lijkt nooit vreemd als hij komt, het lijkt vanzelfsprekend. Hij hoort bij ons. Ik ben hier de enige om bij te horen, ik weet het, maar twee mensen vormen samen de moeilijkste legpuzzel.

'Johnnie', zeg ik. Hij staat in de deuropening met de zon in zijn rug. Hij heeft zijn eigen sleutel, zoals hij altijd zijn eigen sleutel heeft gehad, waar ik ook was. En hij ziet eruit alsof hij net uit een storm is gestapt, ook al is alles perfect in orde. Leren jack, diepblauw shirt van zachte katoen, spijkerbroek. Johnnie weet hoe hij zich moet kleden.

Dus zeg ik: 'Ik heb aan plastische chirurgie zitten denken. Ik ben bij een chirurg geweest, maar ik was niet bepaald onder de indruk.' Hij lacht alleen maar.

'Heb je wat te drinken?' vraagt hij. Dat is aardig. Johnnie zal je nooit met je neus op de feiten drukken. Als om te zeggen dat hij weet dat je een huis vol drank moet hebben, omdat drinken nou eenmaal je enige bezigheid is. En aangezien ik toevallig de hele ochtend nog niks gedronken heb, zeg ik: 'Ik wou net koffie gaan zetten. Ik zal er voor jou wat brandy indoen.'

En dat doe ik. Er is overduidelijk iets aan de hand, maar ik zeg niks. We gaan zitten, ik op de bank, hij in de rieten stoel waar Paul zo'n hekel aan heeft, die iedere keer dat je je mond opendoet, kraakt. Ik zet de brandyfles naast hem.

'Je hebt helemaal geen plastische chirurgie nodig', zegt hij. 'Je moet jezelf niet veranderen.' Zijn gezicht is volkomen serieus.

'Ik wil mijn verloren jeugd heroveren', zeg ik.

'Dan kun je net zo goed het vleesmes in jezelf zetten', zegt hij. Hij drinkt zijn koffie gestaag, tamelijk snel.

'Ik weet het; ik doe het ook niet', zeg ik. 'Ik had al direct een hekel aan die arts. Ik dacht, als hij niet eens de moeite neemt om te verbergen wat hij van me denkt, zal hij misschien helemaal wel wat onzorgvuldig zijn.'

'Het kan je toch niet schelen wat mensen van je denken?'

'Niet echt', zeg ik, zonder erbij stil te staan of het waar is of niet.

Hij kijkt vergenoegd, alsof ik iets bevestigd heb wat hij over mij wil geloven. Hij wil dat ik zorgeloos ben. Gelukkig zei ik er niet bij dat het me wel kan schelen wat ik over mezelf denk. Dat is wat er aan me knaagt.

'Heb je haar gezien?' vraag ik.

'Tuurlijk heb ik haar gezien.'

'Ik bedoelde, heb je haar de brief gegeven?'

'Ja. En het geld zat nog in de envelop, voor het geval je je dat afvroeg.'

Hij ziet er doodmoe uit. Hij grijpt de brandyfles, draait de dop eraf en giet er een scheut van in zijn koffie. Maar drinken is niet echt iets voor Johnnie.

'Hoe ging het met haar?'

'Prima.' Hij lacht. 'Ze heeft een paar jonge poesjes.'

'Mijn god, dat zal best, ja. Er is daar niet veel anders te doen voor haar.'

'Het is Nova Scotia niet, Lou.'

Een beetje een rare uitspraak, maar ik negeer hem.

'Wat zei ze?' vraag ik.

'Ik moest je de allerliefste groeten doen.'

Ik observeer hem. Johnnie is in staat om van alles te zeggen, als hij denkt dat dat is wat je wilt horen.

'Het was niet echt plastische chirurgie waar ik aan heb zitten denken,' zeg ik, 'enkel liposuctie.'

'Wat is dat?'

Ik strek mijn armen alsof ik een walvis omhels en trek ze dan langzaam weer in. 'Ze zuigen je vet eruit en maken je slank.' Maar terwijl ik het zeg, besef ik dat dit een van die dagen is waarop ik me helemaal niet dik voel. Ik voel me gestroomlijnd en welgedaan als een walvis, die alles ter wereld aankan als hij eenmaal in het water ligt. Er is maar één probleem en dat is als hij strandt. Het gaat er dan niet alleen om dat hij de zee mist of dat hij zich niet meer kan bewegen. De walvis kan op het droge zijn eigen gewicht niet dragen.

'Doe maar niet', zegt Johnnie. Hij staat op en wrijft met zijn handen over de zijnaden van zijn spijkerbroek, een vreemd gebaar, nerveus, niks voor Johnnie. Hij zit altijd zo lekker in zijn vel en in zijn kleren. 'Ze wil je zien', zegt hij. 'Ik zie het aan haar.'

'Heeft ze dat gezegd?'

'Niet met zoveel woorden.'

'En Paul?'

Dat is nóg iets wat we doen. We praten over Paul. Of tenminste, ík praat over Paul. Met Johnnie erbij is Paul werkelijkheid, nog altijd hier, nog altijd een deel van mijn leven. En ik ben nog altijd een deel van het zijne. Welbeschouwd is Johnnie de enige persoon met wie ik echt over Paul kan praten.

'Nog steeds geld aan het verdienen', zegt Johnnie.

'Niet zo denigrerend. Hij is heel goed voor je geweest.'

Johnnie haalt zijn schouders op – meer een soort zenuwtrek – en schudt iets van zich af. 'Luister, Lulu, ik ga er een tijdje vandoor.'

Hij heeft me al heel lang niet meer zo genoemd. Het stamt uit de tijd dat Anna geboren werd. Hij noemde ons altijd Annie en Lulu. Dan kwam hij binnen met zijn armen vol spullen, bloemen en speelgoed waarvoor ze nog veel te klein was, een grote doos Turks fruit voor mij, omdat hij wist dat ik daar dol op was. Hij liet alles op bed vallen en vroeg dan: 'Hoe

170

is het met mijn Annie?' en daarna: 'Hoe is het met mijn Lulu?'

Hij kon goed met de baby overweg. Hij was nooit bang voor haar, zoals Paul. Toen ging ik daarover nadenken en besefte ik dat dat kwam omdat Johnnie Anna niet zijn verantwoordelijkheid vond. Hij speelde altijd met haar. Anna was geen lachende baby, maar Johnnie ontdekte dat ze altijd moest lachen als hij haar omhoog zwaaide en op zijn hoofd heen en weer liet wiebelen. Onwillig, piepend gelach, alsof ze niet goed wist hoe het moest, maar zich niet kon inhouden. Paul keek altijd naar hen en dan krulde er een glimlach van plezier om zijn lippen, al was ik daar nooit helemaal zeker van.

'Ga niet', zeg ik nu tegen Johnnie. Ik kijk hem recht aan. Ik speel veel spelletjes met Johnnie, maar dit spelletje hoort daar niet bij. 'Luister,' zeg ik, terwijl ik opsta van de bank, 'ga jij hier zitten. Dan krijg je wat zon op je gezicht terwijl ik verse koffie zet. Ik kan ook wat te eten voor je maken als je wilt.' Maar hij wil niet met me van plaats ruilen.

'Er is niks aan de hand', zegt hij. 'Maar ik moet gewoon weg.'

Hij is bang. Dat zie je zo. Hij heeft iets verknald en dat is slecht nieuws op het veld waar hij gespeeld heeft. Ik voel een pijnlijke spanning in mijn maag, alsof ik iets verkeerds gegeten heb. Ik schenk een beetje brandy voor mezelf in een glas en neem een paar slokjes. De spanning begint te verminderen. Johnnie kijkt naar me.

'Ik dacht dat je zei dat je koffie ging maken.'

'Dat ga ik ook.'

Het was maar zo'n klein glaasje en nu is het op. Ik pak de fles op en neem hem mee om hem weg te zetten. Ik stommel in de keuken rond, vul het koffiezetapparaat en probeer erachter te komen waar ik de koffie heb opgeborgen.

'Het zal wel in de koelkast staan', zegt Johnnie. Plotseling staat hij in de deuropening van de keuken. 'Je bewaart het altijd in de koelkast.'

Ik zet mijn glas neer en zwaai de deur van de koelkast open. Daar staat het, met de bovenkant omgevouwen en vastgezet met een knijper. Soms verbaas ik mezelf erover hoe georganiseerd ik ben.

Johnnie zegt: 'Waarom ga je niet eens wat vaker de deur uit?'

Dit is niet het soort dingen waar Johnnie en ik meestal over praten. Ik ben druk bezig de juiste hoeveelheid koffie in het koffiezetapparaat te doen.

'Ik heb een hekel aan het verkeer. Dit deel van Londen is een nachtmerrie.'

'Je kunt naar het park lopen vanaf hier', zegt hij.

Ik denk aan Anna. Het park is een plaats voor kinderen, ik kom er nooit meer. Ik denk aan Anna, die keer dat het al bijna donker was, toen haar gezicht glanzend uit haar capuchon stak en ze op de schommel omhoog zwaaide het donker in, zodat ik haar bijna niet meer zag. En toen weer terug, omlaag, in mijn handen.

'Harder duwen', zei ze. Ze gilde en schreeuwde nooit als de schommel de lucht invloog, zo'n soort kind was ze niet. 's Winters hangt er in het park een lucht die ik niet kan omschrijven. En Anna's huid, koud en zoet als fruit, heel anders dan onze huid.

'Ik hou niet van het park', zeg ik tegen Johnnie. 'Vertel me maar waar je heen gaat.'

'Naar het buitenland', zegt hij.

'Kun je misschien iets meer in detail treden?'

Hij glimlacht. 'Je kunt het beter niet weten', zegt hij.

'Voor het geval Paul ernaar vraagt?'

'Voor het geval wie dan ook ernaar vraagt.'

'Nou ja, hij is mijn man. Hij heeft het recht het te weten.'

'Lulu, hij is met Sonia getrouwd.'

'Dat is een pak kaarten.'

'Je bedoelt een pak leugens?'

'Nee, dat bedoel ik niet', zeg ik. Ik weet wat ik wilde zeggen. Paul en Sonia, die hebben dat grote stenen huis in Yorkshire gekocht, twee keer zo groot als ons huis in Londen. En ze hebben Anna daar. Maar daarmee is het nog niet de waarheid over wat er tussen ons gebeurd is. 'Het is een kaartenhuis', zeg ik. Iets beters kon ik er niet van maken met de brandy die door mijn hoofd wervelde. 'Je weet niets van getrouwd zijn, Johnnie. Je bent nooit getrouwd geweest.'

'Ik weet het een en ander van jou en Paul', zegt Johnnie.

'Je weet te veel', zeg ik snel, vinnig. Dan kom ik tot mezelf en kijk Johnnie recht aan. 'Je weet toch dat ik gelijk heb? Hij is mijn man. Anna is onze dochter. Jij bent mijn zwager.'

'Ja-aa', zegt Johnnie. Hij laat het woord op een lange vermoeide ademtocht ontsnappen. 'Ja. Neem alsjeblieft niet nog een brandy, Lulu. Ik zou graag willen dat je erbij blijft.'

'Ik ben erbij.' Ik ga zitten. 'Luister, Johnnie, ik ben vorige week bij je moeder op bezoek geweest.'

Hij ziet er zo afgemat uit. Bijna zeg ik tegen hem: blijf hier toch niet zitten praten. Ga even liggen in mijn slaapkamer, dan leg ik de sprei over je heen. Doe een dutje. Maak je geen zorgen. Ik ben er heus nog wel als je wakker wordt.

Ik ben gek op overdag slapen. Alleen al vanwege de uren die je ermee doodt, die je niet hoeft te leven. En toch ben je je voortdurend bewust van het verstrijken van de tijd en hoor je de geluiden van buiten als versneld afgedraaide muziek. Rustiger en dan weer drukker wordend verkeer, kinderen die van school naar huis gaan, slaande deuren. En zelfs pal in het centrum van Londen zingen de vogels bij zonsondergang zo vurig dat je weet wanneer je moet opstaan. Ik zou Johnnie veilig hier kunnen houden, tussen mijn lakens van Egyptisch katoen, onder mijn sprei, diep weggestopt in de slaapkamer met de jaloezieën dicht en zowel de binnen- als de buitendeur op slot. Maar ik weet net zo goed als hij dat deuren niets te betekenen hebben, en sloten evenmin, als je echt in de problemen zit.

Johnnies ogen zijn bijna dicht. Als je hem niet kende, zou je misschien denken dat hij volkomen op zijn gemak was. Dan zegt hij: 'Ik heb schulden.'

'Wat voor schulden?'

'Het soort dat ik niet kan afbetalen.'

'Hoeveel?'

Hij haalt zijn schouders op, alsof hij het niet weet. Ik denk snel na, over mijn bankrekening en wat erop staat nu ik Anna die duizend pond gestuurd heb. Over de flat en wat die waard is.

'Je moet het aan Paul vertellen', zeg ik.

'Nee.'

'Hij helpt je wel.'

'Ik heb genoeg van zijn geld. Daarom ga ik weg.'

'Doe niet zo stom.'

Hij opent zijn ogen een stukje en werpt me een benauwde katachtige glimlach toe. 'Het gaat trouwens niet alleen om het geld. Het gaat ook om andere dingen.'

Het gaat altijd ook om andere dingen, denk ik, maar ik zeg het niet. Ik bedenk hoe een mes snijdt en het vlees het heel even niet in de gaten lijkt te hebben en hoe er dan plotseling bloed opwelt. Ik moet niet goed bij mijn hoofd geweest zijn om te denken dat ik een of andere vent in mijn vlees zou kunnen laten snijden. Ik word al misselijk bij de gedachte. Ik wil resultaten zonder pijn. Ik lijk wel een beetje op Johnnie, dat is mijn probleem.

'Hoe ging het met mijn moeder?' vraagt Johnnie.

'Er is een nieuwe verpleegster, die ze aardig vindt. We hebben niet veel gepraat, we hebben gewoon wat gezeten. Dat doet ze het liefst.'

We zaten in de serre. De mensen die het tehuis leiden, zijn fantastisch met planten. Er stonden gardenia's en grote bakken met hyacinten. Het rook er hemels. Ik maakte me een beetje zorgen om Maureen, omdat ze een hekel heeft aan bepaalde bloemen. Ze raakt erdoor van streek. Nu sommige zintuigen haar in de steek laten, is het alsof andere zich juist ontwikkelen tot ze zo scherp als scheermessen zijn. Maar ze glimlachte en haar handen lagen stil en losjes in haar schoot. Ik haat het als ze steeds maar haar handen wast, alsof het werk nooit klaar is. En toen stak ze haar hand uit en legde die op de mijne, alsof ze me herkende. Alsof ze niets vergeten was.

'Het ging goed met haar', zeg ik. Hij zoekt haar nooit op, maar hij wil wel graag iets over haar horen. 'Luister,' zeg ik, 'ik ga iets te eten voor je maken voordat je weggaat.'

# 20

Ik stuur Johnnie naar de Franse bakker op de hoek om brood te halen. Ik wil hem nog iets langer hier houden, maar als ik uit het raam kijk en hem de straat uit zie lopen, weet ik opeens zeker dat hij niet terugkomt. Zijn achterhoofd ziet er zo beslist uit, als een figurant in een film die zich door een menigte perst.

Nu is de straat leeg. Ik trek het onderste schuifraam omhoog en leun naar buiten. Er zitten witte vlekken op de stammen van de platanen aan de overkant, waar de schors heeft losgelaten. Het zijn slimme bomen. Alle gif gaat in de schors zitten, vervolgens leggen ze die af en laten een nieuwe huid groeien. Als wij dat konden, zouden we geen plastische chirurgen nodig hebben. Ik kijk omhoog naar de Londens gekleurde lucht. Dan rijdt er een auto voorbij, een nieuwe zwarte Saab.

Johnnie heeft zo'n auto gehad. Een zwarte Saab, turbo. Toen Anna een baby was, kwam hij ons er altijd mee ophalen voor een dagje uit. Johnnie had alle tijd en Paul zagen we van 's ochtends zeven tot 's avonds zeven nooit. En daarna soms nog niet.

Op een dag gingen we naar zee. Het was een grijze, stille dag, het soort dat nergens op lijkt als je hem vanuit huis bekijkt, maar dat als je eenmaal buiten bent heel mooi blijkt te zijn. Het strand lag vol stenen en ik zette Anna op een kleed en liet haar stenen in haar emmertje doen en ze er dan weer uithalen. Ze probeerde ze niet in haar mond te stoppen; ze was altijd zo lief. Toen ging ik liggen en de witheid van de lucht voelde als zonlicht op mijn oogleden, ook al liet de zon zich de hele dag niet zien. Als je zo plat op de grond lag, was het warm. Ik voelde mezelf in slaap vallen. Ik kon ieder moment slapen, omdat Anna nog altijd 's nachts wakker werd. Ik voelde Johnnies schaduw omlaag duiken en het licht afdekken, toen zei hij: 'Ik ga een eindje met haar wandelen.'

Hij zette haar met een zwaai op zijn schouders en zij vlocht haar handen in zijn haar en hield zich stevig vast. Ze vond het enig. Anna was een ernstig kindje, maar op Johnnies schouders lachte ze. Ik kneep mijn ogen tot spleetjes en keek hen na, Johnnie liep met lange soepele passen om haar op en neer te laten hopsen en nog meer aan het lachen te maken. Hij zou haar de zee laten zien. Die had ze nooit eerder gezien. Ik sloot mijn ogen en hoorde hen boven het geluid van het water in de verte uit: Anna's piepstem, Johnnies diepe stem. Hij klonk ook jong, net als zij. Soms vergat ik bij Johnnie hoe jong hij was. Ik moet in slaap gevallen zijn, want toen ik de volgende keer opkeek, zaten ze naast me, Anna pal rechtop met de rechte rug die peuters hebben, likkend aan een ijsje, en Johnnie met een glimlach om zijn lippen. Ik was verbaasd over mezelf, dat ik in slaap gevallen was terwijl Anna bij iemand anders was. Ik was geen seconde bezorgd geweest, en dat terwijl ik altijd bezorgd was om Anna, zelfs als ze bij Paul was. Het voelde alsof ze allebei mijn kinderen waren, en ik hield van beiden evenveel.

Toen gingen we terug. Johnnie had de auto nog niet zo lang en eigenlijk had hij een te krachtige motor. We reden snel, maar dat vond ik niet erg. Anna lag in haar zitje achterin te slapen. We reden langs een havencafé, dat vlak aan het water stond, en Johnnie zei dat we wel even konden stoppen om wat te drinken. Omdat ik Anna niet wakker wilde maken, nam hij de drankjes mee naar buiten en bleven we bij de auto naar het water staan kijken. Het was bijna donker, nog net niet helemaal. Hij wilde er nog een halen, maar ik zei nee, we moeten terug. Ik maakte me zorgen voor het geval Paul thuiskwam en we er niet waren. Ik denk dat Johnnie daar misschien boos om was, al zei hij niets. We stapten weer in, hij deed de koplampen aan en plotseling was het avond, met de havenlichten achter ons en het café voor ons. Het was geen echte parkeerplaats, enkel een kade zonder enige barrière tussen ons en het water. Maar we stonden niet pal aan het water. Ik was opgelucht, al zei ik niets. We stonden ongeveer tien meter van de rand van de kade. Johnnie liet de motor loeien. Hij keek me aan. Ik dacht dat het zo'n blik was van 'daar gaan we weer', dus ik lachte en toen lachte hij terug. Dat was het. Zomaar.

Johnnie zette de auto in zijn achteruit en drukte het gaspedaal in. Ik zag niet wat hij deed, maar ik zag hoe de andere auto's naar voren schoten in plaats van naar achteren, zoals ze hadden moeten doen. Ik werd teruggeworpen in de stoel. Het leek alsof de lichten langs me heen gezogen werden. Ik was te bang om te gillen. En toen liet hij zijn voet met kracht op de rem neerkomen. Het was een grote auto, een zware auto, een auto met een krachtige motor. Toch zag ik wat er kon gebeuren en wat er zeker gebeurd zou zijn met een lichtere auto. Ik zag hem rondtollen, ik zag de wielen hun grip op de kade verliezen, ik zag het chassis zich vastklampen en vervolgens met ons erbij omlaag storten en diep onder water schuiven in de havenmodder, die nooit iets loslaat.

Het gebeurde niet. De auto stopte. Johnnie stopte. Hij trok de handrem aan en zette de motor af. Maar ik keek niet naar hem. Ik had me omgedraaid om Anna te grijpen. Ze was wakker geworden en ik kon haar ogen zien glanzen, al was er niet veel licht. Haar gezicht stond rustig, niet bang, ze huilde niet. Ik hing half over de stoel heen, klauwend naar het palletje van de veiligheidsgordel. In één beweging haalde ik haar uit haar zitje, drukte haar tegen me aan en sprong uit de auto.

De achterwielen stonden een paar centimeter van de rand van de kade. Wat ik dacht was: waarom hebben ze daar niet iets neergezet? Het was alsof ik bang was om Johnnie de schuld te geven of om echt te geloven dat hij zo'n risico zou hebben genomen met Anna in de auto. Ik hield Anna stevig vast en keek omlaag naar het water. Het deinde, zodat je de trilling van het licht erop zag. Je kon niet verder kijken dan het oppervlak. Het water zag eruit alsof het zichzelf aan het kalmeren was.

Als ik ver genoeg naar beneden kon kijken, als ik door het water heen kon kijken, dacht ik, zou ik mezelf zien. Ik zou omhoogkijken, maar het gewicht van het water zou me naar beneden drukken. Zonder die paar centimeters kade achter de wielen zouden we nu daar liggen. Ik kon Anna niet voelen, al had ik haar in mijn armen. Ik stond te rillen. Het was bijna gebeurd en ik kon het gevoel dat de val die we bijna hadden gemaakt de waarheid was, niet van me afschudden. Ik kon de duik en het koude water dat zich om ons heen sloot, voelen. De auto lag ergens onder water met Anna's kinderzitje, waarvan de banden als zeewier heen en weer zwaaiden.

Er zijn van die momenten waarop je meer weet dan je begrijpen kunt. Je zou het een visioen kunnen noemen. In het visioen zag ik Anna, maar ze was niet meer bij me. Ze was ergens anders, op een veiliger plek, zonder mij.

Johnnie was ook uitgestapt. Hij keek me met een uitdrukkingsloze blik op zijn in het neonlicht glanzende gezicht aan. Ik zei: 'Zet de auto weer op de weg, Johnnie, dan gaan we naar huis.'

We reden naar huis, Anna sliep en Johnnie zweeg. Ik denk dat hij wachtte tot ik iets zou zeggen, maar ik zei niets. Ik wilde thuis zijn, ik wilde dat Anna in haar ledikantje lag en ik in een diep bad om de dag van me af te spoelen. Maar ik wist dat die dag zich niet zou laten afspoelen. Hij had een smet op me geworpen, en op Johnnie. Alle dingen die we nooit hadden gezegd en alle stilzwijgende leugens die we hadden verkocht, aan Paul en aan onszelf. En ook aan Anna. De hele weg naar huis zag ik haar gezicht voor me. Zij zou in me zijn blijven geloven, ook al waren we met zijn allen naar de bodem gezonken.

Ik sta nog steeds bij het raam en laat in gedachten die dag weer de revue passeren als ik Johnnie met het brood onder zijn arm geklemd zie terugkomen. Hij weet niet dat ik naar hem kijk. Hij blijft onder een van de platanen staan, haalt zijn gsm uit zijn zak en toetst een nummer in. Zijn gezicht staat strak en hij fronst. Hij wacht, maar er neemt niemand op. Hij staart lange tijd naar de telefoon en stopt hem dan terug in zijn zak.

Ik snij het brood en leg verschillende soorten kaas op een bord. Johnnie kijkt over mijn schouder mee, hij kan maar niet geloven hoe leeg mijn koelkast is. Vroeger was hij altijd afgeladen met allerlei dingen die hij lekker vond. Ik maakte altijd verse groente- en fruitpuree voor de baby en mijn eigen tomatensaus. De kazen zijn een beetje oud, maar ze zien er nog goed uit. Soms is het zes uur en dan kan ik me niet herinneren of ik die dag wel iets gegeten heb of niet. Ik heb gewoon nooit honger.

Ik schenk ons beiden een gin-tonic in. Ik wou dat ik een citroen had, maar ik ben niet zo goed met citroenen. Ik vergeet ze altijd en dan liggen ze in de fruitschaal te verpieteren.

'Lekker, die gin', zegt Johnnie, terwijl hij zijn lege glas neerzet. Ik schenk nog wat in, het loopt fonkelend langs het glas. Hij heeft zijn eten niet aangeraakt.

'Je moet wat eten met zo'n reis voor de boeg', zeg ik.

'Ik eet wel op de boot', zegt hij afwezig, alsof hij niet beseft wat hij zegt.

'Waar gaat de boot heen?' vraag ik.

Hij glimlacht naar me, zo'n lach van 'je denkt zeker dat je me betrapt hebt, hè?'

'Dat heb ik nog niet besloten', zegt hij. 'Misschien ga ik naar Denemarken.' Ik kan me niet indenken waarom hij daarheen zou gaan. Ach, toch wel. Er zijn in Johnnies verleden genoeg boten geweest. 'Kijk niet zo. Het is een veerboot', zegt hij. 'We vertrekken morgenochtend uit Harwich.'

'Vroeger gingen ze altijd vanuit Tilbury', zeg ik, puttend uit mijn herinnering.

'Dat is allemaal verleden tijd.'

'Ik vond Tilbury leuk.'

Ik had het echt leuk gevonden. Mijn vader nam me er mee naartoe om me de rivier te laten zien. We keken naar de boten die uitvoeren, die er op een koude vettige novemberdag tegen het eind van de middag tussenuit glipten. De rivier is daar breed en sterk en bruin. In de stroming ziet hij er kreukelig uit, als de jurk die een meisje de hele avond heeft gedragen en waarin ze is thuisgekomen.

Ik stond daar met mijn vader en keek hoe het tij keerde. Hij vertelde me dat de rivier langs Sheerness en Shoeburyness, langs Sheppey en Canvey en het eiland Grain stroomde. Ik luisterde maar met een half oor naar hem, terwijl ik keek hoe allerlei rommel en sinaasappelkisten ronddraaiden op de stroming.

'Dat is allemaal op weg naar zee', zei hij. 'Het wordt in de scheepvaartroutes vermorzeld.'

Ik keek omlaag, waar wier en piepschuim en stukken plastic in het water op en neer dobberden. Het ging heen en weer, heen en weer, maar nooit ver genoeg heen. Zoals een ademhaling. Zoals wat Paul me vertelde over de ademhaling van zijn vader. Het zou nooit ontsnappen. Er lag modder onderaan de muur, die er fluwelig zacht uitzag maar vreselijk stonk.

Mijn vader zei dat hij zo onze terriër had gevonden. Hij zag haar stroomafwaarts zwemmen, een teefje dat mijlenver van huis verwoed aan het watertrappelen was. Ze hapte naar de stroming alsof ze dacht dat ze in gevecht was. Ze was toen nog niet van ons natuurlijk. Mijn vader kende iemand die daar een boot had liggen en hij startte de motor en bracht onze terriër aan land. Hartstikke stom om zoiets te doen als het tij aan het

keren is, zei hij tegen mij, om te garanderen dat ik iets derge-
lijks nooit zou doen. Ik was er niet bij toen hij onze terriër vond
en ik heb altijd gewild dat ik er wel bij was geweest. Hij trok
haar in de boot. Ze hapte naar hem, maar toen hij haar op de
planken bodem legde, scheen ze te begrijpen dat hij haar geen
kwaad wilde doen. Ze rilde en bleef maar rillen totdat hij haar
terug aan land had gebracht en haar met een paar oude jute
lappen had drooggewreven.

Toen hij haar eenmaal wat had opgekalefaterd, was het een
leuk teefje. Vriendelijk van karakter ook. In al die jaren dat we
haar hadden, heeft ze nooit naar ons gehapt. Ze was waarschijnlijk door iemand in het water gegooid. Het was de
manier waarop ze zwom, die hem was opgevallen, alsof ze
dacht dat ze ieder moment een grassige zandbank zou vinden
waar ze tegenop kon klauteren en zich kon drogen, om daarna
weer terug naar huis te gaan. Ze had er geen benul van dat
iemand haar in de smerige Theems gedonderd had in de hoop
dat ze met de rest van de troep die niemand wilde naar zee zou
wegdrijven en verdrinken. Ik vind het een leuk idee dat mijn
vader achter haar aan is gegaan. Mijn moeder zei dat het stom
en onverantwoordelijk was. Het was de enige keer dat ik haar
tegen hem hoorde schreeuwen. *Je had wel dood kunnen zijn en
wat had ik dan gemoeten? Het gaat niet alleen om je eigen leven,
het gaat ook om mijn leven en Louises leven.*

Ik keek altijd naar de kranen, die in de lucht staken, en de
zon, die zich in de mist verstopte, en vroeg me dan af of we ooit
nóg een hond zouden vinden, als maatje voor Sheppey, maar
dat is nooit gebeurd.

Het eiland Sheppey, Canvey, het eiland Grain. Ik hoor mijn
vader de namen uitspreken. Hij vertelde me hoe groot de rivier
lijkt als je in het midden bent, en over de loodsen die de grote
schepen over de rivier leiden. Hij zei dat de modderbanken, de
zandbanken en de stromingen voortdurend veranderden. *Moet
je de kracht van de stroming zien als die tegen het tij moet
opboksen.*

'Daar blijf je niet lang', zeg ik tegen Johnnie. 'In Denemarken.' Ik schenk ons nog een gin in. Gin is prachtig om naar te kijken als het stroomt. Het is net water, maar levendiger.

'Ik kom niet meer terug', zegt hij.

Ik heb het gevoel alsof hij iets in mijn schoot heeft gegooid, iets wat zo zwaar is als een in vet en kranten verpakt pistool. Ik geloof hem zodra hij de woorden zegt, ook al begrijp ik niet wat erachter zit. En ik ben vreselijk bang. Ik weet dat ik hem hier moet houden, maar ik kan niet snel genoeg nadenken. Zelfs in mijn eigen oren klinkt mijn stem brabbelig als ik zeg: 'Dat moet je niet doen.'

'Ik moet wel.'

'Is er iemand naar je op zoek?'

Johnnie staat op, laat de drank in zijn glas ronddraaien. Hij probeert te bedenken hoe hij me een tiende kan vertellen van wat er te weten valt. Ik wil het niet horen. Leugens aanhoren maakt me moe en is bovendien tijdverspilling als het belangrijkste is om Johnnie tegen te houden. Ik weet genoeg over hoe bepaalde mensen zich gedragen als je hun geld schuldig bent, genoeg om geen verdere informatie nodig te hebben. Ik wou dat ik die tweede gin niet had genomen.

'Luister,' zeg ik, 'ik heb een idee. Ik ga met je mee.'

'Dat kun je niet maken.'

'Waarom niet? Natuurlijk wel. Ik heb niets om voor hier te blijven, wel?'

Hij kijkt me aan, terwijl zijn gedachten over elkaar heen buitelen.

'Ik heb wat geld', voeg ik eraan toe. 'Niet veel, maar vijfduizend kan ik wel bij elkaar krijgen. Dat moet genoeg zijn om ons naar een plek te brengen die de moeite waard is.'

'Wat zal Paul zeggen als ik jou hierin betrek?'

'Wat zal hij zeggen als je naar Denemarken vertrekt en nooit meer terugkomt?'

'Ik kan de flat verkopen,' zegt Johnnie, 'maar dat duurt te lang.'

'Zo veel geld heb je niet nodig. Het enige wat je nodig hebt is er een tijdje tussenuit gaan om tot rust te komen en uit te dokteren wat je moet doen. En dat gaat makkelijker als je iemand mee hebt.'

Ik wilde eigenlijk 'iemand die je vertrouwt' zeggen, maar dat klonk zo clichématig dat ik de woorden niet uit mijn mond kreeg. Daarbij weet ik dat Paul me niet meer hoog op de vertrouwenslijst heeft staan. Ik moet heel voorzichtig zijn, anders is Johnnie er zo vandoor. Ik weet niet helemaal zeker hoelang hij al hier is. Alles gaat langzamer als je drinkt, of het gaat sneller.

'We gaan naar Brighton', zeg ik. Het lijkt me een briljante ingeving. 'We gaan een paar dagen naar Brighton en we houden ons gedeisd tot ik het geld bij elkaar heb gesprokkeld.'

'Ik wil niet in een hotel. Dat is me te openbaar.'

'We nemen iets voor onszelf. In deze tijd van het jaar kun je zonder enig probleem zo een vakantiewoning huren.'

Ik denk zo snel na dat het wel een droom lijkt. In gedachten heb ik de jaloezieën al neergelaten, staat het antwoordapparaat al te knipperen en staan we al op het perron van Victoria Station.

'Laat me alleen even wat spullen in een tas stoppen', zeg ik. En hij kijkt me aan, zijn gezicht verandert van uitdrukking, het wordt zachter, minder vastbesloten. Hij durft zichzelf nog geen echte hoop te geven, maar dat komt wel. Straks zal hij geloven dat ik weet waar ik het over heb en dat ik hem kan helpen uit de nesten te komen waar hij zich in heeft gewerkt en dan kan hij als hij wil helemaal opnieuw beginnen. Ik glimlach, alsof ik wil zeggen: alles komt goed. En hij wil me zo graag geloven dat hij teruglacht.

'Ik heb Brighton altijd leuk gevonden', zeg ik. 'Zet even koffie, Johnnie, zwart, dan ga ik mijn spullen bij elkaar zoeken.'

Ik ga naar mijn slaapkamer en begin laden open te trekken.

Ik kan niet geloven hoe opgewonden ik me voel. Voor het eerst in jaren wil ik echt zwarte koffie. Ik wil nuchter zijn. Ik weet dat ik loop te glimmen.

Toen ik langgeleden een keer boos was op Anna, zei ze: 'Je moet blij zijn. Ik vind het niet leuk als je me met zo'n gezicht aankijkt.'

Ze maakte me aan het lachen. We hadden ons samen op de bank genesteld en ze zong een liedje voor me dat ze op school had geleerd, een liedje dat ik niet kende. Ze vlocht steeds haar vingers door mijn haar; dat vond ze heerlijk. Toen zei ze: 'Ik droomde dat je me kwijt was.'

'Dat zou ik nooit doen. Mama's raken hun kinderen niet kwijt.'

'Soms wel.'

'Het was maar een droom.'

Ze had haar benen opgetrokken op mijn schoot. Ze had altijd lange, smalle voeten, al sinds haar geboorte. In geen enkele schoenwinkel kon ik schoenen vinden die haar pasten. We moesten ze speciaal bestellen. Ik kietelde haar voetzool, haar tenen kromden zich om mijn vinger en ze moest lachen. Ik wist hoe nerveus ze was en hoe zwaar ze het leven soms vond. Maar ik kon haar nog steeds blij maken en dat was een fantastisch gevoel.

## 21

Zeven uur. Een perfecte ochtend, stil en bleek. De West Pier drijft in de mist op een vlakke zilveren zee en daarachter vangt de Palace Pier een vroege zonnestraal. Op het pad dat tussen de gazons door loopt, dansen twee kleine windhonden om hun baas heen. Hij staat met zijn armen voor zijn borst gevouwen te wachten tot ze kalmeren en op het gras poepen. Hij staat op rolschaatsen met zijn armen voor zijn borst gevouwen en is op zijn korte broek na naakt.

Het is pas april, maar als je in je kimono het balkon op stapt, is de lucht warm. Een ongewoon vroege zomer, zodat de stranden vol liggen met lijven. Mensen liggen in de luwte van golfbrekers en staan soms even op om met hun hand boven hun ogen glimlachend naar zee te kijken. Het hele strand deelt die heimelijke glimlach. *Je zou niet denken dat het april was, hè?* Het is een geschenk, een reeks dagen die je je altijd zult herinneren. Je koopt de kranten en alle ellende van de wereld is door de zon van de voorpagina's verdreven.

De windhonden lopen te springen rond hun baas, die afzet, eerst met één rolschaats, dan met de andere, met het perfecte evenwicht van een geestelijke op het ijs. Hij gaat hard. Het fietspad rond, verder naar de wandelpier, steeds harder gaat hij.

Vroeger rolschaatste je van 's morgens vroeg tot 's avonds laat, je draaide de metalen bouten op de onderkant van de schaatsen stevig aan, knoopte de veters vast, die knapten als je er te hard aan trok. Die rolschaatsen waren niks vergeleken met de technologische hoogstandjes die ze tegenwoordig hebben.

Moet je hem zien gaan, hij is al bijna uit het zicht. Maar je vond het zo geweldig, de hele dag op rolschaatsen, dat je, als je binnen moest komen en ze uit moest trekken, op het keukenzeil doorschaatste.

Het was een geluk dat jullie die flat konden krijgen. Het was niet de eerste waar het meisje van het verhuurbureau aan dacht toen ze haar computerscherm raadpleegde. Ze hadden een moderne flat in een woonblok vlak bij Churchill Square, maar zo op de foto vond je het niks. Te Londens. Het is op de zestiende verdieping, zei ze, u hebt er een fantastisch uitzicht. En anders hadden ze nog een flat op de tweede verdieping aan de andere kant, op Marine Parade. Of dit…

Dit. Waar jullie nu zijn. De flat was van twee zusters geweest, die vlak na elkaar waren gestorven, in juni en augustus vorig jaar. De erfgenamen wilden nog niet verkopen. Ze wachten tot de onroerendgoedprijzen omhooggaan en bovendien willen ze de woning aan het eind van de zomer een beetje gaan opknappen. Ondertussen staat hij te huur; de meeste rommel van de oude dames is weggehaald, zodat de grote hoge kamers, de marmeren schouwen en de muren in diverse tinten wit goed uitkomen. Er is een keuken en een zitkamer die op zee uitkijkt en een enorme slaapkamer, die de twee zusters deelden. Maar het is een nieuw bed, heeft het meisje van het verhuurbureau je verzekerd, omdat ze wel wist dat je aan de zusters zou denken, die daar de een na de ander waren overleden. Een kingsize bed, verankerd te midden van spiegels, marmer en een enorme lap raam met uitzicht op de ingewikkelde achterkant van huizen.

Je hebt de flat voor een maand gehuurd, vooruitbetaald. Je hebt contant betaald. Je hebt sleutelsets voor de buitendeur en de drie sloten op de binnendeur. De oude dames waren voorzichtig met sloten en kijkgaatjes en de flat ligt op de tweede verdieping, zodat je er niet op de vingers wordt gekeken. Hij voelt zo privé als een nest tegen een rotswand.

Nadat ze klaar was met je alles te laten zien, bleef het meisje van het verhuurbureau midden in de zitkamer rond staan kijken. Plotseling werd ze door twijfel bevangen. Je zag het en dacht dat het jou betrof. Johnnie was er niet bij, die zat met de krant in een café verderop te wachten. Het had jullie alle twee beter geleken als hij niets met de mensen van het verhuurbureau te maken zou hebben. 'We zijn maar met zijn tweeën', zei je. Zag je eruit als de verkeerde soort huurder, was je te enthousiast, zag ze hoe graag je de flat wilde?

Dat zag ze niet. 'Nu dat u bent komen kijken,' zei ze, 'er staat hier niet veel meubilair, hè? Maar we kunnen altijd wat extra stoelen en nog een bank brengen.'

'Nee', zei je snel. 'Nee, het is prima zo. We houden van ruimte.'

Je houdt van wat er is weggehaald. Er hangt hier geen sfeer van eerdere levens, alleen die van een flat die als een scheepsboeg boven gazons en zee uitstak. Die ronddreef in de heerlijke witte ochtend, terwijl het meisje van het verhuurbureau met haar klembord en computeruitdraai in de hand stond.

'De keuken is tamelijk eenvoudig, ben ik bang.'

'Waarschijnlijk gaan we de meeste tijd úít eten.'

De balkondeuren stonden open. Het meisje van het verhuurbureau liet zien hoe de ingewikkelde edwardiaanse koperen staafsluitingen werkten.

'Als het slot er uitschiet en u kunt het er niet meer in krijgen, bel me dan even. We hebben iemand die dit soort klusjes opknapt. Probeer het niet zelf te doen, want het is voor geen goud ter wereld te vervangen.'

Je staat op het balkon en de lange mouwen van je kimono wiegen in de wind en laten de zijden stof over je armen glijden. Je houdt van deze kimono, die een veelheid aan zonden bevallig verbergt. Zo, nu zitten jij en Johnnie dus hier, weggestopt in deze prachtige flat. Je raakt de grijsbladige olijfwilg in de zwarte pot aan, die de oude dames waarschijnlijk hebben opgekweekt. Ernaast staan keurige potten flamingoroze geraniums, die het verhuurbureau er neergezet heeft. Het meisje heeft je verteld hoe moeilijk het is om bloemen mooi te houden hier.

'Zelfs in de zomer, één zoutstorm is genoeg. We hebben een contract met een tuincentrum, dus als er problemen zijn, lossen zij ze op.'

De oude dames zouden op hun barometer getikt hebben en als die daalde hun potten 's nachts binnengehaald hebben. De barometer hangt er nog, aan de keukenmuur. Je hebt er vanochtend al op getikt en hij blijft stabiel, op 'Mooi Weer'.

Als de zon om de hoek van het balkon komt, ga je terug de keuken in, maar je laat de balkondeuren wijdopen staan. Er ligt eten in de koelkast, je haalt er een pakje bevroren croissants uit en zet de oven op voorverwarmen. Je gaat ontbijt op bed maken voor Johnnie.

Hij slaapt meer dan hij wakker is. Ook al gaat hij om negen uur naar bed, hij slaapt de hele ochtend door, als een dorstige man die een groot glas water drinkt, teug na teug. Hij wil alles achter zich laten, zelfs jou. Je begrijpt dat en je vindt het niet erg. Je waakt over zijn slaap. 's Ochtends glijd je stilletjes uit bed, tastend naar de kimono, die als een zijden dweil verkreukeld op het dekbed ligt. Je gaat op je tenen de kamer uit en laat de deur op een kier staan, zodat je hem niet wakker hoeft te maken als je nog iets nodig hebt uit de slaapkamer. Eigenlijk ben je zo vroeg in de ochtend liever alleen. Je bent gewend aan eenzaamheid en nu je iemand in de kamer ernaast hebt – Johnnie die ronddrijft in zijn eigen eenzame slaap – is er niets om bang voor te zijn. Je hebt hem nu om plannen voor te maken. Je hebt de luxe om te denken: straks gaan we ontbijten, of: als Johnnie wakker is, gaan we een wandeling maken langs de boulevard.

Jullie gaan wel de deur uit. Eerst wilde hij niet.

'Niemand kent je hier', zei je, maar Johnnie was daar niet zo zeker van.

'Er zijn hier veel mensen uit Londen. Je weet nooit wie je tegen het lijf loopt.'

'Zet je zonnebril op en koop een honkbalpet', was je voorstel, en tot je verrassing nam hij het serieus en stuurde je erop uit om een honkbalpet te kopen. 'Eentje met Nike erop of zoiets.'

'Nooit gedacht dat ik dat nog zou meemaken', zei je toen hij hem opzette. Honkbalpetten waren helemaal niet Johnnies stijl. Hij vond het niet leuk om uitgelachen te worden, maar hij ging nooit naar buiten zonder zijn pet.

De croissants ruiken lekker. Je legt ze op een blad, met abrikozenjam, twee borden, een pot koffie en twee prachtige lichtgele koffiekopjes, die je zelf hebt gekocht omdat je de kopjes die het verhuurbureau had geleverd vreselijk vond. Je denkt even na, gaat dan terug naar het balkon en plukt twee roze geraniums, die je in een glaasje water op het blad zet.

Johnnie slaapt. Je zet het blad geruisloos op het nachtkastje en blijft naar hem staan kijken met die mengeling van medelijden en jaloezie die je altijd voelt voor mensen als ze slapen. Hij ligt in elkaar gedoken met zijn gezicht in het kussen. Hij heeft zich verstopt op een plek waar niemand hem kan volgen. Maar hij vindt het prettig als er iemand bij hem slaapt, want hij heeft nare dromen en als hij daaruit wakker wordt, weet hij niet waar hij is. Elke nacht vertel je hem: 'Je bent in Brighton, weet je nog?' Dan gaat hij rechtop zitten, staart voor zich uit en vraagt alsof het een zaak van leven of dood is: 'Is het ochtend of is het avond?' 'Sst,' zeg je dan, 'het is midden in de nacht. Ga maar weer slapen.'

Als je hem zijn gang laat gaan, blijft hij de hele ochtend zo slapen. En waarom zou hij niet mogen slapen? Och, zomaar, omdat je hier met koffie en croissants staat. Of sterker nog, vanwege een gevoel dat je jezelf niet wilt bekennen. Hetzelfde gevoel waarvoor je de glazen blijft poetsen waar je alleen maar dronken uit zult worden, waarvoor je de badkuip schrobt die niemand ooit zal zien en crème in het slappe vlees van je bovenarmen klopt.

'Johnnie.'

'Wat is er? Wat is er aan de hand?'

'Er is niets aan de hand. Ik heb koffie voor je neergezet, dat is alles.'

Hij ontspant zich en draait zich om, zodat hij op zijn rug en met zijn ogen dicht in de kussens ligt. 'Hoe laat is het?'

'Laat genoeg om op te staan. Het doet je geen goed om de halve ochtend in bed te liggen.'

Hij gluurt naar het horloge om je arm. 'Het is pas negen uur.'

'Ja, maar het is een prachtige dag. Ik zit al een tijdje op het balkon. Moet je nagaan, in april.'

'We zijn niet op vakantie, Lou.'

'Waarom niet? We werken niet, voorzover ik kan zien. We hebben geld zat. Waarom zouden we niet op vakantie zijn?'

Hij neemt een croissant, splijt hem met zijn duim open en doet er ruim boter en abrikozenjam op. Hij morst geen kruimel. Net als Paul. Beiden hebben die katachtige netheid. Je vindt het prettig om hem te zien eten en hij schijnt zich er niet door bezwaard te voelen. Hij neemt drie croissants, achter elkaar, en drie koppen koffie.

'Eet jij niks, Lou?'

'Nee. Ik probeer wat af te vallen.'

Omdat het opeens de moeite waard lijkt om het te proberen. Je kunt onsmakelijke vetkwabben weer in rondingen veranderen. Je kunt je gezicht bevrijden van het vet, dat al je trekken enigszins uit vorm duwt. Het is niet de bedoeling dat je zo bent. Het is gewoon een fout, die zich heeft voorgedaan toen je even niet oplette. Als je het probeert, kun je jezelf weer terugkrijgen.

Johnnie leunt tegen de witte kussens, met de verkreukelde

witte lakens om zich heen. Je schopt je sloffen uit en gaat ook liggen, naast hem, je staart naar het witte plafond, waar echo-achtige afspiegelingen van zeelicht overheen trekken. Je doet je ogen dicht en het voelt alsof het bed beweegt. Je hebt altijd al eens buiten willen slapen.

Zonder je ogen te openen zeg je tegen Johnnie: 'Toen ik klein was, droomde ik dat ik een bed buiten had en dat ik erin ging slapen zonder dat iemand me kon zien. Op de speelplaats of midden in het park. Het stond er wanneer ik wilde en ik kon er gewoon instappen en onder de dekens kruipen.'

Hij geeft geen antwoord. Je gaat wat makkelijker liggen, je wurmt je diep in het bed, maar zonder hem aan te raken. Sinds jullie naar Brighton kwamen, hebben jullie elke nacht samen in dit bed geslapen. De tijd lijkt geen einde te kennen, zoals dat gaat met vakantietijd, tot je thuiskomt en twee weken dicht-klappen als een telescoop.

Je raakt hem niet aan. Je voelt je teer en kwetsbaar, alsof je lange tijd ziek bent geweest en nog maar net aan het bijkomen. Johnnie is er net zo aan toe, herstellende van iets waar je niets van afweet en niets van af wilt weten. Jullie hebben geen van beiden energie voor meer. Wat je wilt is de smaak van brood in de ochtend, als een wonder, en de geur van kokend water dat op gemalen koffie druppelt. Je wilt hier heel lang blijven liggen en het beeld in je opnemen van het opkomend of afgaand tij of het dood tij bij laag water, dat de vlakte van hard zand blootlegt die onder de stenen ligt. Je wilt kleine kinderen in de verte hun emmertjes naar de waterkant zien slepen en terug naar de kuilen die ze in het zand hebben gemaakt. Je wilt te ver weg zijn om te weten of ze lachen of huilen.

De hele nacht hoor je de zee, heel in de verte, maar even dichtbij als het bloed dat rondpompt in jullie lichamen, die gescheiden van elkaar in het grote witte bed liggen. Jij ligt wakker en Johnnie slaapt of doet net alsof hij slaapt. Je denkt aan Anna. Twee nachten geleden stak de wind op en hoorde je een meeuw erbovenuit, die klonk als een kind dat schor is van het huilen. Maar je wist dat je Anna nooit ofte nimmer had laten huilen. Je zou erop kunnen zweren. En je voelde, meer dan dat je het zag, dat Johnnie naast je in bed lag. Voor het eerst vond je dat Johnnie eigenlijk wakker moest zijn en ook moest luisteren. Eigenlijk zou hij die stem, die klinkt als de stem van Anna, uitgeput van het huilen, moeten horen, hij zou ernaar moeten luisteren en luisteren of hij hem opnieuw hoort.

Maar je maakte hem natuurlijk niet wakker. Je lag daar en hoopte dat de wind zou gaan liggen. Je wilde opstaan, stilletjes naar de keuken sluipen en een borrel drinken, eentje maar, om tot rust te komen. Dan zou je kunnen horen dat de wind alleen maar de wind was en niets anders.

Maar je verroerde je niet. Je bleef liggen en zei bij jezelf dat de naald op de barometer morgen omhoog zou gaan als je tegen het glas tikte en dat de zee zou glanzen.

'Of ik deed net of het bed ergens op het platteland stond, ergens midden in een wei met lang gras en bloemen bij de heggen. Het gras zou ook in bloei staan en bij ieder windvlaagje meebuigen. En ik zou er de hele dag blijven liggen kijken naar de vogels die voorbijvlogen en de wolken die voorbijtrokken.'

Johnnie gromt en kruipt dieper in het bed weg. Je rolt opzij en in een zeldzame vlaag van geweld jegens Johnnie geef je een dreun op het kussen naast zijn hoofd.

'Kom op, lui varken. Tijd om op te staan.'

## 22

Voor het eerst is David naar de schuur gekomen. Anna denkt dat het veilig is. Sonia gaat iedere ochtend vlak na tienen op pad en is dan uren weg om te leren paardrijden. Eerst was er de dreiging dat Anna er ook heen zou moeten, maar nu niet meer. Sonia verdwijnt met een strak, gesloten gezicht en zegt tegen iedereen die het horen wil: 'Als ik er nu niet echt tijd insteek, wordt het nooit wat.' Het is beter zonder haar, en Paul lijkt zich er niet druk om te maken. Op sommige dagen gaat hij weg, naar Londen of Leeds, en zelfs als hij thuis is, is hij meestal boven in zijn werkkamer, zodat Anna het rijk alleen heeft. Ze maakt haar eigen lunch: vissticks en patatjes uit de vriezer. Sonia heeft haar vijf pond gegeven om naar het dorp te gaan als ze nog iets nodig heeft en ze heeft het telefoonnummer van de manege achtergelaten voor noodgevallen. Sonia heeft verantwoordelijkheidsgevoel, in tegenstelling tot sommige anderen.

Anna heeft het nummer in de zak van haar spijkerbroek, samen met de brief van haar moeder. Ze maakt een hoekje van de keukentafel vrij, doet een kwak ketchup op haar bord en eet in luxe. Het huis wordt rommelig, net als een echt huis. Anna laat patat op de plavuizen vallen en laat het liggen. Sonia heeft het altijd over ratten. Daarom maakt ze zo vaak schoon, omdat ze er bang voor is.

'Je mag ook bij ons komen eten', zegt David. 'Mijn moeder zei dat ik het je moest vragen.'

'Ik kan niet. Ik moet hier blijven, voor het poesje.'

Met het poesje gaat het goed. David denkt dat het in leven

zal blijven, en hij weet veel van dieren. Hij houdt het beestje stevig vast en kijkt in zijn ogen, zijn neus, zijn oren. Hij zegt dat het een mannetje is. Het wordt een kater. 's Nachts houdt Anna zijn doos nu in haar kamer, vlak onder haar bed, waar ze erbij kan met haar hand en hem kan aanraken. In de doos heeft ze een bontkraag gelegd, die van Davids overgrootmoeder is geweest. Jonge poesjes vinden het heerlijk als ze tegen iets zachts aan kunnen schurken, zegt David.

'Gooi ergens een schapenvacht overheen en je krijgt een lammetje zover dat het denkt dat het zijn moeder is.'

'Ik maak wel eten voor ons', zegt Anna. 'Ik heb saucijsjes in de vriezer en Sonia komt pas om negen uur vanavond terug.'

'Is ze op de manege?'

Anna knikt, terwijl ze vers hooi in de doos van het poesje legt. 'Ja, ze is altijd op de manege.'

David kan niet zien of ze het vervelend vindt. Sonia is tenslotte niet haar moeder. 'Ze zal er wel een lekker ritje gemaakt hebben', zei zijn vader gisteravond, toen hij de lichten van de Landrover over de muur van de winkel aan de overkant zag glijden op het moment dat Sonia vaart minderde voor het met keien bestrate deel van de straat. Hij liep naar het raam en keek naar de verdwijnende achterlichten. Ze trokken nooit de gordijnen in de voorkamer dicht voordat ze naar bed gingen; dat had niemand in dit huis ooit gedaan, omdat ze niets te verbergen hadden. 'Ze is er vanaf elf uur vanochtend geweest.' En zijn moeder legde zijn vader het zwijgen op, omdat David in de kamer met zijn voetbalkaartjes in de weer was, maar ze moest er ook om lachen. Haar gezicht was mollig en had een kleur, net als wanneer ze in een wolk van geparfumeerde stoom uit de badkamer kwam met haar haar in een tulband gewikkeld. 'Misgun me nou niet mijn enige luxe', antwoordde ze als zijn vader tegen haar zei dat je in dertig centimeter water heus niet schoner werd dan in tien.

'Dat zijn geen blijvers', zei zijn vader. 'Die gaan weer weg.'

Zijn vader was altijd stellig in die dingen. David was trots op zijn vaders stelligheid, al kon het soms wat gênant zijn. Het maakte hen anders; het was net als met de gordijnen 's avonds openhouden. Als je er eenmaal mee begonnen was, moest je doorgaan, want als je je gordijnen plotseling dicht ging doen, was dat erger dan dat je ze altijd al dicht had gedaan. Zijn vader hoefde niet eerst met iemand anders te praten voor hij wist wat goed was. 'Die gaan weer weg.' Daarmee bedoelde hij ook Anna, rechtmatig verjaagd door het dorp.

'Er is aanstaande zaterdag kermis in Copstone', zegt David nu tegen Anna in plaats van iets over Sonia te zeggen. Hij maakt de vlijmscherpe klauwtjes van het poesje los uit zijn sweatshirt.

'Geef hem eens aan mij. Zet hem op mijn schouder, dan houd ik hem net zo vast als jij.'

Hij laat het poesje zachtjes zakken. Niet op Anna's smalle schouder, daar glijdt het misschien vanaf, maar op het zachte, bruingele, mouwloze T-shirt dat ze aanheeft. Hij zal het poesje in de kromming van haar arm zetten. Het poesje wringt zich zo in bochten dat hij bang is om het te laten vallen. Met de rug van zijn hand strijkt hij langs Anna's arm, die warmer is dan hij dacht. Hij heeft de bleke huid aan de binnenkant van haar arm aangeraakt. Hij bloost en buigt zich over het poesje heen.

'Mooi T-shirt heb je', zegt hij met plots schorre stem. Hij wist helemaal niet dat hij iets ging zeggen, maar Anna kijkt op en glimlacht alsof ze helemaal niet verbaasd is, alsof het precies is wat ze wilde dat hij zou zeggen.

'Hij is al veel sterker', zegt Anna. 'Moet je zien hoe hij op mijn schouder probeert te klimmen.'

'Voorzichtig, hij valt er af.'

'Nee, hoor, ik heb hem vast.'

Zonlicht valt door de schuurdeur naar binnen en warmt de met oude geuren van graan en hooi bezwangerde lucht. David heeft de zon in zijn rug, Anna zit vol in het licht. Er zitten kleine, glanzende haartjes op haar blote benen en armen, die David nooit eerder heeft gezien. Ze merkt niet dat hij kijkt, omdat ze haar hoofd heeft omgedraaid om het poesje te volgen, dat langs haar T-shirt omhoog probeert te klauteren, waarbij zijn nageltjes in het katoen blijven hangen. Dan kijkt ze David lachend aan en zegt: 'Moet je zien!' Haar gezicht glimt van blijdschap. Hij weet dat ze dacht dat het poesje dood zou gaan, en nu is hij niet dood maar springlevend en zal naar alle waarschijnlijkheid in leven blijven. Nog even en ze snijdt stukjes vis voor hem, maakt pompons waar hij achteraan kan rennen en leert hem een plastic muis te vangen. 'Ik moet hem leren hoe hij een kat moet zijn, want hij heeft niemand anders om van te leren.' In een notitieboekje houdt ze de vorderingen van het poesje bij. Katten leven lang, meer dan zeventien jaar soms. *Dat betekent dat wij dan zevenentwintig, bijna achtentwintig zijn. Denk je dat we elkaar dan nog kennen? Ik denk het wel. Ik weet niet waarom, ik voel het gewoon.*

Maar David is al bijna elf jaar op de wereld, onder bereik van zijn vaders zware, stellige stem. Blijdschap is gevaarlijk, net als lucifers in het bos. *Het zijn geen blijvers. Die gaan weer weg.*

Paul is aan het werk in zijn werkkamer. Hij weet van geen ophouden, ook al is hij in de greep van een angst die meer als een ziekte aanvoelt dan als een emotie. Zijn ledematen zijn stijf van het slechte slapen. Zijn ogen doen pijn en staren hem in de badkamerspiegel gelig en kwaadaardig aan, alsof ze slecht nieuws te verbergen hebben. Hij loopt voortdurend te hoesten, een harde nerveuze hoest.

'Ik denk dat ik griep heb', zei hij aan het ontbijt tegen Sonia. Ze wierp hem een van die korte, vijandige blikken toe, waaraan hij gewend begon te raken.

'Ga dan naar de dokter als je je zorgen maakt', zei ze op zo'n onverschillige toon dat hij heel even wist hoe het zou zijn om oud en ziek en getrouwd met Sonia te zijn. Hij moest bijna lachen. Moet je je voorstellen dat je op Sonia rekent om je rolstoel voor je te duwen! Zo'n idioot was hij inmiddels ook niet meer. Hij wist wat ze in haar schild voerde. Hij kent Sonia en hij kent precies de mate van kille ergernis die ze voor hem voelt. Hij maakt zijn eigen verraad te makkelijk. Hij doet Sonia tekort op het gebied van gevoelens die ze met recht mag verwachten.

'Ik ga nooit naar een dokter', antwoordde hij en hij pakte de stapel post op en ging ermee naar boven. De blik in zijn ogen had haar heel even het zwijgen opgelegd. Hij had haar snelle heroverweging bespeurd: was ze te ver gegaan? Maar hij had niet omgekeken en even later had het geluid van de auto hem duidelijk gemaakt dat ze besloten had dat het oké was, dat ze veilig was voor vandaag.

De post ligt nog op tafel. Hij draait de computer, die uiteraard vol staat met berichten, de rug toe. *U hebt nieuwe berichten.* Hij zal ze afhandelen, ook al moet hij onophoudelijk aan Johnnie denken. Hij wordt verteerd door Johnnie, iedere vezel is gespannen, wacht af en doet pijn. En op de achtergrond speelt de ijzige gedachte dat al zijn inspanningen voor niets zijn geweest als Johnnie er zomaar tussenuit kan knijpen. Johnnie is er altijd al tussenuit geknepen, al sinds hij voor het eerst betrokken raakte bij een zwendel met gestolen mountainbikes toen hij veertien was.

Paul loopt van kamer naar kamer, komt bij een deur of een raam en blijft daar dan stokstijf staan zonder dat hij weet hoe hij daar gekomen is of hoe hij opnieuw moet beginnen. Sonia is een verloren zaak; laat haar gaan. Als hij door zijn telescoop naar de sterren kijkt, zeggen ze hem niets. Hij ziet hoe ze een voor een gaan glanzen als het oog van een vos in de nacht. Maar je kunt de patronen die ze volgen niet doorbreken.

Hij overweegt Louise te bellen, misschien dat zij iets weet, maar iedere keer als hij de telefoon oppakt, legt hij hem weer neer. Zij weet natuurlijk ook niets.

Hij ligt op bed en Johnnies beeld staart hem vanaf het plafond aan: zijn neus is platgeramd en zijn mond is te gezwollen om te kunnen praten. Maar de ogen staren hem recht aan en in zijn blik ligt, naast de pijn en de angst, een vreemd soort voldoening. Dit is wat je wilde, denkt Paul, en hij weet dat het de waarheid is. Waarom zou Johnnie verdomme anders zo onbeholpen zijn?

Hij gaat wel weer naar Londen. Hij zal meer inlichtingen inwinnen. Hij is te voorzichtig geweest, omdat hij niet wil dat het nieuws de ronde doet dat hij op zoek is naar Johnnie. Hij zal zelfs bij Louise langsgaan, je weet maar nooit. Als zij weet waar Johnnie heen is, zal ze dat absoluut niet voor hem kunnen verzwijgen.

Hij zal dit huis verkopen, hij zal het dak boven Louises hoofd verkopen als het moet, hij heeft er alles voor over. Het doet er niet toe wat het kost, hij kan zo opnieuw beginnen. Hij kan zijn fortuin aanwenden en het helemaal opnieuw verdienen. Hij heeft er de kracht voor, hij is erop getraind. Hij heeft doorzettingsvermogen. Vroeger dacht hij dat iedereen de kwaliteiten had die hij had, dat ze er alleen niets mee deden, maar toen hij eenmaal vijfentwintig was, wist hij dat het zo niet in elkaar zat. Hij heeft een kamer vol gezichten zien oplichten door de energie van zijn wil, hij heeft gezien hoe ze hem aankeken en hoe blij ze waren. En dat is iets wat Johnnie niet begrijpt. Johnnie vindt zichzelf heel wat mans, omdat hij er al heel vroeg achter kwam dat zoiets als veiligheid niet bestaat, dat het alleen een rafelig touw boven een afgrond is. Hij moet gewoon steeds meer gewicht aan het touw hangen, daar kan hij niets aan doen. Als hij een mes zou hebben, zou hij het streng voor streng doorsnijden, zelfs als hij het zelf was die daar bungelde, want jezelf niet kunnen vertrouwen, is nou eenmaal de grootste kick van allemaal.

## 23

'Ik speelde altijd op de fruitautomaten daar', zeg je, wijzend naar de West Pier. Een zwerm spreeuwen cirkelt rond de kop van de pier en strijkt neer, terwijl een andere zwerm de naderende lucht verduistert. 'Ze slapen zeker op de pier.'

Het is vroeg in de avond. Het licht wordt dieper blauw, maar waarom moet het zo vroeg donker worden als het zo warm is? De tijd en het weer gaan niet samen. Halfnaakte kinderen zijn nog steeds aan de rand van het water aan het spelen of zitten met handdoeken om hotdogs te eten. Je weet nooit wanneer je weer zo'n weekend krijgt. Dit zou wel eens alle zomer kunnen zijn die we krijgen.

Likkend aan een ijsje van Marrocco slenteren jij en Johnnie over de boulevard. Jullie zijn inmiddels omgekeerd en lopen terug naar de pieren en de stad. Jonge mannen met harde lichamen en harde ogen fietsen midden op de boulevard, een heel eind bij het fietspad vandaan. Jullie lopen gearmd, Johnnie heeft zijn ijsje in zijn linkerhand, jij hebt het jouwe in je rechterhand. Hij heeft chocola gekozen, jij hebt aardbeien. Jullie lopen tussen de lichtgroene strandhutten en de zee.

'Ik kan ze geen ongelijk geven', zegt Johnnie. 'Lekker veilig.'

'Wat?'

'De pier. Voor de spreeuwen. Ze kunnen door niets gepakt worden op de pier. Toch? Niemand kan erbij.'

'Ze zijn hem aan het restaureren, kijk maar, ze gaan hem weer met het strand verbinden. Dat heb ik in de krant gelezen. Ze hebben er geld van de Loterij voor gekregen.'

'Ze kunnen hem beter met rust laten', zegt Johnnie.

'Dan stort hij op den duur in zee, als ze dat doen.'

Jullie lopen verder. Je kijkt naar de spreeuwen, die, met miljoenen tegelijk lijkt het wel, opvliegen en dalen boven de kop van de pier.

'Wat denk je, zouden ze nooit eens tegen elkaar op botsen?'

'Nee. Dieren zijn niet zo dom.'

'Het zijn geen dieren, het zijn vogels.'

Vogels, miljoenen vogels verduisteren de lucht met het gefladder van hun vleugels. Als je verder loopt met je arm door die van Johnnie, denk je daarover na. Het is prettig te beseffen dat de manier waarop je je voelt niets met drank te maken heeft. Rond lunchtijd heb je wat wijn gedronken – een fles met zijn tweeën, meer niet – en daarna heb je alleen nog een paar biertjes gedronken in een café in een zijstraat van de Kingsway. Je houdt niet van bier, dus het was een veilige keuze.

'Moet je zien,' zeg je, terwijl je naar de lucht wijst, 'Damiano's Dreamworld. Wat leuk dat dat er nog is. Ik zou gedacht hebben dat het jaren geleden al gesloten was.'

Het vliegtuig sleept zijn banier langs de lucht. *Kom naar Damiano's Dreamworld.* Maar het is al laat, er gaat nu niemand meer heen.

'Waar gaan we naartoe?' vraagt Johnnie.

'Ik dacht dat we misschien naar de Palace Pier konden gaan. Daar ben ik al jaren niet meer geweest. Waarom zet je die honkbalpet niet af? Het wordt al donker.'

'Oké.'

Johnnie laat je arm los, zet de pet af en propt hem in een afvalbak. Je stuift erop af om hem te redden, maar hij houdt je tegen.

'Laat maar, Lou. Je hebt gelijk, het is zo donker.'

Je wisselt van arm, zodat hij aan de buitenkant loopt, bij de reling. Er zijn veel mensen op de been, kinderen op driewielertjes, stellen met honden, groepjes buitenlandse kinderen die met zijn zessen naast elkaar lopen, mannen alleen met verlopen koppen. Het is net Londen aan zee, alles van beton en door mensenhanden gemaakt, tot je plotseling bij het water komt en de dingen alle kanten op kunnen.

'Er vaart daar een boot.'

Maar je beseft dat hij hem niet kan zien. Johnnies ogen zijn niet zo goed als de jouwe en hij weigert een bril te dragen. Je hebt al eens geopperd om contactlenzen te gaan dragen, maar het idee om met zijn ogen te moeten knoeien, maakt hem misselijk. Hij ziet uitstekend, zegt hij. De boot gaat met een slakkengang door het water, alsof hij niet naar land wil.

'Zie je die rode zeilen?' vraag je aan Johnnie en hij zegt ja. Je vertelt hem niet dat de zeilen wit zijn.

Voor jullie lopen een man en een vrouw, verbonden door hun dochter. Ze is ongeveer zes, haar lange magere benen eindigen in skates en ze praat aan één stuk door, ze houdt niet op, over dat ze het al beter kan, toch? Ze kan al bijna skaten, toch? Morgen kan ze het helemaal alleen, toch? En dan de donkere zachte tonen van haar vader, die het keer op keer beaamt, en de moeder, die haar aanmoedigt: 'Kijk, je duwt je voet zo, op deze manier, ja, zo, je doet het bijna goed.' Ze praten in een taal die je niet kent – geen Frans of Italiaans, iets vreemders dan dat – maar toch kun je ieder woord verstaan. Je gluurt heimelijk naar Johnnie om te zien of hij luistert. En ja, hij luistert. Je wilt zijn arm loslaten. Er hoort afstand tussen jullie te zijn. Een zware, blinde afstand die jullie zelf gemaakt hebben, die zijn evenwicht niet meer kan bewaren. 'Mama', zegt het meisje in haar vreemde taal. 'Papa', en beiden buigen zich naar haar toe om ieder woord te kunnen opvangen. Johnnie luistert ook. En hoewel het meisje eigenlijk nog niet echt kan skaten, gaat ze behoorlijk hard, met haar moeder die haar aan de ene en haar vader die haar aan de andere kant overeind houdt of, liever gezegd, ondersteunt en voorttrekt. De drie gaan duidelijk iets sneller dan jij en Johnnie en het hoge kinderstemmetje wordt al overstemd door het lawaai van voetstappen en het geknerp van fietsbanden die langsracen waar dat niet de bedoeling is, en omdat je hoopt dat de fietsers voorzichtig zullen zijn in de buurt van kinderen, kijk je om je heen om dat na te gaan en als je je dan weer omdraait, is het gezinnetje uit het zicht verdwenen. Je kijkt nog eens, maar ze zijn nergens meer te bekennen.

'Anna', zeg je met een stem die je nooit van plan was te gebruiken, waarna Johnnie je plotseling met een weerloze, doodsbange blik aankijkt. En hij wacht in angst af wat je hierna gaat zeggen.

'We zouden niet...' zeg je en dan zwijg je. Je zou niet over haar moeten praten, je zou Johnnie niet bang moeten maken, je zou uit het gegons van vreemde talen niet de woorden 'mama' en 'papa' moeten oppikken. Maar je doet het wel. Jullie zijn allebei blijven staan. Jullie zijn een tweepersoonseiland. Mensen gaan gedachteloos opzij, ze gaan bijna instinctief uiteen als ze jullie van achteren naderen en komen weer bij elkaar als ze jullie voorbij zijn. Je blijft staan en Johnnie blijft staan en je zult nooit vergeten hoe bang je bent, hoe bang hij is, hoe weerloos in zijn doodsangst het ooit mooie gezicht was waarmee hij je aankijkt.

'Ik ben haar kwijt', zeg je. 'We zijn haar kwijt', en Johnnie blijft je aanstaren alsof dit het eerste moment is dat je haar kwijt bent, alsof de pijn ervan nog maar net tot je is doorgedrongen. Je moet harder gesproken hebben dan je wilde, want mensen vertragen hun pas en kijken jullie nieuwsgierig aan, omdat ze het woord 'kwijt' horen, omdat ze jullie gezicht zien en zich afvragen of de politie al gebeld is, wanneer de zoekactie begint en of ze moeten aanbieden te helpen. Maar er gebeurt niets, dus lopen ze verder.

## 24

Jullie zijn op de pier. De Palace Pier, verfraaid met lichten en spelletjes die je meezuigen in een elektronische smog en je beletten de uitgang te zien voordat je portemonnee leeg is. Jongens hangen met vertrokken gezichten tegen de machines aan, smalle heupen tegen heupen van metaal, vingers op de pretknoppen. Jullie lopen verder, niet meer gearmd, maar wel dicht bij elkaar. Er hangt een walm van hamburgervet, suikerspinnen en pannenkoeken. Je blijft staan om wafels te kopen, want je vindt het enig als het zware metalen wafelijzer zich om het bleke beslag sluit en het tot toastbruine vierkanten drukt. Het meisje kringelt de ahornstroop erop, terwijl ze Johnnie aankijkt. 'Is dat genoeg voor je? Zo goed?' Maar als ze jou je wafel geeft, schuift ze de plastic stroopfles naar je toe en zegt: 'Ga je gang.' Jullie lopen verder en eten ondertussen de wafels op. Lampen flikkeren rood, geel, groen en goud om jullie heen en lichten jullie uit als cadeautjes aan jezelf en de muziek dreunt diep in jullie binnenste, te hard om hem te kunnen horen. Jullie praten niet met elkaar. Soms vertrekken jullie bij wijze van glimlach even je mond tegen elkaar. Jullie eten hoekje voor kleverig hoekje jullie wafels op.

Jullie gaan een andere speelhal in. Er staan kasten met snoepgoedgele teddyberen met Disney-ogen, wachtend op de klauw die boven hen wiebelt maar nooit omlaag komt. Je lijdt met hen mee, je wilt dat het gebeurt.

'Zal ik er eentje voor je winnen?' vraagt Johnnie, en jij zegt: 'Oké, doe maar', maar zijn munt haalt even weinig uit als die van anderen. De klauw grijpt boven het pluche in de lucht en sluit zich langzaam om niets. Maar de machine heeft besloten dat jullie sullig genoeg zijn voor een troostprijs en laat droogjes een sliert snoepjes in een metalen trechter glijden. Tot je verbazing graai je ernaar alsof het geld is. Oranje, paars, lindegroen, tongroze. 'Ik hou niet van kauwgum', zeg je en je laat ze liggen. Johnnie haalt zijn schouders op en loopt bij je vandaan.

'Wil je de paardenrennen proberen?' roept hij. Je loopt erheen. Onder een plaat van doorzichtig plastic hobbelen kleine plastic paardjes langs evenwijdig lopende lijnen. De kleding van de jockeypoppetjes heeft dezelfde kleuren als de kauwgum. Er is een gleuf om je geld in te doen en er zijn knoppen waar je op moet drukken om de kleur te bepalen van het paard waar je op wedt. Johnnie doet zijn muntje erin en het licht begint te knipperen: *Sluit nu uw weddenschap af.* Je zegt dat hij rood moet nemen, maar hij drukt op de groene knop en jullie kijken allebei toe als de paarden vooruitglijden, eerst het rode, dan het groene, het paarse, het oranje, het gele, het bruine. Het rode paard glijdt naar voren, te vroeg, dat tempo houdt hij nooit vol. Hij schokt als de elektrische impuls afneemt en het bruine paard hem voorbijsnelt, waarbij de plastic jockey trilt op zijn plastic ros. En daar, aan de buitenkant, voortgestuwd door een plotselinge, ingecalculeerde stroomstoot, gaat het gele paard soepel voorwaarts naar de eindpaal. De wedstrijd is voorbij. Alle paarden glijden terug naar de start. Je stopt er alweer nieuwe munten in. Paars dit keer. Er móét een systeem zijn. Kijk wat er de volgende paar races gebeurt, dan kom je er wel achter.

'Die jockey op het bruine paard, die is verbogen', zegt Johnnie. 'Dat remt hem af.'

'Ik zei toch dat er een systeem was.'

'Heb je nog tien-pencestukken?'

Je leegt je portemonnee voor hem, maar je doet het zo wild

dat de munten op de grond vallen. Je knielt om ze weer bij elkaar te grabbelen en dan zie je hem onder de kieren in de planken op je wachten.

'Johnnie.'

'Wat is er?'

'Kijk. Daar ligt de zee.'

Hij knielt ook, omdat hij niet gehoord heeft wat je zei. Hij denkt dat er iets mis is.

'Wat?'

'Kijk. De zee.'

Hij is er al die tijd geweest, dik en zwart roerde hij zich onder de pier. Het doet er niet toe wat ze eroverheen bouwen om je af te leiden. Lichten, muziek, geld. Het maakt niet uit.

'Tuurlijk ligt daar de zee', zegt hij als hij snapt wat je bedoelt en naast je knielt, maar het doet hem niets. Hij ziet niet wat jij ziet. 'Je staat op de pier, wat zou er anders onder moeten liggen?'

Je kijkt naar beneden, naar de zwarte, glibberige, volle zee. Met haar ene, kwaadaardige oog knipoogt ze naar je.

'Als ik erin zou vallen, zou ik doodgaan. Ik zou er niet tegen kunnen', zeg je.

'Je overleeft het wel, hoor. Je kunt toch zwemmen?'

'Niet daarin.'

'Laten we wat gaan drinken.'

Je komt langzaam overeind. Je lijkt iets te doen wat je eerder gedaan hebt, je kunt je alleen niet herinneren waar. Het denkbeeldige kwartje hunkert ernaar te vallen, als de klauw die boven het speelgoed hangt.

'Een afzakkertje', zegt Johnnie.

'Gaan we terug? Ik ben nog niet moe.' Je wilt de flat nog niet. Je wilt niet dat Johnnie slaapt, dat alle uren open voor je liggen en het kleine meisje op haar skates wegrijdt, niet hard, maar harder dan jij kunt lopen.

'Wist je dat Paul speed gebruikte toen hij de Almeidaflats

deed?' vraag je Johnnie zonder je erom te bekommeren of hij je gedachtestroom kan volgen.

'Tuurlijk wist ik dat. Ik woonde bij jullie, toch?'

'Het waren twee banen tegelijkertijd. Hij zei dat het de enige manier was om het vol te houden.'

'Tja, misschien had hij wel gelijk.'

'Ik weet het niet. Ik had er meer bij stil moeten staan. Een man hoort niet om drie uur 's ochtends thuis te komen en dan om zeven uur weer op te staan voor de volgende werkdag.'

'Maar dat deed hij wel.'

'Ik weet het.'

En je denkt aan Paul, op de bouwlocaties en aan de telefoon, op de snelweg om drie of vier uur in de ochtend, die keer dat hij zei dat hij het wel prettig vond, omdat hij dan alle ruimte had. Soms reed hij naar het oosten en zag de zon opkomen, dan wist hij dat hij hem terugjoeg naar waar hij vandaan kwam om zo een minuut of meer te winnen. Je noemde het 'alle uren werken die God gegeven had', en je accepteerde het. Je gedroeg je alsof hij het eindeloos kon volhouden, omdat hij zei dat hij het eindeloos kon volhouden. En je had nooit het lef om hem tegen te spreken, al moest je ergens geweten hebben dat het onmenselijk was. Je zoekt naar een woord, een woord dat je niet in gewone spreektaal zou gebruiken. Het blijft ergens in je achterhoofd steken, maar je weet dat het je te binnen zal schieten op het moment dat je het het minst verwacht.

Het water ligt breeduit onder je. Je weet het. Je proeft ahornstroop in de spleten tussen je tanden en ook de smaak van Johnnie, alsof het gisteren was en er nog van alles op het spel stond.

'Lou.' Je hoort zijn stem zacht aan je zijde.

'Wat?'

'Niet meteen kijken. Wacht. Als ik het zeg, daar bij de hotdogkar.'

Je laat je gevallen munten een voor een in je portemonnee

glijden, je glimlacht naar Johnnie en gluurt om je heen. Wat gaan we nu doen? IJsje, achtbaan, het café in? Je maakt je blik zo vaag als een wolk en laat hem over de twee mannen bij de hotdogkar glijden. Ze kijken op zo'n manier naar niets dat je weet dat er iets is. Je wacht af, gaapt, laat je blik nogmaals over hen heen glijden. En daar is het, als een kleine, niet mis te verstane samentrekking: hun blik op Johnnie en niemand anders. Een blik die zich in hem boort.

'Ik ben een beetje moe, nu ik erbij stilsta', zeg je. 'Ik zou het niet erg vinden om vroeg naar bed te gaan.' Het woord dat al die tijd tevergeefs door je achterhoofd dwarrelde, komt plotseling met een klik tot stilstand, als een rijtje van drie sinaasappelen. Genade.

## 25

'Wie waren dat?'

'Niemand. Zomaar een paar jongens.'

'Niet degenen…'

'Nee.'

'Nou dan, dan is het oké.'

Maar je zegt het terwijl je weet dat het niet zo is en dus vraag je bijna om de boze uitbarsting, waarin hij zegt: 'Het is godverdomme niet oké. Ik wil niet dat ook maar iemand weet dat ik hier ben.'

'Ze hebben je gezien, dat is het enige wat er gebeurd is. Ze weten niet waar je bent. Ze weten niet eens dat je hier blijft. Je kunt wel een dagje op bezoek zijn geweest. Er gaan zat mensen een dagje naar Brighton.'

'Ja, hoor.'

Jullie staan naast elkaar op het balkon, in het donker. De nacht is kalm. Het is net Italië, denk je, de warme plotselinge schemering. Jij vond het heerlijk daar, maar Paul niet. Misschien was het de Roemeen in je. Je moeder had het altijd over de hitte in Boekarest in augustus en hoe ze ernaar snakte om met haar vriendinnen de bergen in te gaan. 'Daar was het ook warm, maar anders warm. Een droge, heldere warmte. Het rook er naar dennen en zodra je uit de trein stapte, wist je met je ogen dicht waar je was.' Ze praatte soms over die dingen, maar zelden als je ernaar vroeg. Nu lijken haar herinneringen wel de jouwe. Ook jij staat op het lage perron naast de trein die bruine kolenrook uitbraakt. Het trapje is ingetrokken, de trein vertrekt, je staat in de gele hitte met je koffer in de hand, terwijl de geur van dennen zich stilletjes over het lege station verspreidt.

Jullie staan naast elkaar op het balkon, jij en Johnnie. Je staat op de rand van het land. Londen ligt achter je, net als de akkers en bossen waar je onderweg doorheen sliep. Het platteland brengt je altijd in slaap. Hier is waar ze een dikke streep onder Engeland zetten en alles tot stilstand komt. Het ene moment zijn er nog auto's en winkels en zebrapaden en slijterijen en openbare bibliotheken. Het volgende moment is er niets. Stenen en water. En als je in het water kijkt, zie je dingen die je doen wensen dat je niet had gekeken. Je herinnert je een zeeduivel die je ooit in een museum hebt gezien, met een label op zijn glazen bak. Niemand kon een wezen bedacht hebben dat zo lelijk was: het moest God wel geweest zijn.

Je kijkt naar de auto's die voorbijrazen. Je hebt geen trui nodig. Het is heerlijk om daar met blote, over elkaar geslagen armen te staan en de warme stevigheid van je eigen armen, je eigen vlees te voelen. Johnnie pakt de fles whiskey van de smeedijzeren tafel en schenkt wat in zijn glas en wat in het jouwe.

'We hebben een fout gemaakt', zegt hij. 'We hadden hier niet heen moeten gaan. Ik had die boot vanuit Harwich moeten nemen.'

'Wat is er zo geweldig aan Denemarken?'

'In Kopenhagen zit een man die me vijftig mille schuldig is.'

Maar je kent Johnnie. Er is altijd wel iemand die hij kent, die je er sneller heen kan brengen, die spullen goedkoper kan krijgen, die de prijzen omlaag kan krijgen, die tickets kan bemachtigen. Hij hoeft hem alleen maar een belletje te geven.

'En hij zit daar zeker te wachten tot jij komt opdagen en erom vraagt? Hij heeft het kant en klaar in een doos onder zijn bed liggen zeker?'

Johnnies gezicht klapt dicht. Je hebt de regels geschonden. Je houdt Johnnies beloften nou eenmaal niet tegen het licht. Je laat ze op tafel liggen of je ruilt ze in tegen echt geld. 'Het is geregeld', zegt hij, en je weet dat het zo is. Het zit allemaal in zijn hoofd, duidelijker dan het balkon of de zwarte, fluisterende zee of jij met je glas in je hand, waaruit je nauwelijks gedronken hebt, omdat je weet dat je je hoofd koel moet houden.

'Hoe heet hij?' vraag je.

'Hans', zegt Johnnie meteen, zonder erover te hoeven nadenken.

'Dat is een Duitse naam.'

'Misschien had hij een Duitse moeder, weet ik veel.'

'Dus Hans staat voor vijftigduizend bij je in het krijt?'

'Hij deed die deal samen met mij. We zouden er ieder vijftigduizend aan overhouden.'

'Maar het feest ging niet door.'

'Het zou doorgegaan zijn als Hans het niet verknald had.'

'Dus hij staat bij je in het krijt voor wat niet gebeurd is.'

Je draait je om, loopt naar de rand van het balkon en kijkt naar beneden. Als het daglicht eenmaal weg is, is er niets vriendelijks meer aan de grote stenen huizenblokken, de brede gazons, de scherpe silhouetten van strandhutten en de zee erachter. Je bent blij dat je hier op de tweede verdieping bent en niet daarbeneden, waar van alles kan zijn. Je denkt aan wat Paul over Johnnie zei toen zijn bootlading dromen ergens tussen Zennor en Land's End in rook opging.

'Ik begrijp niet hoe hij zo verdomd onverschillig kan zijn. Als je je in dat soort zaken begeeft en al het andere ervoor opzij zet, moet er geld in zitten. Dat kan niet anders. Maar hij weet het nog te verknallen. Het enige wat het hem oplevert, is risico zonder opbrengst.'

'Misschien is dat wat hij wil', zei je, waarop Paul je aankeek alsof je gek was. Maar je wist dat je gelijk had. En je weet het nu ook. Niemand kon voortdurend zo onverschillig zijn als Johnnie zonder daar een beetje over nagedacht te hebben. Hij heeft een systeem. Met de ene hand neemt hij, met de andere gooit hij weg. Er is geen man in Kopenhagen, maar dat wil niet zeggen dat Johnnie liegt. Er zal heus wel een of andere Hans zijn. Hij heeft waarschijnlijk een flatje en een uitkering en soms een baan, en een droom die gestalte kreeg toen hij Johnnie ontmoette. Johnnie is er goed in om andermans dromen gestalte te geven. Hij straalt altijd een zonnig beeld naar hen terug van dat wat ze het liefste willen. Dat is zijn gave. Maar Paul ziet dat niet, zelfs niet als die gave dezelfde uitwerking op hem heeft als op iedereen. Het probleem is dat die gave ook zijn uitwerking op Johnnie heeft. De dromen stralen van hem af en hij gelooft ze.

'Waarom blijf jij niet hier?' oppert Johnnie. 'Een beetje vakantie houden. We hebben de flat tenslotte voor een maand. Ik neem morgen de trein naar Londen. 's Avonds gaat er een boot vanuit Harwich.'

'Je kunt beter niet naar Londen gaan. Je kunt beter hier blijven.'

Je zegt het tamelijk droog, niet zoals je zou willen. Dat werkt het best bij Johnnie. Als je professioneel kunt klinken, zoals een arts, alsof het jou persoonlijk niet aangaat wat hij doet of laat, dan luistert hij soms. Hij is doodsbang voor ziektes.

'Vertel me dan maar eens waarom.' Hij klinkt alsof hij het echt wil weten, dus je steekt van wal.

'Omdat het enige wat er kan gebeuren als je hier blijft, is dat je je gaat vervelen.'

'Ik kan niet eeuwig hier blijven. Ik heb toch ook nog een leven?'

'We hebben het niet over eeuwig. We hebben het alleen over nu. Blijf gewoon een paar weken hier en alles waait over.'

'Waait over', smaalt hij. Maar het klinkt ook verlangend, alsof er een minieme kans bestaat dat jij de symptomen van zijn ziekte beter kent dan hijzelf. Op dat moment weet je dat hij echt in moeilijkheden zit.

'Ik kan wel aan geld komen', zeg je. 'Ik kan naar Londen gaan. Ik kan zelfs naar Paul toe gaan.'

'Ze willen me een aandenken geven', zegt Johnnie.

'Wat bedoel je?'

'Je weet wel.'

En je gelooft het. Ze willen een einde maken aan Johnnies luister. Vrijwel niemand heeft wat hij heeft. Geef hem een aandenken, verpest zijn uiterlijk, maak iets van hem waar je medelijden voor voelt, geen begeerte.

'Je weet niet hoe het is', zegt Johnnie. Je knikt. Dat is zo, je weet niet hoe het is. Je kunt slechts raden en langzaam doorgaan, hopend dat de grond niet onder je voeten wegzakt. Schoonheid is voor een man nog vreemder. Het is iets aparts, zoals de vorm van een babyhoofdje, gemaakt om je te ontroeren. Je weet het en hulpeloos probeer je er weerstand aan te bieden, maar toch ontroert het je iedere keer weer, ergens zo diep dat het lijkt of het aangeboren is. Je kunt het net zo min wegpoetsen als je je eigen vingerafdrukken kunt vernietigen.

# 26

Je gaat liggen, naast elkaar, en de wind die door het raam komt, kabbelt langs je huid. Je kunt niet slapen in een afgesloten kamer, ongeacht wat Johnnie zegt. Je moest van hem de balkondeuren aan de voorkant op slot doen en de jaloezieën in de badkamer sluiten, ook al kijkt het badkamerraam uit op een blinde, stenen muur. Toen de telefoon ging, wilde hij niet dat je hem aannam.

'Het kan niet voor ons zijn', zei je. 'Niemand weet dat we hier zijn.'

De telefoon neemt alleen binnenkomende gesprekken aan. Je liet hem tien, vijftien, zeventien keer overgaan. Het leek zo tegennatuurlijk om hem niet aan te nemen. Op de achttiende stopte hij. Net toen je overwoog hem van de haak te leggen, begon hij opnieuw doordringend te rinkelen, een anoniem, snerpend geluid.

'Kan je de stekker van dat pokkeding er niet uittrekken?' zei Johnnie.

'Het is waarschijnlijk gewoon iemand die dubbele beglazing verkoopt. Laat maar rinkelen. We hebben er geen last van.'

'Mijn hoofd heeft er last van', gromde Johnnie, maar vervolgens slenterde hij naar de badkamer en even later hoorde je de douche op '*power*-stand' en wist je dat hij de derde noch de vierde keer dat hij overging gehoord kon hebben. Daarna gaf de telefoon het op.

Johnnie ligt op zijn rug, naakt in het starende oog van de plafonnière. Hij weigert het licht uit te doen. Je draagt je crèmekleurige satijnen nachthemd, heel eenvoudig op een sierrandje langs de hals na, en je zou dolgraag willen dat hij het licht niet aan hoefde te houden. Het is niet alsof je twintig bent en niet kan wachten om je kleren uit te trekken en te laten zien wat je in huis hebt. Nu is het meer een kwestie van hoe je zo kunt gaan liggen dat het lijkt of je twee magen hebt in plaats van drie. Daar lig je dan, gestrand in het wrak van jezelf, net wanneer je het uiterlijk dat je jarenlang veronachtzaamd hebt, het meest nodig hebt. Niet dat je ooit zo'n vrouw was die er altijd goed uitzag. Zoals Sonia bijvoorbeeld. Zie Sonia één keer en je hebt haar voor altijd gezien, een tweede keer kijken hoeft niet. Jij was af en toe mooi. Je kon de stroom aan en uit voelen gaan in je, net als dat licht. Nu is hij voorgoed uit, prent je jezelf grimmig in, dus laat je de hoop niet de kop opsteken. Je denkt niet dat er vanavond nog iets anders de kop zal opsteken.

Je zit half rechtop, met je eigen kussens en die van Johnnie in je rug. Hij ligt liever plat, dat doet hij nu ook, starend naar het plafond. Je kijkt naar hem alsof je hem nooit eerder gezien hebt. Je neemt hem in je op: het zwarte haar, waar je je hand overheen liet glijden toen hij klein was, het haar dat als een donkere streep tussen zijn tepels door loopt, tot aan zijn buik, zijn penis die in een krul opzij ligt, alsof je er niet bent.

Je glimlacht half. Je bedenkt hoe vreemd het is om hier te zijn en hoe vreemd dat die tederheid voor Johnnie in golven bij je opkomt, golven die aanrollen, breken, terugglijden en dan weer aanrollen alsof er nooit een einde aan zal komen. Hem maakt het helemaal niets uit. Hij is er zo aan gewend dat mensen op die manier naar hem kijken dat hij het niet eens merkt. Hij heeft het zijn hele leven van Paul gekregen en waar Paul ophield, stonden genoeg anderen te popelen om te beginnen.

Je kijkt hoe hij naar de whiskeyfles naast het bed tast. Hij probeert zonder te kijken in te schenken, de stommeling, en dat gaat niet goed. Hij morst de whiskey op de vloer. Het kleed zal straks wel stinken. Je moet niet vergeten zo'n spuitbus met tapijtreiniger te kopen, van dat spul dat net zo ruikt als de luchtverfrisser op de toiletten van warenhuizen. Je hebt er een bloedhekel aan. En wat nog erger is, zijn die arme sloebers die daar de hele dag worden vastgehouden, die telkens de hokjes in duiken om de bril af te vegen als er een paar billen vanaf komt.

Johnnie klungelt met fles en glas. 'Wil je wat drinken, Lou?'

'Nee, ik hoef niet.'

'Voel je je wel goed?' vraagt hij plagerig, terwijl hij zich op één elleboog opricht. 'Het lijkt wel alsof je jezelf niet bent vanavond.'

'Ik heb al gezegd: drink jij maar als je wilt, ik heb genoeg gehad.'

Je kunt niet geloven dat jij het bent die zegt: ik heb genoeg gehad. En het nog meent ook. En niets voelt voor de whiskey, enkel een soort verbazing dat er nog maar zo weinig over is. Hij zal zich morgenochtend wel beroerd voelen. De fles is voor driekwart leeg. Nooit eerder heb je hem zich zo zien laten gaan. Zijn ogen zijn gezwollen van de whiskey en zijn gezicht lijkt wel uit vorm geslagen. Het jouwe moet er meestal zo uitzien, maar het is niet iets wat je aan jezelf ziet, zelfs niet in een goede spiegel.

Johnnie ploft terug op het bed, waardoor jullie allebei op en neer deinen. Het is een heel goed bed. Voor de zekerheid heb je onder de matrashoes gekeken. Hij heeft zijn ogen nu dicht. Iemand die hem niet kende, zou denken dat hij zich begon te ontspannen. Het witte licht boven je hoofd accentueert ieder detail, maar je kunt niet zeggen dat het licht hard is. Wel helder.

Hij draait zich om, recht in je armen. Ze waren al open, zoals ze altijd open waren voor Anna als ze gevallen was, nog voordat ze haar mond opendeed om te brullen. Het is allemaal hier bij je in de kamer: de pier met zijn lichten en het zwarte water eronder, de paarden die probeerden te galopperen maar vastzaten en dus faalden, de lucht van suikerspinnen, verschroeid rubber, patat. Je ziet de terloops naar Johnnie gewende gezichten. Je ziet ze alerter worden. Je herinnert je de kat in de tuin. Die haar stalen klauw door het water liet schieten en een van de vissen ving. De grote karper met het dikke witte vlees kon ze niet te pakken krijgen, maar de kleine oranje haalde ze eruit. Het leek wel of hij in brand stond toen ze hem uit het water griste en de kop afbeet. Maar je kunt jezelf niet toestaan te bedenken hoe het voelt een vis te zijn. In plaats daarvan denk je: vijver, vis, kat, en dat zwakt het wat af. Het verandert in een verhaal dat al honderd keer verteld is. De vis zwemt, de kat wacht, de vijver is diep of niet diep genoeg. Haar kop sloot zich om de oranje karper en scheurde er het vlees af. Ze liet je zien dat ze hem opat, en toen ze klaar was, likte ze haar pootjes af, boog haar kop en raspte de fluwelen kussentjes net zolang tot ze zowel vanbinnen als vanbuiten weer volmaakt was.

Als een kat die ter communie gaat.

De zon was verblindend. Dat was het moment waarop Johnnie de tuin in kwam en je de donkere plek van zijn schaduw aan zijn voeten zag, als een plas inkt of bloed. Hij zei: 'Hoe is het?'

Toen was er iets tussen jullie: de harde klomp vlees die Anna was, waardoor jouw vlees op knappen stond. Jij aan de ene en Johnnie aan de andere kant. Jullie raakten elkaar niet aan. Je loog en je bleef liegen, je liet Anna van niemand zijn en je deed net of je niet begreep waar je mee bezig was. Maar nu weet je dat het een zonde was.

Hier ligt hij, aan de andere kant van je vlees, tegengehouden door de massa van je borsten, je buik en je dijen. Er zal niets gebeuren. Hij heeft te veel whiskey op en bovendien...

Je streelt zijn haar. Hij heeft zijn ogen nu gesloten. Je voelt zijn lengte, zijn warmte, ruikt zijn zurige whiskeylucht. Hij zal zo wel in slaap vallen, dan kun je hem van je afduwen als het lukt en het licht uitdoen.

Hij gaat naar Harwich en je kunt hem niet tegenhouden. Maar je kunt wel mee.

## 27

Anna warmt melk op voor het poesje. Er is nog niemand op, want het is nog niet eens zes uur. Ze heeft het laatste restje melk opgemaakt, maar ze is van plan om naar het dorp te lopen en nieuwe te kopen voordat ze het merken.

Er komt een auto het pad op. Hij stopt, het blijft een tijd stil, dan klinkt de klap van een portier. Een tel later slippen banden op het grint van de draaicirkel en is de auto weer vertrokken langs het pad. Het zal wel iemand geweest zijn die verdwaald was en per vergissing hier terechtgekomen was. Anna draait zich terug naar het fornuis en tilt de pan van de brander. De melk is nu te warm, ze moet hem koelen. Ze draait zich met de pan in haar handen om, wil naar de gootsteen onder het raam lopen en blijft stokstijf staan. Daar is Sonia, die haastig langs het raam naar de voordeur loopt. Anna bukt, maar het is oké, Sonia heeft haar niet gezien. Ze bukt en de melk komt als een golf omhoog en klotst op de plavuizen.

Ze is op haar knieën de vloer aan het dweilen, met de verkeerde doek, als Sonia de keukendeur opent. Daar blijft Sonia staan, net voor de drempel, nog glanzend van het prachtige vroege uur van de dag, met tintelend lichaam, wezenloos van verrukking. Anna ziet het niet. Ze smeert melk over de plavuizen en durft niet op te kijken. Langzaam schudt Sonia zichzelf wakker en neemt het kind en de rommel in zich op.

'Wat doe je?'

'Ik was warme melk aan het maken.'

'Geef hier.'

Sonia grijpt de doek, spoelt en wringt hem uit in de goot-steen, doet er een scheut bleekwater bij en haalt de doek krachtig op en neer, alsof ze hem wil verdrinken.

'Weet je het verschil niet tussen een dweil en een vaatdoek?' vraagt ze op hoge toon. Maar Anna maakt zichzelf klein en wrijft met haar blote, met melk besmeurde voet over haar kuit. Ze geeft geen antwoord. Sonia is al in het aanrechtkastje gedoken en haalt er een dweil uit, waarmee ze naar Anna zwaait.

'Alsjeblieft. Hier doe je dat mee.'

Anna pakt de doek aan, maar doet niets. De keuken ruikt naar bleekwater en gemorste melk en ze voelt zich misselijk.

Plotseling verandert de uitdrukking op Sonia's gezicht. 'Ach, laat ook maar, Anna. Ik doe het wel. Waarom was je trouwens zo vroeg op?' Ze pakt Anna de doek uit handen, bukt zich en veegt de vloer grondig schoon, waarbij ze alle hoekjes meeneemt. In een wip zijn de plavuizen schoon en is de doek weggewerkt. Sonia, die wederom heeft gezegevierd over vuil en wanorde, vult de ketel.

'Kopje thee, Anna?'

Anna knikt gebiologeerd. Sonia heeft de kraan helemaal opengedraaid, zodat de straal hard in de ketel spuit. Haar keurige blonde kapsel is wat in de war geraakt en krult vochtig om haar gezicht. Haar huid heeft een fris glanzende kleur.

'Regent het?' vraagt Anna.

'Regent het! Het is een prachtige dag. Ik snap niet waarom je de hele tijd in de schuur wilt zitten. Je zou moeten leren paardrijden.' Ze glimlacht, een blozende, heimelijke glimlach. 'Er is niks zo leuk als paardrijden. Ik ben morgen de hele dag weg. We gaan de heuvels in en zijn niet voor donker terug.'

Anna is stomverbaasd. Sonia heeft nog nooit zo met haar gepraat. In feite praten ze nauwelijks met elkaar; bijna instinc-tief ontwijken ze elkaar, de een komt de kamer binnen als de ander eruit gaat, waarbij de een opzijgaat om de ander voorbij te laten, zodat hun lichamen elkaar nooit raken. Maar moet je Sonia nu zien, ze schiet omhoog om bekers van hun haakje te halen, ze duikt als een danseres de koelkast in om de melk te pakken. Ze zit boordevol geluk, ze zindert ervan. Anna kan het van haar af voelen stralen.

'Heb je de melk opgemaakt?'

'Het spijt me, Sonia, ik zag pas dat hij op was toen ik al had ingeschonken, ik was van plan om nieuwe te halen…'

'Dan drinken we hem met citroen. Hou je van thee met citroen?'

Anna knikt.

'Oké. Luister, ik ga eieren met spek bakken. Wil je ook of ga je terug naar bed?'

'Mag ik een boterham met gebakken spek?'

'Ja, prima.'

Anna staat tegen de kast geleund naar Sonia te kijken. Ze is zo snel en volmaakt in alles wat ze doet. Ze tikt de eieren kapot en de doppen breken keurig doormidden, alsof ze ze doormidden heeft gesneden. Ze gooit het spek moeiteloos in de koekenpan en het krult sissend op. Sonia draait het met een snelle polsbeweging om en laat dan de eieren er een voor een op vallen, nadat ieder ei eerst in een glas is rondgedraaid voordat het de hete pan in ging.

'Als je het zo doet, hou je de dooier in het midden', zegt ze tegen Anna. Het spek spettert, de eieren liggen te gniffelen in het vet. Anna beseft: Sonia is jong.

'Hoe wil je het: zacht of knapperig?'

'Knapperig.'

Anna pakt de tomatenketchup en snijdt dikke sneden witbrood af. Het voelt vreemd om zo in de keuken bezig te zijn met Sonia zonder het erg te vinden als jullie elkaar in het voorbijgaan aanraken. Hier in de keuken, met de lichten nog aan, ook al wordt aan de andere kant van het raam de nieuwe dag steeds sterker, en het spek dat omkrult en knapperig wordt terwijl de eieren in een sluier van wit liggen te bubbelen, lijkt Sonia wel iemand anders. Ze heeft haar paard-rij-jasje uitgetrokken en het over de deurknop gegooid. Er zitten gras- en zweetvlekken op haar witte T-shirt, dat gedraaid om haar platte buik zit, zodat Anna een stuk van Sonia's soepele huid kan zien en haar navel, een diepe deuk in het bruine vlees. Normaal gesproken wisselt Sonia van kleren zodra ergens een smetje op zit, maar vandaag lijkt ze zich er niet om te bekommeren. Ze is zichzelf vergeten. En nu steekt ze haar vinger zomaar in de dooier van een ei terwijl het ligt te bakken. Ze brengt haar goudgeel druipende vinger naar haar mond en zuigt erop. Anna pakt twee borden, twee bekers.

Sonia schuift wat spek op Anna's bord en de rest van de volle pan op haar eigen bord. Anna maakt haar boterham zoals ze hem lekker vindt: een dun laagje tomatenketchup op het witbrood, wat slablaadjes, het hete spek en de boterham dicht-geklapt. Ze brengt de boterham naar haar mond. Stevig, zoetig brood, de sla net verwelkt door heet vet, het spek krakend tussen haar tanden, de zurige zoetheid van tomatenketchup om de smaak van het vet wat te verzachten. Sonia vouwt haar spek dubbel met haar vinger en stopt het in haar mond. Geen van beiden maakt aanstalten om naar de lange, glanzende eetkamer te gaan. Ze eten staande, gulzig. Sonia is verbluffend, het kan haar niets schelen. Haar mond is wijdopen en haar lippen glanzen van het vet. Haar tanden rukken aan het spek, ze snijdt de dooiers uit haar eieren en slikt ze in hun geheel door.

'Ik had dat brood moeten bakken', zegt ze. Anna kijkt haar over de dikke spekboterham aan, maar zegt niets. Sonia's blik is nu scherp, direct, rechtstreeks op Anna gericht. 'Dan vraag je je toch af wat we hier doen', merkt ze op.

'Wat bedoel je, Sonia?'

'Jij en ik. Er moeten heel wat mensen in het land zijn die net als wij samen in de keuken zitten. We zijn niet door geboorte verbonden, we hebben elkaar niet gekozen. Maar toch wonen we hier samen.'

Nee, denkt Anna, we hebben elkaar niet gekozen. Als er al iemand heeft gekozen, was het mijn vader. Maar ik denk dat niemand gekozen heeft. En toch zijn we hier.

'Ik neem aan dat je ons wel een gezin kunt noemen', vervolgt Sonia. 'Maar hoe meer je erover nadenkt, hoe vreemder het is, een gezin waarvan de leden niet aan elkaar verwant zijn en niet voor elkaar gekozen hebben. Vind je dat niet vreemd, Anna?'

'Ik weet het niet', zegt Anna. Haar hand is naar haar linkerzak gekropen en betast een opgevouwen vel papier.

'Mensen zeggen van alles over stiefmoeders', zegt Sonia. 'Ze zeggen het zelfs in je gezicht. Beschouw je mij als je stiefmoeder, Anna?'

Betrapt als ze zich voelt, staart Anna haar slechts aan. Maar Sonia's gezicht staat niet vijandig. Ze wil het gewoon weten.

'Ik heb een moeder', zegt Anna.

'Ik weet het', zegt Sonia en ze doet er vervolgens het zwijgen toe. Ze zal nooit weten hoe dankbaar Anna haar is dat ze er het zwijgen toe doet. Anna denkt aan Grace Darling. Stoutmoedig, dapper, vastberaden. Ze denkt aan de golven die over Grace Darlings roeiriemen sloegen toen ze haar rug kromde en de verdrinkende mannen te hulp roeide. Ze vroeg niemand iets, ze ging gewoon. Als ze niet gegaan was, zouden ze in het donker op de rotsen omgekomen zijn. Ze raakt even het blaadje aan dat ze uit Fanny Fairways leesboek heeft gescheurd.

Sonia gaapt. Haar armen gaan omhoog, haar goudbruine onderarmen, haar zijdeachtige oksels. Haar borsten verheffen zich als ze haar armen achter haar hoofd omhoogtrekt en uitbundig gaapt tot haar ogen ervan tranen. Haar geur hangt in de keuken; niet van haar parfum maar van haar vlees. Anna ziet dat ze mooi is nu ze haar kille netheid heeft afgeworpen als kleren rond bedtijd. Ze is mooi en haar armen zijn sterk van het paardrijden. Wat ze wil, zal ze krijgen. Ze loopt dapper en

223

uitdagend door het vertrek, ook al is alleen Anna er. Anna wordt bijna verlegen in haar gezelschap. Ze slaat Sonia gade en denkt aan wat ze gezegd heeft. Niet aan elkaar verwant en niet voor elkaar gekozen. Waarom zijn ze dan samen, haar vader en Sonia en Anna? Welke omstandigheden hebben hen hier gebracht? Wie maakte die keuze, en is het Sonia die die keuze nu ongedaan maakt, die haar armen opent voor nieuwe dingen en de oude uittrekt als vieze kleren?

'Ik heb gisteren gegaloppeerd op de merrie', zegt Sonia. 'Ik had niet gedacht dat ik het zou doen. Maar je moet ervoor gaan.'

'Hoe was het?'

Maar Sonia geeft geen antwoord. Ze is in gedachten verzonken en overdenkt iets waar Anna niet bij kan. Ze overdenkt iets waarover ze niet wil praten: de spanning en souplesse van de merrie onder haar, de vloeiende wildheid onder de aangeleerde stappen, de geur, de warmte, de ruwe, glibberige flanken, de klemmende greep waarvan haar dijen pijn doen, de geur die in haar kleren en haar huid trekt. Zoals de merrie over haar hele lijf siddert, haar voorbenen spreidt en haar hoofd buigt aan het einde van de galop, en zoals ook Sonia's benen trillen als ze afstapt. Ze loopt naar het hoofd van de merrie, haar handen gaan omhoog naar de mond van de merrie en de merrie werpt haar hoofd met een ruk omhoog alsof ze Sonia wil afweren. Maar ze wil Sonia niet echt afweren. Haar nek kromt zich, haar hoofd gaat omlaag en duwt tegen de mouw van Sonia's jasje. Haar schrandere, wijdopen, nieuwsgierige ogen zijn op Sonia's gezicht gericht. Ze snuffelt en duwt haar zachte natte lippen in Sonia's hand, dan hinnikt ze en voelt Sonia de ademstoot van de merrie tegen haar vingers.

Sonia pakt een van de boterhammen die Anna heeft afgesneden maar niet heeft opgegeten. Langzaam begint ze de binnenkant van de pan ermee schoon te vegen, zodat het brood het geurige vette spek en de goudgele straaltjes gebroken ei opzuigt. Ze haalt het vetrijke brood door de hele pan, brengt het naar haar mond en neemt een hap.

'Maar toch,' zegt ze, 'wie houden we eigenlijk voor de gek? We zijn niet echt een gezin. Het is niet echt, zoals…'

Ze stopt. Met de boterham in haar hand fronst ze alsof het haar grote moeite kost om te zeggen hoe het niet is. Maar het afstandelijke harnas van het dagelijks leven sluit zich om haar heen. Ze zegt niets meer.

'Waarom graaf je het geld op?'

Anna zit op haar hurken. 'Je mag het aan niemand vertellen.'

'Doe niet zo stom. Je weet toch dat ik dat niet doe.'

'Ik ga naar mijn moeder.'

De pijn van het verlies schiet door hem heen. Hij heeft altijd geweten dat het kon gebeuren. In gedachten heeft hij die woorden van Anna zelfs geoefend. Ik ga weg. Ik ga terug naar Londen. Maar hij had er geen idee van hoe het zou voelen om haar met haar hoofd gebogen over haar geldgraf de bankbiljetten te zien opgraven. Ze kan gaan en staan waar ze wil met duizend pond. Ze hoeft nooit terug te komen.

'Je kunt me niet tegenhouden', zegt ze koeltjes, alsof hij iemand anders is, niet David, maar een jongen die ze niet kent.

'Wat is er gebeurd?' vraagt hij.

'Er is niets gebeurd.'

'Wel waar. Anders ging je niet weg.'

En hij weet het. Hij kijkt haar zo nauwlettend aan dat hij de gedachten in haar ogen kan zien kronkelen.

'Het komt door Sonia', zegt ze na verloop van tijd.

'Wat heeft ze gedaan?'

'Niks. Alleen, ze heeft gelijk, wat doe ik hier? Wat doet mijn vader hier? We zijn geen gezin. Er is geen enkele reden voor ons om samen te zijn.'

'Waarom heeft ze dat tegen je gezegd?'

'Het is waar.'

'Hoe haalt ze het in haar hoofd om zo tegen je te praten?' zegt hij met een felheid die hij niet kent van zichzelf. Hij wordt laaiend bij de gedachte dat hij pas tien is, nog niet eens elf. Iemand kan Anna pijn doen en hij kan er niets tegen doen. Zelfs als hij het aan zijn moeder vertelde, zou ze er niet bij betrokken willen worden. Ze zou zeggen dat Sonia misschien wat te ver was gegaan, maar dat er vast en zeker meer achter zou zitten dan David wist. Hij kon zijn vader nu al horen zeggen dat Anna waarschijnlijk overdreef. Zijn vader vindt dat een leuk woord. Hij zou tegen David zeggen dat hij zich erbuiten moest houden. 'Die blijven hier niet lang. Die gaan binnenkort weer terug naar waar ze vandaan komen.'

'Je kunt de kindertelefoon bellen', zegt hij tegen Anna; hij heeft de stickers in de telefooncel gezien.

'Courtney Arkinstall belt aldoor de kindertelefoon. Ze heeft haar eigen consulent.'

'Die lui van Arkinstall, die moeten altijd alles hebben wat er is.'

'Ze zegt dat de lijn altijd bezet is. Ze moet het hartstikke vaak proberen.'

'Ga je echt terug naar Londen?'

'Ja', zegt Anna. 'Het is niet Sonia's schuld.' Haar hand is terug in haar zak, waar haar vingers de scherpe vouwlijn van het papier strelen. 'Maar ik ga niet bij mijn moeder wonen. Ik ga enkel bij haar logeren. Ze heeft een slaapbank in de woonkamer.'

'Ze wil vast dat je bij haar gaat wonen.'

'Nee. Ze weet dat dat niet kan. Ze heeft een ziekte, ze kan niet voor me zorgen.'

'Wat bedoel je?'

'Ze heeft tegen me gezegd dat het een ziekte is. Mensen denken dat het iets is waarvoor je kiest, maar dat is niet zo, het is alsof je een been mist, waardoor je niet kunt lopen.'

'Wat bedoel je?'

'Daarom kan ze niet voor me zorgen. Ze is alcoholist.'

'Niet.'

'Oké, niet dan.'

'Ik bedoelde niet dat ik je niet geloofde.'

'Weet ik.'

Ze zeggen een tijdje niets. Anna veegt aarde van haar handpalmen en lacht dan plotseling tegen hem, een brede stralende lach die hij weet niet waar vandaan komt en meer behelst dan hij zich kan voorstellen.

'Dus ik moet mijn eigen zaakjes regelen', zegt ze. 'Het is niet mijn moeders schuld. Als ik volwassen ben, zoek ik een baan en zorg ik dat ze naar een kliniek kan. Mijn vader vindt dat ze geen wilskracht heeft, maar dat heeft ze wel.'

Anna heeft de rand van het chipszakje met geld gevonden. Ze trekt het te voorschijn en schudt het heen en weer, zodat de aarde in het rond sproeit. Het geld in het zakje is nog even schoon als toen ze het achterlieten.

'Het heeft geen wortel geschoten', zegt David. 'Laten we het nog eens tellen.' Hij was vergeten hoe nieuw de biljetten waren. Hij wil het pakje nog één keer in zijn handen voelen. Nadat het zo begraven heeft gelegen, lijkt het niet meer evenveel van Anna als daarvoor, die keer dat ze de brief openmaakte. Het kan van iedereen zijn. Anna mag wel uitkijken. Het zal haar allemaal afgepakt worden als ze er niet beter op past dan ze nu doet. Hij denkt aan Sonia in de Landrover, met haar lichtblonde, strak naar achteren gekamde haar en haar zonnebril, Sonia die naar niemand kijkt en zich om niemand bekommert als ze naar de manege rijdt. Ze ziet er zo perfect uit. Ze maakt dat hij haar pijn wil doen, zoals ze door het dorp rijdt met haar kop in de wind en haar blik op oneindig, kijkend naar niemand, alsof geen van hen echt is.

Plotseling, zonder dat hij het wil, ziet hij Anna's hoofd aan de andere kant van het muurtje op en neer gaan, die dag waarop ze het landweggetje afliep en ze haar met grind be-

kogelden. Haar gezicht ging schuil achter haar haar. Ze gluur-
den door de spleten tussen de stenen en wisten dat ze hen niet
kon zien. Ze wist niet dat ze haar opwachtten. Ze zaten met zijn
vieren in elkaar gedoken, Jack Barracloughs knieën in zijn rug,
Billy's smerige pindakaasadem in zijn gezicht. Ze waren verhit
en opgewonden en zaten zo dicht mogelijk tegen de muur aan.
Ze hoorden haar voetstappen het weggetje af komen. En toen
zwaaide Johnjo zijn arm met de handvol grind naar achteren en
liet de steentjes over de muur vliegen. Ze hoorden haar voeten
stoppen. Billy lachte hardop, geen echte lach, maar een lach
bestemd voor Anna's oren, zodat ze wist dat ze er waren. Zijn
rode mond ging open en David zag op een paar centimeter van
zijn gezicht zijn tanden, waaraan resten pindakaas kleefden.
Billy gooide zijn handvol stenen en daarop gooide Jack de
zijne, maar de meeste daarvan raakten de muur en ketsten naar
hen terug. Alleen David had zijn handvol stenen nog. Ze
hadden ze van de grindhoop bij de hoge weg gehaald.

'Toe dan', zei Billy, en David gooide met de bedoeling te
doen wat Jack had gedaan en de muur te raken, maar hij was
een betere werper en de stenen gingen eroverheen. Hij wist niet
of ze haar geraakt hadden of niet. Het volgende moment
denderden ze er over de akker vandoor, waarbij Billy, Jack
en Johnjo op dezelfde harde losse manier lachten, alsof ze
broers waren. Hij wou bijna dat hij ook zo kon lachen en zich
met Billy en Johnjo en Jack bij de hoge weg op de grond kon
storten. Ze maakten zichzelf wijs dat ze haar op de vlucht
hadden gejaagd, dat ze haar op haar achterste hadden geraakt
toen ze ervandoor ging. Maar hij zei dat hij naar huis moest. Ze
keken hem aan en Billy zei: 'Ga maar naar huis dan.' Hij liep
langzaam, om duidelijk te maken dat hij niet rende. Maar dat
was ook het enige.

'Het is meer dan ik nodig heb', zegt Anna. 'We kunnen het
delen.'

'Nee', barst hij uit. 'Ik wil het niet. Het is van jou.'

Ze betast de biljetten en zegt niets. Hij denkt aan zijn vader en wat hij zou zeggen als hij David hier zag met Anna en duizend pond tussen hen in. Ze zijn een gezin. Zijn vader heeft zijn moeder nog nooit geslagen en hem ook niet. Alleen een tik op de daarvoor bestemde plaats als het nodig is; dat is wat zijn moeder altijd zegt. Of zijn vader zegt dat hij hem een vreselijk pak op zijn donder zal geven, maar hij doet het nooit. Ze zijn niet zoals de Arkinstalls. Hij heeft Billy wel eens tollend de deur uit zien komen van een lel om zijn kop en starend in het niets zien neerhurken in het gat tussen het kolenhok en de muur. Dan kun je beter geen praatje met Billy gaan maken. Als hij denkt dat je iets gezien hebt, slaat hij je de volgende dag op het schoolplein in elkaar. Soms komt Courtney naar buiten om haar neef te zoeken. Ze zegt niks, ze geeft hem alleen een kauwgummetje en neemt er zelf ook een, dan kruipen ze naast elkaar in het gat en kauwen zo lang op hun kauwgum dat die waarschijnlijk nergens meer naar smaakt.

'Niet boos zijn, David', zegt Anna.

'Ik ga met je mee', zegt hij.

'Wat?'

'Ik ga met je mee naar je moeder. Je moet niet alleen gaan. Het is niet veilig in Londen.'

Nog zegt ze niets. Hij krijgt een jeukerig rood gevoel op zijn wangen. Misschien denkt ze dat hij uit is op een gratis vakantie in Londen en bij haar wil logeren.

'Het is oké, ik blijf niet logeren. Ik ga met je mee en dan ga ik weer terug.'

'Echt?'

'Dat heb ik toch gezegd. Maar we moeten jouw geld gebruiken voor de kaartjes, want ik heb maar zes pond veertig.'

'Dan zijn we niet hier als de school begint op donderdag.'

'Wat zal Fanny Fairway er wel niet van zeggen?' vraagt hij spottend.

'Laat me niet wachten als ik je naam afroep, Anna O'Driscoll. Ben je doof, dom of allebei?'

'Stomme koe.'

'Ja.'

'Ze hoort met pensioen te gaan. Ze is al veel te oud, volgens mijn vader. Ze was er al toen hij op school zat.'

'Ik zie haar toch nooit meer', zegt Anna, die het begint te vatten. Ze kijkt om naar een voorbije wereld. 'Ik moet wel het poesje meenemen', zegt ze.

'Heb je hem nog geen naam gegeven?'

'Hij is de enige die nog over is. Hij weet dat ik het tegen hem heb. Hij heeft geen naam nodig. Ga je echt met me mee?'

'Dat heb ik toch gezegd.'

# 28

Je kunt je niet herinneren dat je ooit nog zo'n ochtend hebt gehad sinds je klein was. In de zomervakantie een keer, in Norfolk. Toen je het pension uit kwam in je korte broek met een grote ijzeren emmer en schep in je hand. De lucht was koud aan je benen, maar iedereen zei dat het later warm zou worden. De geur van de zee. Papa die met zijn hand op de paal van het hek het grindweggetje af keek naar de oprijzende zeewering en de lucht opsnoof. En plotseling zette je het op een lopen, het weggetje af, waarbij de emmer tegen de schep bonkte, je sandalen klepperden en je vlechten wapperden. Wat kon je hard rennen. En Johnnie ligt nog steeds te slapen, hij is totaal van de wereld en zal daar waarschijnlijk nog tot minstens tien uur blijven. Waardoor hij een prachtige ochtend als deze mist.

Ze waren een gek stel bij elkaar in dat pension. Je glimlacht als je je herinnert hoe mevrouw Lamb papa altijd twee worstjes bij zijn spek gaf, terwijl de anderen er maar een kregen. En ze zette het toastrek altijd pal voor papa's neus en bleef dan zwaar ademend achter zijn stoel staan als hij aan het eten was. Op een keer pikte mama over de tafel heen een van zijn worstjes, enkel om te plagen.

Een man met een hond houdt zijn pas in, hij vangt je glimlach op en denkt dat die voor hem bestemd is. Zijn hond snuffelt aan je benen en je bukt als je het ras herkent.

'Hoe heet hij?'

'Dit is Marcus.'

'Het is een Staffordshire bullterriër, hè? Wij hadden er ook zo een toen ik klein was.'

'Klopt. Fantastische hond. Ik heb hem al vanaf dat hij acht weken was en ik heb nog nooit kwaaiigheid van hem meegemaakt. Ze hebben het alleen niet zo op vreemden, als ras.'

'Ik weet het. Mijn moeder maakte zich geen seconde zorgen om me, zolang ik Claude maar bij me had. Ik kon overal heen. Mijn vader zei dat hij beter was dan een lijfwacht. Niet dat je je in die tijd zo'n zorgen maakte…'

'Er is geen trouwere hond dan een Staffordshire bullterriër.'

'Dat is waar. Ik nam Claude altijd overal mee naartoe, Loxford Lane af, het park door…'

'Het Barking Park?'

'Kent u dat?'

'Alleen van toen ik klein was. Levett Gardens, zijstraat van Goodmayes Lane.'

'Ik ken het. Wij woonden bij South Park.'

'Het is er sindsdien behoorlijk veranderd.'

'Ik ben er na mijn vaders dood nooit meer terug geweest.'

'Er is niets om naar terug te gaan, hè, als ze er niet meer zijn. Geldt voor mij ook.'

Het is een grote man, begin vijftig, misschien iets ouder. Met een kleurtje lijkt iedereen altijd een paar jaar jonger. Kalend, maar hij heeft zijn haar kortgeknipt, zodat het er goed uitziet. Hij heeft er meer kijk op dan sommige anderen. Mooi jasje, mooie schoenen.

'Ik neem iedere ochtend dezelfde route met Marcus. Tot aan de pier, dan terug via Hove, langs het King Alfred. Hij vindt het leuk daar. Ze brengen er nog steeds wat vis aan land en er liggen een paar boten. Die vislucht vindt hij lekker.'

'U bent al vroeg op pad.'

'Altijd. We doen deze wandeling voor het ontbijt en dan laat ik hem 's avonds nog een uur of zo uit, bij Shoreham Harbour of op de hei. Ergens waar hij kan rennen.'

'Het is een fulltimebaan, hè, om ze genoeg beweging te geven?'

'Je moet wel, anders is het niet eerlijk tegenover de hond. De helft van de problemen die eigenaren soms hebben, als ze zeggen dat de hond vals is, is terug te voeren op gebrek aan beweging. Als het je te veel is, moet je geen hond nemen, vind ik.'

'O, ik ben het helemaal met u eens.'

Jullie blijven staan, tevreden en dezelfde mening toegedaan. Het wordt weer een volmaakte dag, al is het om halfacht nog wat fris.

'Bent u gepensioneerd?'

'Half en half. Ik had een zaak in Londen. U zult nog wel ontdekken dat hier heel wat mensen uit Londen zitten.'

Hij denkt dat je hier woont, dat je een nieuwkomer bent en een paar tips wilt. Je vertelt hem niet dat je over een paar uur weg bent, als Johnnie wakker is. Zo'n gesprek doet een langer verblijf werkelijkheid lijken. Je zou hier je leven kunnen leiden, net als hij. Een echt leven. Met een hond misschien. Je zou snel mensen leren kennen, met een hond. Kleine golfjes krommen zich en zakken ineen op de grindbank. Er staat een vage bries, die het wateroppervlak doet rimpelen.

'Je kunt overal wonen', zegt hij. De poten van de hond tikken op het asfalt. Ze staan inmiddels aan de reling en kijken uit over het strand. Hij wijst naar rechts. 'Ziet u die schoorsteen? Dat was de elektriciteitscentrale, voordat ze hem opbliezen.'

'Waarom hebben ze de schoorsteen laten staan?'

'Ik weet het niet. Waarschijnlijk hebben ze hem van hogerhand op de monumentenlijst moeten zetten. Zo gaat het hier, maar je went eraan. Ik heb geen bezwaar tegen een schoorsteen die niets doet nu ik alle tijd aan mezelf heb.'

Je zou dat soort dingen kunnen leren. Het is heus niet te moeilijk voor je om een nieuwe plek te leren kennen. Plotseling voel je dat je hier zou kunnen wonen. Je bent gek geweest om altijd maar te denken dat je vastzat aan wat je had. Mensen gaan wel degelijk verder.

Maar de hond trekt aan zijn lijn. 'Hij zegt dat hij verder wil.'

'Hij is erg lief geweest.'

'Leuk kennis met u gemaakt te hebben.'

'En met u.'

'Het lijkt niet bepaald op Barking, hè?' zegt hij, terwijl hij uitkijkt over het water.

'Niet echt.'

'Ik houd mezelf iedere dag voor dat ik een gelukkig man ben.' Wat hij zegt is: en jij hebt ook geluk. Je hebt je geluk zelf gemaakt, zoals ik het mijne gemaakt heb. We staan hier op de boulevard, kilometers zonlicht waar we ook kijken. Wij zijn degenen die ontsnapt zijn.

# 29

'Die patat is lekker.' Je bent verbaasd, want verder deugt er niets aan het café. Het is leeg, op jou en Johnnie na. De achterkant van nergens, min of meer de laatste stopplaats voor Harwich. Op het heen en weer zwaaiende bord buiten stond: 'Maaltijden de hele dag verkrijgbaar'. Binnen zag je de afbladderende lak, de bierviltjes die eruitzien alsof iemand het zat was om nog langer op zijn broodjes te wachten en een hap uit het karton had genomen, en een treurig scheef hangend dartsbord. Je wou dat jullie waren doorgereden, maar toen kwam er een meisje, dat jullie bestelling zo vlot opnam alsof ze in een Frans restaurant stond.

Op de dames-wc hangt geen handdoek en er is geen toiletpapier, maar het is te doen. Je hebt jezelf in de spiegel bekeken en je afgevraagd in hoeveel spiegels je je spiegelbeeld nog zou zien voordat je oud was en hoe vreemd het is dat niemand weet waar hij eindigt. Maar goed ook, zei je kordaat bij jezelf toen je naar de wallen onder je ogen keek, die zelfs na een nacht goed slapen niet meer weggaan.

En het is wel prettig om hier patat te zitten eten en bier met gingerale te drinken, een damesdrankje bij uitstek. Je kunt nauwelijks geloven dat jij het bent. De achterdeur staat op een kier en de frisse lentelucht dringt naar binnen en laat de blaadjes van de kalender van vorig jaar ritselen. Het meisje vraagt of jullie er bezwaar tegen hebben dat de deur openstaat en je zegt: nee, lekker juist.

'Ik ruik de zee weer', zeg je tegen Johnnie. 'Gek idee, hè, dat we vanochtend van zee zijn vertrokken en er nu weer terug zijn. Kun je nagaan hoe klein Engeland is.'

Johnnie strekt zijn benen en pakt zijn pint Guinness op. Voor het eerst ziet hij er ontspannen uit. Hij heeft hetzelfde gevoel als jij. Nu je weg bent, kun je niet geloven dat je ooit dacht dat je in Brighton kon blijven. Jullie moeten verder reizen, want het is de enige manier om die zeepbel om jullie heen, die gelijk zou kunnen staan aan geluk, in stand te houden. Omdat jullie op doorreis zijn, hoef je niet alle vragen te beantwoorden die kunnen opkomen als je op één plek blijft. Je kunt het grootste deel van de dag naast Johnnie in de gehuurde Citroën zitten, de radiostations afzoeken om de beste muziek te vinden, een sigaret aansteken en kijken hoe hij zijn linkerhand van het stuur haalt, zodat jij hem tussen zijn vingers kunt steken. Of je kunt hem direct in zijn mond steken. Hij neemt een trek, blaast uit door zijn neusgaten en jij snuift de rook op die in Johnnie is geweest. Je kijkt naar de voorbijflitsende huizen en soms zeg je iets tegen Johnnie, maar meestal ben je stil.

Jullie hebben de koffers achterin en jullie paspoorten. Johnnie vond het een risico om terug te gaan naar jouw huis, maar je moest erheen. Het rook er bedompt en muf en je tulpen stonden dood in de vaas. Je raakte ze aan en de blaadjes vielen van de stengels. Je pakte al het schone ondergoed dat je kon vinden en je paspoort en nog wat dingen die je dacht nodig te hebben. Maar je kon niet helder nadenken. Terugkomen was iets heel anders dan thuiskomen. Je keek in je andere handtas, waar ongeveer tweehonderd aan papiergeld inzat, dat je ook meenam. Je dacht aan de duizend die je Anna gestuurd had en vroeg je af of je er Johnnie nog eens naar kon vragen, naar hoe het met Anna ging en wat ze gezegd had en hoe ze er had uitgezien, maar je besloot dat je het beter niet kon doen. Hij was toch al zo gespannen doordat hij in het huis was. Hij vond het niet leuk om weer terug te zijn in Londen, hij zei dat hij er een akelig gevoel van kreeg. Er waren hier te veel mensen die hem kenden. Je zei: 'Die kunnen toch niet allemaal naar jou op zoek zijn', in een poging er een grapje van te maken, omdat hij er zo zwaar aan tilde. Maar hij keek je alleen maar aan en zei: 'Je denkt dat ik paranoïde ben, hè? Ik heb gezegd dat ik er een akelig gevoel van krijg. En ik meen het.' Hij bleef maar uit het raam kijken, alsof hij in een film speelde. Hij wilde niet naar zijn flat terug, ook al raakte hij door zijn schone kleren heen. Het enige wat hij zei was dat hij wel wat nieuws zou kopen als hij in Denemarken was. Waarmee? wilde je zeggen, want jij had Hans en zijn vijftigduizend al afgeschreven. Toen ging hij weg om de huurauto te regelen.

In een laatste opwelling stopte je de ring met diamanten en robijnen, die Paul je had gegeven toen Anna was geboren, in je tas. Je had hem nooit graag gedragen. Je nam een paar andere sieraden mee die niet veel ruimte innamen, maar je zorgde er wel voor dat Johnnie ze niet zag. Hij zou vast weer een of ander nieuw louche zaakje willen opzetten met het geld dat je ervoor kon krijgen. Je wilde Paul bellen, enkel om hem te laten weten dat alles goed was met Johnnie, maar met Johnnie in de flat kon je dat wel vergeten. En wat zou je trouwens tegen Paul moeten zeggen? Met Johnnie gaat het goed. Maak je geen zorgen, hij is bij mij.

Je hebt Paul al genoeg aangedaan. Laat maar.

Johnnie kwam terug met een gehuurde Citroën, een oude maar snelle wagen. Je ging op je gemak naast hem zitten en rekte je uit.

'Mooie auto. Hebben ze een plek in Harwich waar je hem kunt achterlaten?'

'Ja', zei hij met die extra klare uitdrukking die hij altijd op zijn gezicht had als hij loog. Je liet het erbij. Wat deed het ertoe? Het was maar een auto.


'Ja, het is lekkere patat.' Jullie hebben elk een bakje, grof gesneden, dikke, glinsterende patat. Ze hebben er echte aardappelen voor gebruikt. Johnnie sprenkelt er meer azijn over, snijdt zijn worstje in stukken, proeft ervan en schuift de rest terzijde.

'Hou je maar bij de patat, Lou.'

En dat doe je. Je hebt meer honger dan je lange tijd gehad hebt, omdat je je niet met drank hebt kunnen volgieten. Johnnie vertelt je keer op keer hoeveel calorieën er in alcohol zitten. Je bent verbaasd, want je had jezelf aangewend om drank als niks te beschouwen. Je vroeg hem hoe hij dat wist en hij vertelde je over een meisje waar hij ooit mee omging, dat iedere keer als ze naar een restaurant gingen haar zakrekenmachine te voorschijn haalde voordat ze haar keuze uit het menu bepaalde. Ze had een boekje in haar tas waarin het aantal calorieën stond van alles, van gin tot avocado's. Zelf zou je zo ver niet gaan, maar minderen met drank zou misschien een gunstig effect hebben, los van het feit dat je dan niet dronken werd.

'Hoe doen we het met de auto? Waar laten we die achter?'

'Ik heb tegen Charlie gezegd dat we hem op de parkeerplaats zetten. Hij heeft een vriend die volgende week deze kant op komt. Ik heb gezegd dat ik het wel voor hem zou betalen', voegt hij eraan toe met een air van verdienstelijkheid dat maakt dat ze zijn bakje patat wel in zijn schoot wil kieperen.

'Sinds wanneer ben jij zo verdomd eerlijk? En wat is dat voor gedoe met Charlie? Ik dacht dat je naar Hertz zou gaan.'

'Allejezus, Lou, je hebt zelf in die auto gezeten. Ziet die eruit of ik hem bij Hertz gehuurd heb? Ik ben naar Charlie Sullivans garage gegaan. Daar kennen ze me.'

'Waar ben je mee bezig, dat je je op een moment als dit in de buurt van Charlie Sullivan waagt?'

'Hij is er nooit. Hij is de eigenaar, meer niet. Het punt met Charlie is, er staat niks op papier.'

'Charlie! Is hij je beste vriend of zo? Ik dacht dat hij inmiddels dood was. Ik heb hem al jaren niet gezien.'

'Mensen als Charlie gaan niet dood. Hé, dit zul je leuk

vinden, hij vertelde me dat hij erover dacht om in Brighton te gaan wonen. We hebben er een hele tijd over staan praten.'

'Ik dacht dat je zei dat hij er nooit was.'

'Wat doet het ertoe of hij er was of niet? Charlie is oké.'

'Nou, dan moet hij behoorlijk veranderd zijn. Hij zat altijd overal in, nog erger dan fluoride in het water.'

'Het is inmiddels een oude man. Hij is mild geworden.'

'En je vond het een leuke auto.'

'Ik vond het een leuke auto.' Johnnie glimlacht en eet zijn laatste patatjes op. Hij leunt tevreden achterover en je vertelt hem maar niet dat hij wat vet om zijn mond heeft zitten. Het kan een opluchting zijn als iets de scherpe kantjes van Johnnies uiterlijk afhaalt.

'Waar lach je om?'

'Niks. Ik ben gewoon dol op je.'

'Je klinkt als mijn oma.'

'Je hebt je oma nooit gekend.'

'Je weet te veel van me.'

'Ik weet het. Ik wou dat het niet zo was. Ik wou dat we opnieuw konden beginnen zonder iets te weten.'

'Ja.' Hij ademt diep uit, tussen zijn tanden door. 'Maar het is een nieuw begin, hè, dat we naar Denemarken gaan? Jij en ik?'

'Vind je dat echt?'

'Jij niet dan?'

Je kunt het niet over je lippen krijgen. Als er al een goed moment is om Johnnie te vertellen dat hij telkens hetzelfde doet, en jij ook, dan is dat niet nu. Het enige wat jullie doen, is iedere keer de vorm een beetje veranderen, zodat het anders voelt. In plaats daarvan zeg je: 'Ik hou van je, Johnnie', omdat dat in ieder geval waar is en het wel eens gezegd mag worden. Je denkt niet dat hij er nu van zal schrikken. Er is niemand in het café, het café is nergens en jullie gaan geen van beiden ergens heen. Het geeft je een vrijer gevoel dan je ooit hebt gehad met Johnnie.

'Dat is lief', zegt hij.

'Ja, zeker. Luister, als we in Denemarken aankomen, ga ik een ansichtkaart sturen.'

'Naar wie?'

'Naar onze dochter.'

Zijn pupillen bewegen, maar dat is ook het enige. 'Onze dochter?'

'Anna.'

'Dat moet je niet zeggen.'

'Waarom niet? Het is toch zo.'

'Maar dat kun je niet zomaar zeggen.'

'Jawel. Je kunt alles zeggen. Het voelt beter als je dat doet. Zoals ik kan zeggen: ik ben dik, ik drink te veel, ik ben veertig en ik hou van je. Je hoeft er niks mee te doen, maar als je het nooit zegt, gebeurt er ook nooit wat. Is dat wat je wilt?'

# 30

Het is zwaar weer aan het worden. Je hebt het gevoel dat je op water loopt, niet op planken. Het schip helt over tot je denkt dat het nooit meer in evenwicht komt en begint dan langzaam weer rechtop te komen, je spreidt je benen, zet je schrap en weet nog net overeind te blijven. Het is de traagte, waar je zo'n hekel aan hebt. Lange tijd kon je niet bepalen of de beweging uit het schip kwam of uit je hoofd, waar de jenever helder en slobberig heen en weer golft. Aan de bar staat een groepje Deense vrouwen, dat drankjes bestelt en zich aan de reling van de bar vastgrijpt als de boot zijn eerste zware slingerbeweging inzet. Hun gezichten wijken tot ze wazig zijn en klappen dan in scherp detail weer terug. Ze vermaken zich uitstekend. Je hoort hun gelach en gegil als de boot terugrolt, maar je kijkt in feite naar de barkeeper, die glazen op hun plaats vastzet met plastic houdertjes. Hij kijkt verveeld, boos zelfs, alsof de zee er niet echt bijhoort. De laatste keer dat je naar de bar ging, zette hij jullie drankjes met een klap neer zonder jullie aan te kijken, met het wisselgeld ernaast.

Je staat op en loopt met moeite om de zitbanken heen met jouw en Johnnies glas. Plotseling sta je bij de bar en de barkeeper legt beide handen plat op een Black Label-handdoek en schreeuwt tegen je: 'Ja? Wat wil je?'

Je verbeeldt je dat er een grote groene golf tegen het schip opklimt, die niet weet waar hij moet stoppen. Het water stroomt door de ordinaire oranje bar, het sleurt de barkeeper achter de bar vandaan, ontdoet hem van zijn jasje en spoelt hem van het dek af. Hij bidt en smeekt, maar het water schenkt er geen aandacht aan.

Je glimlacht tegen de verdronken barkeeper.

'Twee jenever. Dubbele', zeg je.

Na een poosje ben je niet meer in de bar.

'Ik geloof niet dat ik die trap nog af kom', zeg je.

'Het is minder erg dan het lijkt', zegt Johnnie, maar hoe zou hij dat moeten weten?

De boot trilt als iets wat een nachtmerrie heeft. Ging hij nou maar op en neer als een wip, zoals je dacht dat boten deden in een storm, maar de storm klinkt allang niet meer als zee en water. Rond de luchtkokers raast een sneltrein, die almaar dichterbij komt. Je denkt aan het weerbericht voor de scheepvaart, dat altijd je favoriete slaapliedje was: harde wind, krimpend naar noordoost, kracht tien, plaatselijk storm, kracht elf, kans op neerslag… Die stem zou je nu graag willen horen, maar hij is verdwenen, teruggekropen in de ingewanden van miljoenen radio's. Zoals Brighton is ingepakt in een witte meeuwen- en golvendoos. Je kunt niet geloven dat je daar vanochtend nog rondliep. Je kunt niet geloven dat je ooit zo stom bent geweest om de vaste grond onder je voeten op te geven.

Je probeert een deur naar het dek open te trekken, maar hij is vergrendeld. Een van de bemanningsleden ziet dat je de grendel omhoog probeert te duwen en schreeuwt: 'Daar kun je nu niet heen', alsof hij de barkeeper is, die weigert je te bedienen. Je legt je gezicht tegen het glas, maar je ziet niets. Zwart, stromend water. Je klemt je vast aan de grendel en stelt je voor dat een opener van rotssteen dwars door het blik van de scheepsromp snijdt. Je weet niet meer waar je bent.

'We hebben iets geraakt', zeg je.

'We raken enkel de golven', schreeuwt Johnnie in je oor. Je hoort hem en draait je om om hem aan te kijken, want voor deze keer is Johnnie degene die geeft en ben jij degene die neemt, en dankbaar grijp je je eraan vast.

'Ik wou dat ik niet met roken gestopt was', gil je als het schip je weer zo door elkaar schudt. Je denkt aan rotsen en wrakken en het lange, lege strand waar niemand ooit komt. Je bent mijlen verwijderd van Harwich en je kunt niet terug naar waar je vandaan bent gekomen.

Je raakt alleen maar de golven. Niemand anders is bang. Je hebt de gezichten van de bemanning scherp in de gaten gehouden, precies zoals je naar stewardessen kijkt als er turbulentie is. Zolang ze met miniflesjes whisky blijven tutten en je over belastingvrije artikelen blijven vertellen, weet je dat je veilig bent. Je hebt het niet zo begrepen op de aankondigingen in het Deens, die van alles kunnen betekenen, tot ze de Engelse versie er achteraan geven. Hoe klinkt 'verlaat het schip' in het Deens? Jij zou als laatste de reddingsboten in gaan, dat is zeker.

Je raakt alleen maar de golven. Je denkt aan de golven die als onafzienbare rijen slapende politiemannen voor het schip liggen, massieve, teerzwarte brokken water.

'Laten we naar beneden gaan, naar de hut', zegt Johnnie pal in je oor. Zijn adem kietelt en je huivert over je hele lijf. 'Een van ons breekt zo meteen nog een been als het zo doorgaat.'

Hij is dronken, net als jij. Dat moet wel na al die jenever. Het wit van zijn ogen is rood en vol gesprongen adertjes. Je kijkt elkaar van zo dichtbij aan dat je geen uitdrukking op je gezicht hoeft te hebben, dan wend je je blik af. Het schip duikt omlaag en je kijkt naar je vingers alsof het de vingers van iemand anders zijn die zich vastgrijpen aan de gehavende ijzeren balken waarmee een van de bemanningsleden de deuren naar het dek heeft gebarricadeerd. Je vingers zien eruit alsof de dood zelf ze er nog niet af zou kunnen scheuren. Je had nooit gedacht dat je je zo stevig aan iets kon vasthouden. Je dacht dat je bezig was alles weg te geven. North Utsira, South Utsira, Channel Light Vessel, Finisterre...* Je mist er een paar. Vreselijk hoe je dingen kunt vergeten die je wel duizend keer hebt gehoord.

Wat als een schip kan ophouden een schip te zijn? Wat als het geen schip meer wil zijn? Zoals jij bent opgehouden Anna's moeder te zijn. Het is op zijn andere zij gaan liggen. Je ruikt een hete schroeilucht die je bang maakt. Je wilt Johnnie vragen of hij het ook ruikt, maar je bent bang dat hij ja zegt en dat het dan waar is. Een metalige lucht, als doorgebrande elektriciteits-draden. Je weet zelfs niet meer of het schip nog vooruitgaat. Misschien zit het ook opgesloten in een doos, een stormdoos.

Je bent hier te slap voor. Je wilt niet betrokken zijn bij dit gevecht tussen een schip, een zee van golfijzer en een als een sneltrein voortrazende wind. Je voelt hoe slap jullie zijn, jij en Johnnie, en hoe makkelijk het is om jullie pijn te doen. Je stapte op de loopplank en dacht dat de zee er was om je daar te brengen waar je heen wilde. Nu weet je dat de zee alles met je kan doen wat ze wil.

Je hoofd doet pijn. Eerst was het om te lachen, een beetje rotweer dat wat pit bracht in het gedrang aan de bar, de drankjes en de plotseling opeengepakte massa. Mensen grepen zich aan stoelen of aan de reling van de bar vast. Ze slaakten kreten, sloegen degenen die zich staande wisten te houden en met halfvolle glazen de tafel wisten te bereiken op de schouder. Er was niets aan de hand totdat een van de Deense vrouwen met een glas in iedere hand door een slingerbeweging van het schip werd verrast. Ze viel met haar volle gewicht op het brekende glas en plotseling stroomde er helderrood bloed tussen haar vingers vandaan op het oranje tapijt. Ze was te geschrokken om haar hand te openen. De barkeeper strekte haar vingers voor haar en toen hij er een lange glassplinter

---

* Weerstations uit de Britse weersvoorspelling voor de scheepvaart (noot v.d. vert.).

uittrok, kwam zijn uitdrukkingsloze, verveelde gezicht voor het eerst die avond tot leven. Hij verbond haar hand stevig met een witte doek en mensen hadden het over een dokter zoeken. De vrouw zat met haar benen gespreid voor zich op de vloer, terwijl iemand anders haar verbonden hand omhooghield alsof ze een bokser was die het gevecht gewonnen had. De barkeeper vertelde iedereen wat hij moest doen.

'Laten we weggaan', zei Johnnie. Hij zag er ellendig uit en je herinnerde je dat hij nooit goed tegen bloed had gekund. Wie wel, dacht je.

Het enige wat jullie hadden kunnen krijgen, was een hut met gestapelde kooien. Hij is klein maar schoon en heeft zowel een douche als een patrijspoort. Je wilde wakker worden en over zee uitkijken.

Log laat je je op de onderste kooi zakken. Het geslinger van het schip lijkt minder erg als je zit. Afgezien van een strak gevoel achter je ogen, ben je prima in orde. Het is gewoon een zware nacht op zee, zoals duizenden andere zware nachten waar deze boot zich veilig doorheen heeft geworsteld. Dat de passagiers een beetje door elkaar worden geschud, is helemaal niet erg. Johnnie houdt de ladder naar de bovenste kooi vast en vraagt zich af of hij in staat is ertegen op te klimmen. Hij besluit van niet en klautert langs je heen om op de onderste kooi te gaan liggen, dicht tegen de muur aan.

De kooi is niet slecht. Ze hebben de lakens gekookt en gesteven tot de zomen als hechtpleister losscheuren, maar er liggen twee kussens en een sprei met rozen op. De rozen zien eruit alsof ze er kunnen worden afgeschraapt als verf, maar hoe het ook zij, het is een aardig gebaar. Een vleugje van het chique leven op een veerboot op de grijze Noordzee.

'Denk je al dat water onder ons eens in', zeg je. Je kijkt naar Johnnie, maar zijn ogen zijn dicht en misschien slaapt hij al. Je hoopt het. Dit zou het beste deel van de reis moeten zijn, het middelste deel, waarin je niets anders kunt doen dan je door de boot te laten dragen. Je eet, drinkt en slaapt. De boot neemt de beslissingen, niet jij. Je moet hem laten voort stampen en jullie beiden laten meenemen. Er staat wel een naam van een haven op jullie tickets, maar dat is slechts een papieren naam en hoeft nog niets te betekenen.

Je denkt aan het water onder de Palace Pier. Er kon daar van alles in zitten en de Noordzee is net zo. Niet helder, maar troebel en boordevol leven.

Je vader was dol op water. Hij zei dat de smerige oude Theems de meest fantastische rivier ter wereld was. Hij liet je zien hoe sterk de rivier was en waarom je er respect voor moest hebben. Hij nam je mee naar Tilbury om naar de uitvarende boten te kijken, dan wees hij de stromingen aan en vertelde je over het tij. Het tij liep af langs Sheerness en Shoeburyness, zei hij, langs Sheppey en Canvey en het eiland Grain. Mensen waren al duizenden jaren die kant op gegaan, zelfs al voordat Londen was gebouwd in die moerassen.

'Kijk eens naar die oranje kist, Lou. Die gaat regelrecht naar zee en als hij geluk heeft, wordt hij niet in de vaarroutes gekraakt en komt hij uiteindelijk in Frankrijk of Holland terecht. Moet je nagaan. Er is op dit stuk water meer verkeer geweest dan waar ook ter wereld. Als je eenmaal het zeegat uit bent, kun je gaan waar je wilt. Het tij is hier langer opgekomen en afgegaan dan er mensen waren om ernaar te kijken. Het is enkel vanwege de rivier dat Londen hier ligt.'

Hij liet je zien hoe het was voordat de Romeinen kwamen. Hij zei dat geschiedenis niet alles was, dat het alleen datgene was wat men had onthouden.

'Mensen stonden hier waar wij nu staan, Lou, te wachten op het tij. Ze gingen overal heen. Ze hadden nog geen bruggen over de Theems toen; iedere keer als ze de rivier over moesten, gingen ze over het water. Ze gingen de wereld rond in boten waarmee je je vandaag de dag zelfs niet op een vijver in het park zou wagen.'

Je wist door de manier waarop hij het zei dat het echt iets voor hem betekende. Ze gingen de wereld rond… Je vader zou een hekel hebben gehad aan alle veiligheidsvoorschriften die tegenwoordig gelden. Het leven ís niet veilig, zei hij altijd, waarom zou je jezelf voor de gek houden? Hij liet je op het randje van de kade staan, maar zijn hand was er altijd. Hij vond dat je erop uit moest trekken en plezier moest maken, zolang je maar niemand kwaad deed. Hij had in de oorlog bij de koopvaardij gezeten. Je had hem er een keer naar gevraagd, waar hij geweest was en hoe het geweest was, maar hij zei dat het zinloos was om dat allemaal weer op te rakelen, het was voorbij, ouwe koek. Je moeder zei dat hij naar Rusland was geweest. Rusland, zei je. Ja, zei je vader, ik kan het je afraden, al was ik destijds helemaal op de hand van oom Jozef. De meesten van ons. We hadden van hem een veel hogere pet op dan van Winston, wat er ook in je geschiedenisboek mag staan.

Je stond daar en hield je vaders hand vast, terwijl de meeuwen krijsten en er zo nu en dan een scheepshoorn loeide. Zijn hand was groot en warm, je klemde je eraan vast en liet je naar voren vallen tot je boven het water hing, waarna hij je weer terugtrok. De boten naar Zweden varen vanuit Tilbury, zei hij tegen je, dat is altijd zo geweest. Je keek naar het bruine water en naar de kranen, die in de lucht prikten, en je wilde er ook heen.

'Kunnen we met een van die boten mee, papa?'

'Ja, oké, als je een grote meid bent, neem ik je mee.'

Het oranje van de zon verborg zich in de mist. Het werd donker, maar je wilde nog niet weg en je wist dat je vader ook niet weg wilde. Hij vertelde je over de loodsen, die door de schepen aan boord werden genomen om ze de rivier af te helpen. Ze kenden iedere modderbank en stroming.

'Ze zetten de loods verderop weer af, als ze eenmaal op open water zijn. Hij heeft een bepaalde deskundigheid, snap je, zelfs de kapitein van het schip weet niet alles wat de loods weet. Hij weet er veel van, net als een taxichauffeur, alleen is het op zee moeilijker dan op de weg, omdat de zee niet steeds hetzelfde blijft. Het hoeft maar te stormen en er gaat een zandbank aan de wandel. Ze moeten op hem vertrouwen.'

'Als hij zich vergist, zinkt de boot dan?'

Je vader schudde zijn hoofd. 'Hij vergist zich niet.'

Toen gingen de lampen aan en nam je vader je mee naar een cafetaria voor worstjes en patat en je maakte een tekening van de rivier, terwijl je vader rookte en met Dot kletste, die de cafetaria runde. Je was nooit vervelend als je met je vader op stap ging.

'We hebben een leuke dag gehad, hè, Lou?'

Je hoefde geen antwoord te geven, je kneep alleen maar harder in zijn hand.

'Ik ga tegen Paul zeggen dat we het aan Anna moeten vertellen. Niet voor ons, maar voor haar. Iedereen heeft het recht te weten wie hij is.'

Je zegt het hardop, omdat Johnnie slaapt. Je weet dat het niet door de jenever komt en dat je er de volgende ochtend net zo over zult denken. De zee wordt rustiger en je voelt je niet meer zo moe. Je zou hier eeuwig kunnen blijven zitten, ongemakkelijk balancerend op de rand van de kooi, terwijl Johnnie slaapt met zijn gezicht naar de muur. Er hangt een wasseretteluucht en de geur van de sinaasappelen die je op het laatste moment in een boodschappentas had gedaan. Het waren prachtvruchten, grote navelsinaasappelen met zo'n strakke schil, die als je hem opensplijt het overvloedige vruchtvlees prijsgeeft. Jullie kunnen er morgenochtend elk een als ontbijt nemen als Johnnie die flauwekul volhoudt dat hij niet naar het restaurant wil voor het geval iemand hem ziet. Het weerhield hem er toch ook niet van om naar de bar te gaan?

Je steekt je hand uit naar de lichtknopjes naast de kooi en doet het licht uit. Je wilt even rusten en dan de douche inspecteren. Hij is ongeveer even groot als een rechtopstaande doodskist, maar je hebt het water al getest: het stroomt en het is warm. En zoet, niet zout.

Je gaat voorzichtig naast Johnnie liggen, hoewel er niet echt ruimte is voor jullie beiden en je over de rand van de kooi hangt. Je kunt beter je benen optrekken en op je zij tegen hem aan gaan liggen, als lepeltjes in een doosje. Het donker is heerlijk, als zachte duimafdrukken op je oogleden. Niet drukkend of pijnlijk, maar alsof het zegt: het is oké, je hoeft niet te bewegen. Je hoeft helemaal niets te doen. Warm en donker. Zelfs het wiegen van het schip is niet eng meer. Het is alsof je in iemands armen ligt en iedere keer als je probeert te bewegen of na te denken, wordt gesust. Als het wiegen van Anna, toen de bovenkant van haar hoofdje zo zacht was dat je het alleen met je lippen aanraakte. Je weet niet of je wiegt of gewiegd wordt. Je kruipt dichter tegen Johnnie aan en je bent bereid om alles te doen, weet je nu, alles om hem zo te houden, rustig, veilig, op zijn gemak omdat jij bij hem bent.

## 31

En daar is de trein, hij scheurt via Engelands rechterflank naar het zuiden. Leeds-Londen in minder dan twee uur. Aan boord – tussen de zakenlieden, die wrokkig tegen het volle pond reizen, en meutes kinderen, die voor twee pond elk op gezins-kaarten meegaan – zijn twee kinderen die hun eigen kaartje met goed geld hebben betaald. Twee retourtjes Leeds-Londen, kindertarief. David had het denkwerk daarvoor verricht. Hij was slim genoeg om geen kaartjes naar Londen te kopen vanaf het plaatselijke station en niet voor zichzelf een retour te kopen naast een enkeltje voor Anna. Als ze broer en zus waren, waar-om zou de een dan blijven en de ander terugkomen?

Ze zijn broer en zus. Ze hebben het verhaal klaar voor als iemand ernaar vraagt: ze gaan naar Londen om bij hun tante te logeren, omdat hun moeder weer een baby krijgt. Hun vader heeft hen in Leeds op de trein gezet en hun tante haalt hen in Londen op. Ja, ze hebben de reis al eens eerder alleen gemaakt.

Maar niemand vroeg iets. De conducteur knipte hun kaart-jes, zei: 'Zo, zijn papa en mama niet mee?' en gaf ze terug. Het klonk niet alsof hij een antwoord wilde, met die hele, volle, slingerende trein die hij nog moest afhandelen.

Broer en zus. David beheert de helft van het geld, voor het geval ze op King's Cross beroofd worden. Anna heeft hem verteld over mannen die kinderen opwachten die met de trein uit het noorden aankomen. Ze vragen of je een slaapplek zoekt en nemen je dan mee en maken video's van je die ze op internet zetten. Plotseling beseft hij dat ze veel dingen weet die hij niet weet. Als hij in zijn eentje naar Londen was gekomen, had hij misschien wel naar die mannen geluisterd. Dan had hij misschien gedacht dat hij dat best wel kon doen. Thuis zegt zijn moeder altijd: 'David is niet op zijn achterhoofd gevallen. Over David hoef ik me geen zorgen te maken', maar hij voelt zich als een boek dat is opengeslagen op een nieuwe bladzijde, een bladzijde die zijn moeder nooit heeft gelezen. Thuis was Anna degene die de verkeerde vragen stelde, en zodra ze haar mond opendeed, wist iedereen dat ze niet in het dorp hoorde. Nu gaat hij ergens heen waar Anna's stem niet uit de toon valt en de zijne wel.

Hij vroeg haar: 'Wat doen we als we in Londen aankomen, Anna?' en ze zei direct: 'King's Cross uitlopen.' Hij had verwacht dat ze een taxi zouden nemen met al dat geld, maar Anna vindt het beter van niet. De taxichauffeur zou zich hen kunnen herinneren. Voordat hij hen meeneemt, zal hij zeker controleren of ze het geld voor de rit hebben en dat betekent dat hij goed naar hun gezicht kan kijken. En het zal hem bijblijven, want de meeste kinderen alleen hebben geen geld voor een taxi. En als hij op het nieuws iets hoort over twee kinderen die vermist zijn, zal het hem te binnen schieten.

'We kunnen de Ringlijn nemen en overstappen', zegt ze.

'We komen toch niet op het nieuws, hè?'

Ze neemt nog een Twix. 'Ik weet het niet. Dingen over vermiste kinderen komen toch altijd op het nieuws?'

'Alleen als ze vermoord zijn. Om ons maken ze zich niet druk, want ik heb een briefje achtergelaten.'

Hij is al twee keer naar het buffet geweest en heeft een voorraad drankjes en hamburgers en minipatatjes in kartonnen dozen gekocht. 'Hier is je patat.' David dropt de kartonnen doos voor Anna op tafel en wurmt zich op de bank naast haar. De trein is afgeladen.

Anna pulkt aan de rand van de doos. 'Is dit echt patat?'

'Ja, ik heb in de mijne gekeken. En hier is je hamburger.' Hij geeft haar de hamburgerdoos van geel piepschuim, zakjes tomatenketchup, mosterd, zout. 'Ik wist niet meer wat je erop wilde. Jij hebt met piccalilly.'

'Er kwam nog een conducteur langs', zegt Anna. 'Ik heb gezegd dat jij onze kaartjes had.'

'Ik weet het. Hij vroeg erom.'

'Was het in orde?'

Hij knikt met zijn mond vol eten. Hij was bang geweest dat de man door hem aan te kijken op een of andere manier kon zien dat ze het recht niet hadden om in die trein te zitten.

Het was allemaal zo makkelijk gegaan. Anna had haar rugzak ingepakt in het bos bij de brug achtergelaten. Langs die weg zouden ze naar de stad gaan, over het pad, niet door het dorp. Toen Anna hem tegemoetkwam, had ze het poesje bij zich in een schoenendoos met gaten erin. Ze zwaaide haar rugzak op haar rug, maar de doos hield ze met beide handen vast, alsof er juwelen in zaten.

'We kopen op de markt in Leeds wel een echte poezenmand', zei David. De markt was vlak bij het station, dat wist hij. Hij was toen nog steeds op zijn thuisbasis, waar hij meer wist dan Anna. Hij kijkt schuins naar Anna, die mager en bleek haar patat naar binnen propt, terwijl ze naar het zuiden razen, waar zij thuis is.

'Je hebt je moeders adres toch wel?'

'Je denkt dat ik niet weet waar ze woont, hè, alleen maar omdat ik niet bij haar woon?'

'Nee...'

'Wel waar. Je bent net als iedereen. Je denkt dat mijn moeder me niet wilde en dat ik daarom bij mijn vader woon. Je denkt dat ze zou verhuizen zonder me te vertellen waar ze was. Je denkt dat ik alleen Sonia als moeder heb. Dat is wat Fanny Fairway denkt, daarom vraagt ze steeds wat mijn moeder doet.'

Haar gezicht is bleker dan ooit, haar ogen schieten vuur.

'Nee, dat denk ik niet', sust hij haar, wanhopig fluisterend.

'Dat denk ik helemaal niet. Het is toch je moeders geld, waarmee we de kaartjes betaald hebben?'

Ze fronst alsof ze iets probeert te lezen wat in te kleine letters op een schoolbord staat. Dan schuift ze haar bakje patat naar hem toe. 'Eet jij de rest maar op als je wilt. Ik ga het poesje eten geven.'

Hij werpt een snelle blik op de vrouw tegenover hen en zegt: 'Dat kun je beter op de wc doen.'

'Waarom? Zou jij je eten op de wc willen hebben?'

'Wat als ze de conducteur haalt?'

'Ze heeft het te druk met zichzelf vol te proppen.' Het is echt zo. Twee rondes ham-augurksandwiches, een cake die kruimels over Anna's stripboek sproeide, zodat ze niet kon stoppen met lachen, een grote zak teddyberenchips. Anna was stomverbaasd over de chips. 'Ik dacht dat je die alleen op verjaardagsfeestjes van kleine kinderen kreeg.' Nu werkt de vrouw tegenover hen zich door een doos chocolaatjes heen, die in de warme trein zacht zijn geworden. Iedere keer als ze een chocolaatje in haar mond steekt, veegt ze haar vingers af aan een blauw washandje, dat ze in een plastic zakje bij zich heeft. Haar gezicht glimt van het eten, maar haar ogen zijn klein, rusteloos en onvriendelijk.

'Toe nou, Anna, neem hem nou mee naar de wc.'

De vrouw vindt het niet leuk als ze fluisteren. Ze denkt dat ze over haar praten. Ze staat op het punt er iets van te zeggen en gaat geërgerd verzitten.

'Wat is er mis met het voeren van een poesje? Zie je die man daar bij de deuren, die verschoont zijn baby op de tafel.'

'Anna, tóé nou.'

En plotseling geeft ze toe en gaat, met de nieuwe poezenmand en de halve liter melk, die ze op de markt in Leeds hebben gekocht, en de druppelaar die te klein is voor de honger van het poesje.

De trein raast voort. Al deze velden zijn vlak, helemaal geen heuvels. Hij vraagt zich af of heel Zuid-Engeland zo is of dat ze de vlakke delen gekozen hebben om de spoorlijn doorheen te trekken. Hij vindt er niks aan. Als je niet naar de top van een heuvel kan klimmen, hoe moet je dan weten waar je bent? Hij denkt aan zijn moeder, als ze het briefje vindt dat hij op een pakje diepvriesbladerdeeg in de vriezer heeft geplakt. Hij wist dat ze het daar zou vinden, omdat ze hem had verteld dat ze worstenbroodjes voor het avondeten ging maken. Het was moeilijk geweest het te schrijven, terwijl zijn moeder in de kamer ernaast de was aan het sorteren was en riep dat ze aanstaande zaterdag naar Halifax moesten om nieuwe schoolschoenen voor hem te kopen. Hij had terug kunnen roepen. Als ze toen was binnengekomen, had ze gezien wat hij aan het schrijven was.

*Lieve mama, Anna is weggelopen bij haar stiefmoeder, dus ben ik meegegaan om op haar te passen. Ik ben morgen terug.*

Hij had dat van Sonia erin gezet omdat hij wilde dat iedereen wist hoe ze echt was. De volgende keer dat ze in haar Landrover door het dorp zoefde, zou iedereen haar nastaren. Op de manege zouden ze haar niet meer willen.

*P.S.: Ik heb geld voor eten, dus u hoeft u geen zorgen te maken.*

Zijn moeder zou weten dat hij in orde was. Ze wist dat hij voor zichzelf kon zorgen. 'David is niet op zijn achterhoofd gevallen.' Ze wist niet dat hij over King's Cross had gehoord en over de mannen die zeiden dat je altijd met hen mee mocht als je nergens heen kon, maar ze zou wel begrijpen dat hij op Anna moest passen.

## 32

Johnnie wordt in het donker wakker. Hij zweet en het gedreun van de motoren maakt deel uit van de nachtmerrie als hij uit alle macht probeert te ontdekken waar hij is en wie hem tegen de muur geplet houdt. De droom tolt door zijn hoofd en maakt hem misselijk.

'Lou. Louie!'

'Rustig, ik ben hier.'

Het is aardedonker. Hij klemt zich aan haar vast terwijl zijn vrije hand tegen de muur slaat in een poging een uitweg te vinden.

'Er is niets, Johnnie, we zijn op de boot.'

'Wat is er aan de hand? Zinken we?'

'Doe niet zo idioot. Je hebt me wakker gemaakt met je geblèr en geschreeuw, dat is er aan de hand.'

'Kun je het licht niet aandoen?'

Ze knipt het licht aan. 'Je bent hier.' Hij ziet haar lachend op haar elleboog steunen. Zij ziet hem drijfnat van het zweet en met verwarde blik, doordat hij te snel uit zijn droom is ontwaakt.

'Je hebt helemaal niet geslapen', zegt hij beschuldigend.

'Nee. Je kent me. Ik slaap ook niet als ik in een vliegtuig zit. Ik moet hem in de lucht houden, hè. Dat is zwaar werk.'

'Hoe laat is het?'

'Halfvier. Wil je een slokje water?' Ze houdt hem een blauwe plastic fles voor, waar hij gulzig uit drinkt.

'Het komt doordat ik op een boot zit. Daar krijg ik koppijn van.'

'Daar heb je geen koppijn van gekregen. Trouwens, de zee is niet meer zo ruw.'

'Doe dat licht uit, Lou, het is te fel.'

Het donker slokt hen weer op.

'Wat droomde je?' Haar stem komt zo kalm uit het donker alsof het er deel van is. En bovendien kan hij haar niet zien. Het maakt het makkelijker om te praten.

'Ik was ergens in Afrika een reportage aan het maken voor de tv omdat er een hongersnood was. Ik was in een kamer met een non en staarde naar haar bed.'

'Ik wed dat ze dat wel leuk vond.'

'Ze zag me niet eens. De lakens slingerden overal in het rond omdat ze net wakker geworden en uit bed gesprongen was. Toen stonden er vijf mandjes op de grond met vijf baby's erin.

Ze knielde op de grond om in een van de mandjes te kijken. Plotseling greep ze die baby en renden we door heel grote deuren naar buiten, een soort kerkdeuren. Ik wist dat de baby niet goed ademde en er rende een priester achter ons aan, een enorme, dikke vent, die Duits sprak en met ons mee rende om te proberen te helpen met de baby.'

'Waar slaat dat allemaal op?'

Ze voelt hem zijn schouders ophalen. 'Ik weet het niet.'

'Het was jouw droom. Je kúnt het weten als je wilt.'

'Ja. Maar ik was niet de juiste persoon om dit te dromen, wel?'

'Wat bedoel je?'

'Ik heb nog nooit zoiets voor iemand gedaan, toch? Waarom zou ik zo'n droom hebben?'

'Je hebt te veel praatjes van de missiepriesters gehoord toen je klein was.'

'Ik stond alleen maar in de weg', zegt Johnnie. 'Ik stond hen in de weg. Ze konden er niet langs, omdat ik daar neergezet was om de deuropening te blokkeren. En die non was heel klein, zo klein als een vogeltje, en ze stond die priester niet toe om zich erlangs te wurmen. Ze waren niet boos. Ze waren enkel… te druk in de weer met belangrijker dingen. Ze zágen me niet eens. Niet echt. Het was alsof ik onzichtbaar was. Er was niet genoeg van mezelf om iets te vormen waar ze naar konden kijken. Ik zal je zeggen hoe ik me voelde. Ik voelde me versléten.'

'Het was maar een droom.'

'Ja, weet ik. Maar het leek echt.'

'Was de baby oké?'

'Dat weet ik niet, toch?'

'Weet je, Johnnie, je zou een goede tv-verslaggever zijn.'

Hij lacht onwillig. 'Je wilt niet meer slapen als je zulke dromen hebt.'

'Het klinkt mij niet zo vreselijk in de oren.'

'Het gaat niet om wat er gebeurde. Het gaat om hoe ik me erbij voelde.'

'Hoe dan?'

'Als een hoop stront. Zoals ik echt ben.'

'Dat moet je niet zeggen.'

'Voel jij je nooit zo?'

'Ik voel allerlei dingen als ik in de stemming ben, maar ik beschouw het niet als de heilige waarheid.'

'Jij vindt me in werkelijkheid toch ook een hoop stront? Paul ook. Hij kan het niet verbergen. Hij wil prikkeldraad om mijn leven spannen om te voorkomen dat ik er een klerezooi van maak.'

'Hij houdt van je.'

'Ja, dat weet ik', zegt hij. Met zijn stem wuift hij het weg.

'Hij houdt meer van je dan wie ook.'

Een zucht, een scherpe uitademing in haar oor, die haar harder raakt dan een vuistslag.

'Dat weet ik', zegt hij weer, en dit keer zit het er allemaal in: de niet te veranderen verlorenheid van dingen, het besef dat hij is wat hij van zichzelf gemaakt heeft.

'Het enige wat ik gedaan heb, is mensen vernachelen', zegt hij.

'Hij is je bróér, Johnnie. Hij houdt van je. Waar jij bent, daar wil hij ook zijn. Daar is weinig mis mee. Het enige wat hij wilde, was je helpen als hij wist dat je in moeilijkheden zat.'

'Het was meer dan dat. Ik kan mijn kont niet keren zonder dat hij het weet. Ik kan zelfs niet ademhalen. Alles wat ik gedaan heb, weet hij. Alles! Zo gaat het al mijn hele leven en ik heb nooit kunnen ophouden met beseffen hoeveel hij om me geeft en dat te gebruiken om hem te belazeren.'

'Hé, ik ga het licht aandoen. Ik ga een van die sinaasappelen voor ons pellen. Ik weet niet hoe het met jouw mond staat, maar ik heb iets nodig om de smaak uit de mijne te verdrijven. Je draait je maar om en bedekt je ogen als je niet tegen het licht kunt.'

'Ik heb geen last van het licht.'

Ze staat op en rommelt in haar boodschappentas. Een straaltje sinaasappelsap raakt zijn hand als ze de vrucht openbreekt en hem begint te pellen.

'Wil je nog wat water? Ik heb nog een fles hier.' Ze heeft sinaasappelen, biscuitjes, een reep chocola, een fles whiskey. Ze pelt de sinaasappel, wipt de baby uit de navel, breekt de vrucht doormidden en geeft de helft aan Johnnie. Hij is zoet, koel, rijp. Hij verorbert zijn helft gulzig en vraagt of ze nog meer heeft.

'Ik pel er nog wel een voor je. Het zijn heerlijke sinaasappelen, neem maar een hele deze keer; dat zal je goed doen. En ik heb ook noten en rozijnen gekocht.'

De noten zijn zoute amandelen, de rozijnen dikke sultana's. Ze heeft ze apart gekocht, om te mengen. Dat is echt Lou. Ze koopt nooit voorverpakte rommel. Of liever gezegd, dat deed ze nooit tot ze begon te drinken. Dorstig eet hij de hele sinaasappel op en lurkt dan aan de fles water.

'Je droogt ervan uit, van die jenever', merkt ze op.

'Hoe laat is het?'

'Bijna vier uur.'

'Het is al bijna ochtend.'

'We komen pas om zeven uur vanavond aan. We kunnen naar boven gaan om te ontbijten en dan weer terug naar bed.'

'Ik loop liever niet rond op het schip.'

'Je bent anders snel genoeg naar die bar gelopen.'

'Het was dom. Het was risico nemen voor niets, net als toen we over de pier liepen.'

'Er is niemand op deze boot, Johnnie.'

'Hoe weet je dat?'

'Zelfs als iemand ons in Brighton gezien had, zouden ze ons nooit hierheen hebben kunnen volgen.'

'En de auto dan?'

'Wat bedoel je?'

'De auto. Ik ben naar Charlie Sullivans garage gegaan. Daar kennen ze me.'

'Dat heb je me al verteld.' Ze wordt zo moe van die woorden dat ze ze nauwelijks nog uit haar mond kan krijgen. Omdat hij het weer voor elkaar heeft. Hij heeft zichzelf er ingeluisd, zoals hij zichzelf er altijd inluist, en nu ligt hij je met een schuldbewust gezicht aan te kijken en daagt je uit om zijn schuld te bevestigen. *Je ziet een vis naar het oppervlak zwemmen. Johnnies vinger kietelt zijn fluwelige flanken.*

*'Ik kan hem er zo uithalen. Hij wil gewoon gevangen worden.'*

Als ze uit de metro komen, wordt David voor het eerst bang. Anna staat daar zo verloren, terwijl mensen om haar heen lopen alsof ze niet meer is dan een ijzeren paal. Het is spitsuur en de lucht van al die opeengepakte mensen maakt hem misselijk. Hij vindt de witte betegelde wanden lelijk. Dan lijkt Anna wakker te worden. Ze kijkt rond om zich te oriënteren en loopt in de richting van het gele bordje UITGANG. Hij gaat haar achterna, maar binnen de kortste keren wordt ze opgeslokt door de menigte en ziet hij haar niet meer. Hij probeert zich erdoorheen te wurmen, maar de muur van ruggen en benen geeft niet mee. Plotseling raakt hij in paniek als hij beseft dat zij zich van hem verwijdert terwijl hij gedwongen wordt met dezelfde slakkengang voort te schuifelen als iedereen. Ze staat vast al op de roltrap in de veronderstelling dat hij vlak achter haar loopt. Hij ziet haar vast nooit meer.

'Anna!' roept hij. 'Anna! Wacht op mij!'

En daar is ze – hoe is het mogelijk? – pal naast hem, even klein en bleek en beheerst als altijd. Ze heeft de lichamen langs zich heen laten glijden en is feilloos naar hem teruggelopen. Ze heeft van zo'n menigte even weinig last als een forel last heeft van de stroming.

'Wat is er?'

'Ik dacht dat ik je kwijt was.'

'Er is niks aan de hand. Zo is het altijd in het spitsuur. Ik zou bij de uitgang op je gewacht hebben.'

Maar hij weet inmiddels dat er meer dan één uitgang is. Hij zag zich al zwetend, wanhopig en totaal van de kaart van de ene naar de andere rennen.

'Ik had je wel gevonden', zegt ze. En dan, tot zijn nog grotere verbazing, voelt hij hoe haar hand de zijne pakt. Ze ziet er zo koel en beheerst uit, maar haar hand is warm. 'Laten we elkaars hand vasthouden,' zegt ze, 'dan kunnen we elkaar niet kwijtraken.' Ze gaan zij aan zij met de roltrap omhoog, weggedrukt tegen de rechterkant, met het poezenmandje voor Anna's buik, zodat mensen er niet tegenaan kunnen stoten. Het poesje heeft in de trein veel gemiauwd, maar nu is het rustig. Het is al heel lang stil.

Hij wil achteromkijken om te zien hoe ver ze al gevorderd zijn, maar Anna staart stil voor zich uit. Ze schijnt niet opgewonden te zijn, zelfs niet nu ze er bijna zijn. Hij vraagt zich af hoe het zou zijn als het zijn moeder was die daar zat te wachten en hij degene die gezegd had: 'Ik blijf een poosje', wetend dat er niet meer in zat. Anna zegt dat haar moeder er niks aan kan doen, omdat het een ziekte is. Er zijn klinieken voor, Anna heeft het er in de trein over gehad. Ze weet er veel van. Ze werken, maar ze kosten een hoop geld en haar vader zegt dat het dat niet waard is, tenzij iemand de wilskracht ervoor heeft. Hij zegt dat het een paar maanden goed zou gaan met haar moeder, maar dat het dan weer opnieuw zou beginnen. Maar Anna denkt van niet. Als Anna geld genoeg heeft, als ze haar eigen leven leidt, wil ze haar moeder overhalen zich te laten behandelen. Maar zolang je niet groot bent, neemt niemand je serieus. Ze zullen dus moeten wachten.

Anna is hem ver vooruit gesneld in haar gedachten. Hij kan zich nog steeds niet voorstellen dat hij bij zijn ouders weg zou gaan, al heeft hij het inmiddels wel gedaan.

Ze komen in het grijze, warme daglicht. Er dwarrelt papier rond en het ziet er smerig uit. Misschien woont Anna in een arme buurt, denkt hij. Hij kijkt de straat in, naar de rode bussen en de zwarte taxi's. Er staat een stalletje met ansicht-kaarten en hij betrapt zichzelf op de gedachte er een te kopen voor zijn vader en moeder.

'Is het ver naar je moeders huis?'

'Nee, deze straat in, dan rechtsaf en dan is het nog een klein stukje.'

Hij wil vragen of ze het zeker weet, want al loopt ze alsof ze weet waar ze heen gaat, haar blik is leeg. Hij vindt het een beetje stom dat ze elkaars hand nog steeds vasthouden terwijl ze in het daglicht lopen, maar er is hier niemand die hem kent. Niemand in een straal van honderden kilometers die hem of een van de Ollerenshaws kent. De gezichten schieten voorbij, honderden en honderden. Er zijn meer mensen die in een mobiele telefoon praten dan mensen die met elkaar praten. Plotseling lopen ze langs een bloemenkraam. Hij blijft staan en trekt aan Anna's hand.

'Ik moet iets kopen voor je moeder. Van wat voor bloemen houdt ze?'

'Je hoeft geen cadeautje voor haar te kopen.'

'Het is toch geen cadeautje, het is háár geld tenslotte.'

Anna barst in lachen uit. 'Ze houdt van fresia's. Die daar. Weet je, mijn moeder heeft me verteld dat de meeste mannen geen fresia's kunnen ruiken, ook al ruiken ze nog zo sterk.'

Hij bukt zich naar de emmer fresia's en snuffelt aan de witte en crèmekleurige wasachtige bloemen. De geur is sterk en diep en hij kan ze goed ruiken. Ze hebben een varentakje bij de bosjes bloemen gezet om ze er leuk te laten uitzien en een lint om het cellofaan gestrikt. Gek idee dat de allereerste keer dat hij bloemen koopt, ze voor iemand zijn die hij niet kent.

'Ik wil deze graag.'

Hij betaalt met een briefje van tien. Hij heeft nog maar twee briefjes van twintig in de nieuwe portemonnee zitten die hij op het station van Leeds heeft gekocht. De rest van het geld zit verspreid over zijn rugzak, de zakken van zijn spijkerbroek, de binnenzak van zijn jasje.

Bij de volgende winkel die ze passeren, kijkt hij in de etalage. Hij laat zijn blik snel over de prijzen dwalen en beseft dat er niet één ding in de etalage staat dat hij niet zou kunnen kopen als hij dat wilde. Niet dat het zijn geld is, dat weet hij wel. Maar het maakt dat je je anders voelt als je weet dat je alles kunt krijgen wat je hebben wilt. Je verkiest alleen om het niet te kopen.

Als ze bij het huis komen, blijkt het smal en gebroken wit te zijn, een beetje als de kleur van de fresia's. Anna's moeder woont op het eind van een hofje, met een hoge muur rond de tuin aan de zijkant. Het ligt pal aan de straat, geen voortuin, geen garage, geen carport. Enkel een stenen trappetje dat naar de voordeur leidt, met zwarte leuningen aan elke kant. Hij ziet zelfs geen bel. Maar hij weet al dat hij ernaast zat met zijn veronderstelling dat het een arme buurt was, zo ver ernaast dat hij blij is dat hij zijn mond gehouden heeft.

Anna laat zijn hand los en gaat de trap op. Ze draait aan iets wat op een schroef lijkt naast de voordeur en diep in het huis hoort hij een bel rinkelen. Het geluid van de bel sterft weg, maar er gebeurt niets. Na een halve minuut belt Anna nog eens, maar hij ziet aan haar houding dat ze niet gelooft dat er iemand open zal komen doen.

'Misschien is ze boodschappen doen. Legt ze de sleutel niet ergens neer als ze weggaat?'

'Nee.'

Anna belt nog eens, maar voordat het gerinkel stopt, heeft ze zich al omgedraaid. Ze tilt de mand met het poesje op en komt het trapje weer af. 'Ze is er niet.'

'Nee.'

'Wat moeten we nou doen?'

'Kun je niet op een andere manier naar binnen?'

'Nee. Ze heeft sloten op alle ramen.'

'En de tuin? Kunnen we niet over de muur klimmen?'

Ze fronst. 'Achter in de steeg zit een deur, maar die is altijd op slot. Mijn moeder maakt hem nooit open. Er groeit van alles tegenaan.'

'We kunnen het proberen.'

'Hij is niet ópen!' Ze klinkt boos, geërgerd. Alsof ze niet wil dat hij open is. Alsof ze nu ze zo dichtbij zijn, weer weg wil. Maar ze kunnen nergens heen. Hotels laten geen kinderen alleen toe.

'We kunnen toch even kijken', zegt hij voorzichtig. 'Ik kan goed klimmen.'

Zwijgend leidt ze hem naar de achterkant, door het steegje, waar de vuilnisbakken staan. De deur is half overdekt met klimplanten. Als hij ze opzij duwt, worden zijn handen zwart van het stof, en plotseling zegt Anna: 'Soms slapen hier mensen, maar die worden altijd weggestuurd.'

Het ziet er niet uit of de deur ooit open is geweest, maar daar onder de klimplanten zit een klink. De klink draait en al klemt de deur, hij heeft plotseling heel duidelijk het gevoel dat het alleen het klemmen van uitgezet hout is. Er zit geen slot op. Hij gaat zeker open.

'Help eens een handje. Snel, voordat er iemand komt.'

Hij weet zeker dat hij open zal gaan, zoals zijn vader soms iets weet als hij naar de rennen kijkt. Zijn vader ziet een paard op tien lengtes achter de koplopers aan de buitenkant opkomen. 'Let goed op Polygon Lad', zegt hij dan. Dat zegt hij nooit, tenzij hij weet dat het paard het gaat maken en hij kan zien hoe jij hem als een vlieger in een rechte lijn naar de finish ziet vliegen, alsof de jockey hem alleen maar los hoefde te laten. Op tv zie je het zweet niet en hoor je het geroffel van de hoeven niet, maar hij is met zijn vader naar de rennen geweest en hij weet hoe het in het echt is. Het schuim vliegt van de paarden af en raakt je als spuug. Het paard dat de hele race aan kop heeft gelegen, heeft het nu moeilijk en de jockey staat met zijn kont omhoog in de stijgbeugels en laat zijn zweep met korte meppen neerkomen, omdat hij weet dat hij zelf het tempo heeft bepaald, en nu vervloekt hij zichzelf omdat het paard zijn longen uit zijn lijf rent, maar het lijkt of hij stilstaat. Hij kijkt even om en ziet Polygon Lad steeds dichterbij komen en hij weet dat hij al het mogelijke uit het paard heeft gehaald, maar misschien kan hij er nog een tikkeltje meer uit rammen als ze de laatste bocht doorkomen en het rechte stuk op gaan. En terwijl hij ranselt en ploetert, zweeft Polygon Lad hun voorbij. Hij wint alsof dat is wat God vanaf het moment dat de koers begon, heeft bepaald.

## 33

Ze zijn in de tuin. Het licht weerkaatst van de witte muren en David knippert met zijn ogen. Het is er warm en stil en besloten. Anna glimlacht als ze op haar hurken bij een poeltje gaat zitten. Haar hand maakt een scheppende beweging door het water en ze trekt hem er druipend weer uit.

'Er zaten vissen in toen ik klein was. En er is een fontein die 's nachts verlicht is.'

'Kun je hem aandoen?'

'Nee. De knop zit binnen.'

Ze draaien zich om en kijken naar het huis. Het staart wezenloos terug uit zijn gesloten ramen. De zonwering is ook halfdicht. David loopt naar de openslaande ramen en probeert een van de grepen.

'Niet doen! Dan zet je het alarm in werking. Dan komt er iemand.'

'Waar denk je dat ze is?'

'Ik weet het niet. Ze gaat meestal niet uit.'

'Zou ze op vakantie zijn, denk je?'

Anna staat naast hem naar binnen te turen. Ze zien borden en glazen op het kleine tafeltje staan en aan de andere kant van de bank is een stapel kranten van de armleuning af gevallen. Ze is niet erg netjes, denkt David. Zijn moeder zou het huis nooit zo achterlaten. Er ligt zelfs een wijnfles op de grond. Het lijkt de Queen's Head wel op zondagochtend, met overal sigarettenpeuken en kleverige kringen van de glazen.

'We moeten nieuwe melk halen voor het poesje.'

Ja, denkt hij, en ook iets voor ons. 'Is er een winkel in de buurt, waar ze je niet kennen?'

'Ze weten na al die tijd heus niet meer wie ik ben. Ik zie er niet meer hetzelfde uit.'

'Is er geen supermarkt waar we heen kunnen?' Supermarkten zijn veiliger. Daar kijken ze je niet aan als je iets koopt. Ze letten niet op een kind met een briefje van twintig, bij de kruidenier op de hoek wel.

Ze denkt na. 'Ik kan het me niet herinneren. Mijn moeder heeft me er nooit mee naartoe gekomen. Ik geloof niet dat ze wel eens naar de supermarkt gaat.'

'We moeten een plek vinden om te slapen, Anna, als we het huis niet in kunnen.'

'We kunnen hier blijven.'

'Waar?'

'In de tuin. Het is niet koud. We kunnen onder de struiken slapen. Ik maakte er altijd huisjes toen ik klein was en het regende nooit in.'

En ze zouden goed verborgen zitten. Niemand kan over die muren heen kijken. Ze kunnen een huisje maken en klimplanten over de struiken trekken tot ze helemaal verborgen zijn. Zolang ze zichzelf niet verraden, zal niemand weten dat ze hier zitten. Ze kijken elkaar aan, terwijl het idee tussen hen heen en weer flitst. Een kamp. Een geheime plek. Ze kunnen hier wonen en niemand die er ooit achter komt.

'We kunnen eten kopen', zegt Anna.

'Ja, maar 's nachts wordt het koud. Waar moeten we dan op slapen?'

En dan dringt het opnieuw tot hem door dat ze geld hebben en dat ze ermee kunnen doen wat ze willen. Ze kunnen slaapzakken kopen. Ze kunnen zelfs een tent kopen en zo'n gasstelletje om op te koken. Het doet er niet toe hoelang Anna's moeder wegblijft, want hier in de tuin kunnen ze hun eigen kamp maken.

Het is donker. Het poesje slaapt in zijn mandje, dat, ingeklemd tussen de spullen, achter in de tent staat. Ze hebben de tentflappen opgebonden gelaten, waardoor de bleekheid van Anna's gezicht en de zwarte vlek van haar haar in de oranje gloed van de straatlantaarns extra opvallen. Ze slaapt op haar rug met haar mond open. David slaapt ook, op zijn zij, met opgetrokken knieën. Zijn gezicht is vertrokken van dromen, het hare is kalm. Boven hen ronkt gestaag een helikopter, maar ze horen niets. Een of twee keer kruist het zoeklicht van de helikopter de tuin, maar het is niet op zoek naar hen. Het valt op de bamboe, de vlinderstruiken met hun ontluikende bladeren en een zinken emmer. Het glijdt over het poeltje. Dan stijgt de helikopter en ratelt weg naar het noordoosten, in de richting van Finsbury Park, en schiet het licht ergens anders heen. Anna beweegt. Ze gooit een arm over David heen, fronst en laat haar arm daar liggen.

Een paar uur later wordt David wakker. Hij weet meteen waar hij is. Hij is niet bang, hij is niet in de war. Hij denkt aan zijn vader en moeder in hun slaapkamer, diep in slaap, wachtend op het moment dat hun Teasmade-wekker hen wakker maakt. Nee, hij heeft zelfs geen heimwee. Hij wil niet thuis zijn. Hij wil niet wakker worden en met Billy, Jack en Johnjo naar school gaan. Hij zou zijn ouders natuurlijk graag willen zien; dat denkt hij tenminste. Maar ze zijn ver weg, waar hij wil dat ze zijn. Ze zouden binnen de kortste keren een eind maken aan de manier waarop zijn leven zich verbreedt en nieuwe vormen aanneemt. Als ze hier waren, zouden ze hem binnen vijf minuten uit de tent, op straat en in de trein naar Leeds hebben. En terug naar waar hij vandaan kwam. Het enige wat ze ooit van Anna gedacht hebben, is dat ze wel weer gauw weg zou zijn, terug naar waar ze vandaan kwam. Ze doet er niet toe. Ze hoeven niet eens te zéggen dat ze het een goede zaak vinden dat ze weggaat. Dat spreekt vanzelf bij hem thuis. Er zal wel een steekje los zijn aan mensen die niet tevreden kunnen zijn, die maar her en der rondhangen en oprapen wat ze toegeworpen krijgen, als een violist op een bruiloft. Hij haat het als zijn vader dat soort dingen zegt. Hij heeft nog nooit violisten op een bruiloft gezien, al is hij er op heel wat geweest. Ze slepen hem mee uit angst dat ze iemand voor het hoofd stoten. Je gaat mee, David, of je wilt of niet. Ik heb geen zin in ruzie met de Arkinstalls. Hij heeft nog nooit wat meegemaakt, denkt hij, terwijl hij de donzen slaapzak nijdig om zijn schouders trekt. En er zijn dingen die zíj ook nooit meegemaakt hebben.

Het wordt kouder. Het is nog niet licht, maar het donker heeft al een grijzig zweem. Het poesje miauwt. Misschien kan hij het eten geven zonder Anna wakker te maken.

Anna. Ze ligt op haar rug. Iedere keer als ze uitademt, klinkt het alsof ze fluit, alsof ze zucht. Het is een eenzaam geluid en hij vraagt zich af of hij ook zo klinkt als hij slaapt. Hij buigt zich heel dicht over haar heen om te proberen haar gezicht te zien. Plotseling kreunt ze, alsof ze ergens pijn heeft. Maar ze slaapt nog steeds. Hij wil haar niet wakker maken. Heel voorzichtig geeft hij een klopje op haar wang.

'Niets aan de hand, Anna,' zegt hij, 'ik ben hier. Ik zorg wel voor je.' Hij heeft nog nooit zoiets gezegd, tegen niemand. Thuis zou hij dat nooit durven zeggen. Daar is het zijn moeder die het zorgen doet, en die wil niet dat iemand zich ermee bemoeit, net zo min als ze wil dat hij en zijn vader in haar keuken rotzooien.

Hij kan beter wakker blijven en een oogje in het zeil houden voor het geval Anna weer zo kreunt. Het is al bijna ochtend, dan kunnen ze het gasstelletje proberen. Hij heeft een donkerblauwe uitgezocht met een koperen brandertje en hij heeft de gastank er ver vandaan opgeborgen, zoals de man tegen hem had gezegd. Ze hebben een koelbox gekocht en brood en boter en melk en cacaopoeder. Eerst wilde hij bacon kopen, maar toen bedacht hij zich. De lucht van gebakken spek zou de buren waarschijnlijk op hun spoor zetten. Het gasstel is perfect: er zit geen krasje of vetspettertje op. Hij koestert de gedachte aan het gasstelletje en wacht tot het ochtend wordt.

# 34

Er wordt op de deur geklopt.

'Room service.'

Je draait je om naar Johnnie. 'Wie is dat?'

Hij is in een oogwenk uit de kooi en loopt geruisloos naar de deur. Hij gebaart dat je daar moet blijven.

'Het kan room service niet zijn midden in de nacht.' Je vormt de woorden meer met je lippen dan dat je ze zegt.

Dan wordt er opnieuw geklopt.

'Room service. Room service.' De stem klinkt vlak, hard, verveeld.

Je hoort het gerinkel van aardewerk… of zijn het glazen?

Je begrijpt heel even nog steeds niet waarom de woorden zo ijzig langs je huid strijken, maar opeens weet je het.

'Johnnie', fluister je. 'Ik heb niets besteld. Jij?'

Het kloppen weer. Nog harder. Beseffen ze niet dat ze mensen storen? Johnnie struikelt als de boot slingert en grijpt zich aan de deurknop vast.

'Room service. Pot thee besteld voor hut dertig.'

Johnnie heeft zijn hand nog steeds op de knop. Om hem te openen, moet je de knop in het midden indrukken en dan draaien.

Je houdt zijn hand stil. 'Ze gaan wel weg als je niet opendoet. Ze weten niet dat je er bent.'

Je kijkt achter je naar de lichte doos die jullie hut is, de ronde, zwarte patrijspoort, de hoop lakens en dekens. De kooien zijn met bouten aan de vloer bevestigd. Er is niets wat je tegen de deur kunt klemmen om ze tegen te houden.

'Niet doen, Johnnie. Niet opendoen.'

Maar zijn hand ligt op de deurknop en je probeert uit alle macht zijn vingers los te wurmen.

'Hou je erbuiten, Lou. Het heeft niks met jou te maken. Ik los het wel op.'

Je probeert hem vast te grijpen, maar hij schudt je af, zodat je tegen de douchemuur valt. Daar blijf je als vastgenageld staan staren terwijl hij de knop omdraait en de deur opentrekt.

Er is niemand. Je ziet Johnnie naar voren stappen en naar rechts en links kijken en je komt in de deuropening staan. De gang is felverlicht en verlaten. Rechts liggen de hutten 31 t/m 40, links de hutten 20 t/m 29. Pijlen met de afbeelding van een rennende man wijzen naar de nooduitgangen. Op de grond voor jullie hut staat een dienblad met een theepot, twee kop-en-schotels en een paar minikuipjes melk. Het aardewerk rinkelt mee met de beweging van het schip. Het is het geluid van theetijd, veiligheid, thuis. Er ligt een briefje opgevouwen op het dienblad. Johnnie buigt zich voorover, vouwt het open en samen lezen jullie: 'Met de complimenten van het management.'

'Nou zeg, zit ik me van alles in mijn hoofd te halen', zeg je. 'Is de thee warm?' Johnnie bukt om aan de pot te voelen en knikt.

'Ze moeten hem gewoon neergezet hebben en weggegaan zijn', zeg je. Maar onwillekeurig kijk je toch nog een keer de gang in. 'Neem je die thee mee naar binnen, Johnnie? We kunnen hem net zo goed opdrinken nu we hem toch hebben.'

'Neem jij maar als je wilt', zegt Johnnie. 'Ik ben het zat om hier opgesloten te zitten. Ik wil frisse lucht.'

'Je kunt het dek niet op. Ze hebben de deuren gebarricadeerd, weet je nog?'

'Die zijn nu wel weer open. Ga jij nog maar wat slapen als je wilt. Ik neem straks wel wat voor je mee.'

Maar je voelt je niet op je gemak. Je wilt niet in je eentje beneden in de hut blijven, met mensen die op de deur bonzen en dingen brengen die je niet besteld hebt. Je zult blij zijn als je van dit schip af bent. 'Ik ga met je mee. Geef me even een minuutje om mijn gezicht te wassen.'

Johnnie wacht, terwijl jij in de spiegel tuurt en je gezicht reinigt met babydoekjes. Je huid is vettig, ook al heb je niet geslapen. Goddank heb je nog steeds dat dikke golvende haar, waar je alleen maar een kam doorheen hoeft te halen. Het is zo'n beetje het enige wat er nog over is aan de pluskant. Je gezicht tuurt naar je terug in de metalen spiegel en je spuugt op een tissue om een klontje mascara uit je oog te halen. Zo. Zo moet het maar. Alleen een nieuw laagje mascara en wat poeder en dan ben je weer presentabel.

'Schenk eens een kop van die thee voor me in, Johnnie', roep je door de badkamerdeur heen. Je hoort de kopjes rinkelen. Johnnie heeft niet de moeite genomen het dienblad naar binnen te brengen. Hij zal wel op zijn hurken in de deurope-ning zitten om in te schenken. Dan gaat er een kopje aan diggelen.

'Alles oké, Johnnie?' roep je, maar hij geeft geen antwoord. Je wilt niet meteen naar buiten rennen om te helpen, hij haat het als je drukte maakt. Waarschijnlijk heeft hij geprobeerd een van die stomme melkdingen open te maken en toen het kopje omgestoten.

'Johnnie?'

Je kijkt fronsend in de spiegel. Je hoopt dat hij niet de hele rommel heeft omgegooid, want je had je op die kop thee verheugd. Althans, dat is wat je jezelf wijsmaakt om het pa-nische gekwetter in je oren tot bedaren te brengen.

'Johnnie?'

Hij geeft nog steeds geen antwoord. Langzaam en kijkend naar je handen leg je je make-uptas neer. Je draait je om. De hut is zo klein dat je je arm zou kunnen uitsteken en hem aanraken als de deur van de douchecabine er niet tussen zat. Je haalt adem en duwt de deur open.

Maar de hut is helemaal leeg. De gangdeur staat nog steeds open en het theeblad staat op de grond. Er ligt een kopje in scherven in een plas lichtbruine thee, die zich langzaam over het linoleum in de gang verspreidt. Dat was het geluid dat je hoorde, maar nu is alles volkomen stil, volkomen rustig, op het kreunen van het schip na. Er is niemand. Heel even bekruipt je de gedachte dat Johnnie een doekje is gaan halen om de rotzooi op te ruimen. Maar iets in je lijf denkt sneller dan jij en daardoor heb je je binnen tien seconden omgedraaid, de sleutel van de hut gepakt en ben je muisstil de gang in gestapt. Je trekt de deur achter je in het slot. Je loopt geruisloos door de witte gang, waar lampen zoemen, gevangen in kooien van ijzerdraad. Je hebt inmiddels je balans gevonden. Geen enkel probleem waar deze zee je voor stelt, kan je bang maken. Je kent deze smalle, stampende gangen en de steile trap inmiddels. Je vindt je weg wel. Je loopt door, steeds dicht bij de muur. Bij de bocht in de gang ga je voetje voor voetje verder, terwijl je je dicht tegen de muur aan drukt. Weer niets. Weer een lege, glanzende tunnel van linoleum en crèmekleurige verf. Iemand heeft een paar sportschoenen met gescheurde zolen buitengezet. Halverwege de gang is een trap, maar die gaat nergens heen: als je de deur opendoet, rolt je een vette, olieachtige golf van stank en lawaai tegemoet. De trap voert naar het autodek. Zou hij daar kunnen zijn? Het is een lekker stille plek. Maar op autodekken hebben ze toch videocamera's, voor het geval er brand uitbreekt? Hij zal eerder ergens op een donker plekje zijn, waar het oog van een camera niet kan komen. Je laat de deur los en de rubber afdichting zucht als hij dichtvalt.

Aan het eind van de gang staan nog meer pijlen, deze wijzen naar boven. Je volgt ze. Boven zijn vast mensen. Als je door de afzetting loopt, waarop ALLEEN BEMANNING staat, zul je zeker iemand vinden. Er moet toch een kapitein zijn die het schip stuurt. Je loopt verder. Boven schrik je van een geluid, maar het is enkel een videospelletje, dat in een nis tegen zichzelf piept. Verderop is een verduisterd vertrek, waarop RESTAURANT staat. Nog meer trappen leiden naar boven naar het sloependek en je voelt het tochten langs je benen.

Je klimt naar koudere lucht, die ruikt naar ijzer. Er is niemand. Er zijn hier twee deuren naar het dek, een rechts en een links. Je voelt een dunne, frisse laag wind door de kieren fluiten. Je loopt erheen en duwt de stang hard naar beneden, hij geeft mee. De deuren moeten vannacht ontgrendeld zijn.

De wind grijpt de deuren en dringt in je mond, je haar en je jurk. Je probeert je rok te pakken, maar hij vliegt omhoog en dan heb je de deur dichtgeslagen en sta je op je blote voeten buiten op het natte dek te glibberen, verpletterd door het bedrijfslawaai van de zee. Je staat bij de uitlaat van de motoren. Er sijpelt genoeg licht door om het glanzende dek van je af te zien kantelen. Je durft nauwelijks naar de zee te kijken. Maar de lucht is niet zwart meer. Het is opgehouden met regenen en rechts van je zie je een smerige strook grijs. Het schip zwoegt en siddert, maar je stemming klaart op. Het is de zonsopgang. Het daglicht komt eraan en het schip is op weg naar land. Je weet dat het goed zal komen nu de nacht voorbij is, als je Johnnie tenminste kunt vinden.

Achter je zie je de zwarte contouren van de reddingsboten. Daar ga je eerst heen. Je houdt je aan de reling vast en gaat hand over hand verder, terwijl je met je voeten in de plassen trapt. Ver onder je kolkt de zee, maar je kijkt er niet naar en denkt er niet aan. De reddingsboot hangt monsterlijk groot boven je hoofd. Je bent voorbij het midden van het schip en je kunt het hele dek overzien, maar je ziet nog steeds niemand en je hoort enkel het schip en de zee. Je durft niet te roepen.

Je ziet hen bijna over het hoofd. Je valt bijna over hen heen. Rechts van je, in de schaduw van een stapel reddingsvlotten met een dekzeil erover, zitten drie mannen. Je brengt hen niet in verband met Johnnie. Je denkt dat je op seks gestuit bent. Een man, bij wie een andere man op schoot ligt en een derde die tussen de benen van beiden knielt en iets op het gezicht aanbrengt van de man met het opgeheven gezicht, die eruitziet alsof er zwarte rozen op zijn wangen groeien. Dan hoor je het geluid dat de man diep in zijn keel maakt. Dat heb je eerder gehoord, je weet het zeker. Een hijgend geluid, een geluid dat je zelf gemaakt hebt toen je vocht om niet te persen.

'Hou je smoel, verdomme', zegt de knielende man. Hij werkt hard en geconcentreerd en je kijkt een halve seconde wezenloos toe voordat het beeld op zijn plaats valt en je beseft wat ze aan het doen zijn.

Ze hebben je gezien noch gehoord. Je zou nu kunnen bukken en wegsmelten achter de stapel vlotten en wachten tot het ophoudt. Het zal zeker ophouden.

Je neemt een duik. Je komt met gespreide handen achter op de knielende man terecht. Je trekt je handen naar je toe en klauwt naar zijn ogen. Je vingers graaien naar de zachte oogballen, je nagels krabben en trekken. Hij schreeuwt het uit en komt met zijn rug omhoog om je af te gooien, waardoor je voeten wegglijden. Hij werpt je achterover, je valt, met zijn volle gewicht boven op je, en slaat met je achterhoofd op het dek.

Als je weer uit je ogen kunt kijken, zit er een man schrijlings op je. Er is genoeg licht om de bloederige tranen te zien die langs zijn gezicht lopen, maar je legt geen verband met jezelf. De man die schrijlings op je zit, tilt je hoofd op en slaat het met een klap tegen het dek. Je voelt het zilte nat in je mond als je op je eigen tong bijt. Je trapt en probeert je knieën op te trekken, maar je kunt geen kant op. Opnieuw legt hij zijn handen om je hoofd en trekt het omhoog. Jullie staren elkaar aan en dan ramt hij je weer omlaag. Hij grijpt je polsen en perst ze tegen het dek, kreunend van inspanning, zodat er een sliert spuug op je gezicht valt. Je kronkelt zijwaarts en plotseling is daar Johnnies gezicht op vijftien centimeter van het jouwe. Zijn ogen zijn open, staren je aan, zijn wangen zijn zwart van het bloed. Hij ziet en herkent je, maar hij zegt niets. Hij strekt zijn armen niet uit om je aan te raken, je ziet dat ze achter zijn rug zijn vastgebonden. Er staat nu een andere man over je heen gebogen, hij stampt met zijn schoen op je hand. Je schokt omhoog en dan zie je Johnnie niet meer.

Doordat de mannen blijven zwijgen, weet je wat voor types het zijn. Maar door al het breekwerk in je hoofd weet je eigenlijk al niet zo heel veel meer. Even zie je een paar geschreven woorden, maar voordat je tijd hebt om ze te lezen, verdwijnen ze. Handen grijpen je ellebogen, handen grijpen je enkels. De wind raast langs je heen als je wordt opgetild. Zachtjes begin je te schommelen. Ze laten je even wiegelen, zodat je de tijd hebt om te raden wat er gaat gebeuren, of misschien zijn ze enkel aan het bedenken hoe ze het moeten doen. Ze ademen zwaar, want je bent een zware vrouw. Je probeert te gillen, maar je moet hoesten door het bloed in je mond. Ze schommelen je harder. Omhoog ga je en omlaag en weer omhoog en omlaag, je voet slaat tegen de reddingsvlotten en vervolgens vlieg je door de lucht.

Je raakt de zee onder de best mogelijke hoek. Zwemmen kun je wel vergeten, al ben je een goede zwemmer. De golven slaan onmiddellijk over je heen en nemen je onder hun hoede zoals de zee altijd gedaan heeft. Al die keren dat je er vlakbij stond en ontkwam: dat zal nu niet gebeuren. Toen je boven de smerige Theems hing en je vaders handen je terugtrokken.

Je bent je ervan bewust dat hij naar je toe komt in een klein bootje met buitenboordmotor, waarin hij de verraderlijke stroming even handig pareert als welke betaalde loods ook. Hij zit achter in de boot te sturen, maar zijn ogen laten je gezicht geen seconde los. Hij weet precies waar je bent. Het enige wat je hoeft te doen, is blijven zwemmen tot hij bij je is. Hij komt snel naderbij, schat de hoek in waaronder hij zal draaien en langszij zal komen, om dan de motor af te zetten en je over de rand de boot in te tillen.

Je denkt dat je krachtig zwemt met de langzame en gestage slag die hij je op achtereenvolgende zaterdagochtenden leerde. Je was altijd als eerste in het water als het zwembad openging. Zo kun je eindeloos doorgaan, zei je vader tegen je. Je hoeft je alleen maar te ontspannen. Het water draagt je. Maar je zwemt helemaal niet.

## 35

Het is weer zo'n zeldzame, warme ochtend in april. De vogels zingen met een virtuositeit die ze over een maand vergeten zijn. Louises tuin is vol stille, blauwe lucht, maar de stenen van het terras zijn koud. Het is april, geen augustus, en de zon is nog niet om de hoek van het huis verschenen.

De openslaande ramen zijn dicht en vanbinnen op slot gedraaid. De twee kinderen in de tent slapen en zullen tot tien uur 's ochtends doorslapen, ondanks het lawaai van een Londense dag aan de andere kant van de muur. Ze zijn dood-moe. David is wakker gebleven tot de zon opkwam en heeft het poesje eten gegeven terwijl Anna sliep. Het poesje zoog de melk direct op, spuugde vervolgens de speen van de druppelaar uit, schudde zijn kop en niesde. Hij wil meer dan dat, dacht David, en schonk wat melk in een plastic schaaltje van hun nieuwe kampeerset. Hij zette het nog wankel op zijn pootjes staande poesje in de tent op de grond en hield hem de melk voor. Het poesje liet zijn kopje zakken en zijn snoetje zonk diep in de melk, waardoor hij geschrokken opnieuw niesde. Hij trilde over zijn hele lijfje en liep achteruit van het schaaltje weg. David hield het schaaltje scheef, waardoor er een klein stroom-pje melk uitliep en een plasje vormde aan de pootjes van het poesje. Het poesje boog zich eroverheen, snuffelde eraan, en plotseling vond hij zijn tong en likte alsof hij zijn hele leven nooit iets anders had gedaan. Het melkplasje slonk en was weldra verdwenen: hij had het helemaal zelfstandig opgedron-ken. Wacht tot ik het Anna vertel, dacht David, en hij schonk nog een plasje melk uit. Binnen de kortste keren zou hij hem leren uit het schaaltje te drinken.

Het poesje is terug in zijn mand, de jongen in zijn slaapzak. Er trekt een siddering door het lage struikgewas en er komt een kat uit te voorschijn, met hoge rug en trillende neus. Ze ruikt het poesje. Ze houdt stil bij de opgerolde tentflap en klauwt er voorzichtig aan. Het is een wilde kat, oranje, mager als een lat, op de strakke kluwen babypoesjes na die de huid onder haar ribben oprekt. Ze kent deze tuin beter dan wie ook. Ze is hier geboren. De geur van het poesje, vreemd en tegelijkertijd niet vreemd, prikkelt haar en verspreidt zich over haar territorium. Ze wil er zo dichtbij komen dat ze het met haar poot om en om kan draaien. Misschien accepteert ze het, in een opwelling die net zo ijzersterk is als haar magere ruggengraat.

Ze neemt een stap de tent in, zet een poot op Anna's slaapzak en kneedt de stof onderzoekend. Aan de rand van haar gezichtsveld vliegt iets langs de tent. Ze keert zich met een ruk om en haar poot schiet uit als ze opspringt om de vlinder uit de lucht te slaan. Maar de babypoesjes in haar buik maken haar zwaar en ze mist. De witte vlinder cirkelt als een opdwarrelend papiertje verder omhoog, buiten haar bereik. Onmiddellijk loopt de kat weg van haar mislukking, naar de vlek zonlicht die zojuist de hoek van het terras heeft bereikt. Ze vleit zich tussen de stenen en schuift met haar lijfje heen en weer alsof ze een nest maakt. De vlek breidt zich uit als ze zich installeert, het zonlicht valt op haar hele lijf en slaat vonken uit haar oranje vel. Ze drukt haar buik tegen de stenen, zodat ze zelfs als ze ligt op een prooi lijkt te azen; ze zoekt, ze schat in, ze tart het gewicht van haar zwangerschap om jager te kunnen blijven. Plotseling kromt ze haar rug en rekt zich in volle lengte uit, waardoor de gezwollen onderkant van haar lijf en haar tepels goed te zien zijn. In een extase van zonlicht kronkelt ze over de steen en slaat met haar staart van links naar rechts. Enkele tellen later is ze in slaap.

De boot uit Harwich vaart in noordoostelijke richting over een kalmer wordende zee. Het stamp van de motoren klinkt gelijkmatig, al trilt de hele inhoud van de boot soms als een krat vol flessen. Dingen slippen en glippen weg en worden op hun plaats teruggezet. Zo nu en dan is er een glimp zonlicht, een paar mensen zijn klaar met ontbijten en gaan aan dek. Een bemanningslid is bezig een stapel dekstoelen los te maken die onder een zeil hebben gestaan, alsof de zon zo dadelijk echt te voorschijn zal komen en mensen aan dek zullen komen om met opgeheven gezicht in de zon te liggen, hun hoofd mee knikkend op een privé-stroompje muziek. Iemand zou het zelfs de moeite waard kunnen vinden om een foto te nemen.

Het restaurant is inmiddels open. Je betaalt een vast bedrag en dan mag je net zo veel eten als je wilt. Er ligt zilver op tafel, witte tafelkleden en witte servetten. Plakken ham en plakken kaas overlappen elkaar. Er is roggebrood en witbrood met maanzaad, er zijn zoete broodjes en pompernikkel en lichtgele Deense boter. Kannen sinaasappelsap zijn vastgeklemd in metalen houders. De koffie is kokendheet. Er ligt een felgekleurde berg appels, die niemand aanraakt omdat ze er te volmaakt of te duur uitzien.

Twee mannen zitten tegenover elkaar aan een tafeltje bij de brede ramen die over zee uitkijken. Van tijd tot tijd gluren ze opzij en tussen de happen door nemen ze de grijze glans van het water, de heldere, bleke lucht en de hen volgende meeuwen in zich op. Ze breken hun gekookte ei open en schuiven het opzij als ze ontdekken dat het lauw is. Ze verorberen een stapel witte boterhammen met ham en duwen vervolgens hun stoel naar achteren om onder het genot van de ene kop koffie na de andere na te denken.

Eentje knikt er in de richting van de horizon. 'Het klaart op', zegt hij, maar de ander geeft geen antwoord. Zijn gezicht is geschaafd en gekneusd door een ongelukkige val uit zijn kooi in de vroege uurtjes. Hij is de enige niet. Een bemanningslid heeft een gebroken schouder van een deur die losschoot en tegen hem aan sloeg en een heleboel passagiers zijn nog in hun hut om katers en zeeziekte weg te slapen. Sommigen zullen zich de hele dag niet laten zien.

Vlak na zonsopgang was het opnieuw hard gaan regenen. Vlagen water stoven over de dekken en spoelden ze schoon. Nu, in het aanzwellende licht, glanzen ze. Het schip is een boorplatform gepasseerd, een container die richting Rotterdam dobberde, een Duitse veerboot. De twee mannen kijken naar alles, terwijl hun handen doelloos voor hen op tafel liggen of een kop koffie of een sigaret oppakken. Nog maar een paar uur te gaan voordat ze terug aan land zijn, daarna gaan ze in zuidelijke richting dwars door Duitsland naar een of andere veerbootterminal in België of Frankrijk, waar ze nieuwe tickets zullen kopen. Morgenavond zijn ze thuis en is de klus geklaard. Ze zouden Johnnie niet vermoord hebben als ze niet gestoord waren. Ze zouden hem enkel verminkt hebben, meer niet, en zijn benen gebroken hebben. Dat is waar Charlie Sullivan hun voor betaald had en dat is wat ze deden. Ze deden het helemaal volgens het boekje, tot en met het briefje op het dienblad, wat bij nader inzien een beetje stom was, hun visitekaartje zo achterlaten. Hij stond bij Charlie in het krijt. Het was een oude schuld, had Charlie gezegd, een zware schuld, en hij verdomde het om de zaak nog langer op zijn beloop te laten. Johnnie zat tot aan zijn nek in de stront, dat wist iedereen. Er waren zat mensen op zoek naar Johnnie, dus dit was een goed moment voor Charlie. Johnnie stond bij hem in het krijt. 'Geen gevoel voor zaken,' had meneer Sullivan gezegd, 'niet zoals zijn broer.' En hij had breed gelachen. Hij was voor de verandering tamelijk praterig geweest, al wisten ze dat dat niet per se een goed teken was. Ze weten dat meneer Sullivan iets heeft tegen mensen die hun schulden niet betalen.

'Dit blijft natuurlijk allemaal tussen ons', had hij gezegd, terwijl hij hun een blik toeschoot alsof hij een peuk uitdrukte in de resten van zijn avondeten. En ze hadden geknikt: 'Ja, tuurlijk, meneer Sullivan', en hun gezicht geplooid zoals hij wilde, omdat ze wisten dat hij nooit een gezicht vergat. Of wat dan ook vergat.

Hoe dan ook, ze hadden Johnnie niet willen vermoorden. Het was alleen dat van het een het ander kwam toen ze gestoord werden. Als hij alleen gereisd had, zoals hij van plan was geweest, zoals hij Charlie had verteld, zou het goed gegaan zijn. Ze zouden hem terug in zijn hut gelegd hebben en als het schip was afgemeerd, was er iemand langsgekomen die hem vond. Het was iets anders dan dat hij vast was komen te zitten in een land als Marokko, wat ook nog gekund had.

En tegen die tijd zouden zij op weg zijn geweest naar het zuiden. Niemand is ooit doodgegaan van een paar gebroken benen en een beetje plastische chirurgie. Het is gewoon waar: als zij er niet geweest was, zou Johnnie nog leven. Ze kennen Johnnie, ze kennen hem al heel lang. Goeie jongen. Ze hebben niks tegen Johnnie, persoonlijk.

'Ik heb een bloedhekel aan schepen', zegt de man met het ongeschonden gezicht. 'Dat eindeloze zitten geeft me zo'n opgesloten gevoel. Zet mij maar liever op een vliegtuig.'

De ander laat zijn handen over tafel glijden. Hij ziet ze een sigaret pakken en een aansteker aanknippen. Dan kijkt hij verbaasd, alsof hij dacht dat ze iets heel anders zouden gaan doen.

Het is niet waar dat er geen sterren zijn in Londen. Je moet ze zoeken. Je kunt niet gewoon je hoofd in je nek leggen zoals op het platteland, waar de lucht zo groot en kaal is. Daar heeft hij het grootste deel van de avond af en aan over zitten nadenken toen hij naar Londen reed. Ik zou nog steeds een observatorium kunnen inrichten, zegt hij bij zichzelf.

Hij wist dat hij terug zou gaan naar Londen. Hij had dat

briefje van Anna niet nodig gehad om te weten waar ze heen was. Sonia had aangeboden mee te gaan, maar dat had hij niet gewild.

'Dan mis je je paardrijles', had hij tegen haar gezegd en met voldoening een blos zo donker als een pruim over haar bleke gezicht zien trekken. Ze had gedacht dat ze hem voor de gek kon houden. Nou, daar zou ze nog wel achter komen. Maar ergens kon hij het haar niet kwalijk nemen. Hij was zijn belangstelling voor haar kwijt en zij wist dat. Het was een vergissing geweest om haar daar mee naartoe te nemen. Sonia was parttime beter dan fulltime.

Hij had meteen beseft dat Anna bij Louise zou zijn. Hij maakt zich geen zorgen, hij wil er alleen maar zo snel mogelijk heen. Hij blijft maar aan iets stoms denken: hoe dun Anna's polsen zijn, hoe makkelijk het zou zijn om haar bij haar polsen te grijpen. Hoe licht ze is. Hoe makkelijk op te tillen en weg te dragen. Maar ze is niet alleen en ze heeft geld. Ze ligt natuurlijk lekker ingestopt in bed bij Louise. Als Louise het benul had om zelf de telefoon aan te nemen in plaats van hem dag en nacht op het antwoordapparaat te laten staan, zou hij nu zeker weten of Anna bij haar was. Maar Louise heeft hem niet gebeld. Ze zal Anna nu niet meer zonder strijd naar hem terug laten gaan, weet hij. Ze heeft wat ze altijd al wilde: bewijs. Als zij een slechte moeder is, is hij geen haar beter. Wat vertelt Anna haar nu? Liggen ze samen in Louises bed en fluistert Anna haar van heel dichtbij toe dat ze niet terug wil naar Yorkshire, dat ze hier wil blijven, thuis? Hij schakelt zijn gedachten uit en drukt het gaspedaal in om het volgende stoplicht te halen.

Hij heeft haast, hij weet niet wat hem te wachten staat. Maar het komt eraan. Het zal sowieso snel genoeg bij hem zijn, hoeveel minuten hij ook voor oranje blijft wachten. Het spoedt zich naar de plek waar hij straks zal zijn. Als hij kon stoppen en ernaar kon luisteren, zou hij het sissen horen van de tijd die hard op het noodlot af koerst, maar hij stopt niet. Hij heeft in zijn eigen hoofd genoeg te beluisteren, nog los van het gebonk van Dylans *Not Dark Yet.*

'*U geeft hem op als vermist?*'

*Paul zal knikken.*

'*Dat kan. Uw broer was bij ons bekend, zoals u waarschijnlijk wel zult weten.*'

*De gloeilamp zal sissen. De tegels zullen schitteren door het witte licht dat ze terugkaatsen. Er zal te veel licht op het gezicht van de politieman vallen en Paul zal zich willen afwenden, maar hij zal blijven kijken. De huid van de politieman zal glimmen alsof hij hem met olie heeft ingesmeerd.*

'*Ik zal u nog iets vertellen. Aangezien we alleen zijn en dit onder ons blijft. Officieus.*' *Hij zal heel even wachten als hij zijn informatiebelofte voor Pauls neus laat bungelen. Paul zal verstrakken en licht voorover buigen als om op te vangen wat er komen gaat.* '*Zo'n smerige schooier als uw broer kunnen we missen als kiespijn. En het enige wat ik zou willen, is dat ik het zo hard kon zeggen dat hij het ook hoorde.*'

*Paul zal voorovergebogen blijven zitten. Welke boodschap hij ook verwacht had, hij is nog niet gekomen. Hij zal geen antwoord geven.*

*Hij zal net zolang wachten als nodig is. Hij zal overal rondvragen. Hij zal een boodschap achterlaten bij een bureau dat bemiddelt tussen vermiste personen en hun familie. En wat er ook voor nodig is, hij zal er beetje bij beetje achter komen.*

*Hij zal zijn broer voor altijd in zich dragen. Ze zijn broers, nietwaar? Nauwer verbonden dan man en vrouw, moeder en dochter, vader en zoon. Hoe zou je uit de spiralen van je eigen* DNA *kunnen klimmen? Al hun genen zijn gelijk. Ze komen uit hetzelfde nest en hun oorsprong is ingebed in henzelf. Het is als het licht van een ster, ingebed in een explosie die miljoenen koude jaren voordat een van hen geboren was, heeft plaatsgevonden. Er kan tussen hen tweeën nooit sprake zijn van schuld of vergiffenis.*

*Het zou net zoiets zijn als proberen je eigen rechterhand te vergeven. Als Johnnie terugkomt, zal Paul er zijn. Hij zal hem zien aankomen, ongeacht hoe Johnnie veranderd is, ongeacht wiens kant het getij van goed of kwaad op gestroomd is. Hij zal hem herkennen, ongeacht hoeveel jaren van verandering zich op hem gestapeld hebben. Hij zal hem van verre zien aankomen, hij zal zijn hand boven zijn ogen houden en tegen de zon in turen, terwijl zijn hart ineenkrimpt en vervolgens opspringt in zijn borst. Johnnie zal twijfelen aan het welkom. Hij zal treuzelen als hij het huis eenmaal in zicht krijgt, bang zijn om dichterbij te komen. Maar het zal niets uitmaken, want Paul zal harder hollen dan hij ooit van zijn leven gehold heeft, hij zal luid zijn naam roepen en hem tegemoet rennen.*

Kijk ze liggen: jongetje en meisje, zij aan zij, slaapzak aan slaapzak. De ruggen van hun handen raken elkaar: Davids rechterhand, Anna's linkerhand. Ze hebben geen enkele macht, deze twee: het verhaal van de zoveelste drukke Londense ochtend ontvouwt zich zonder hen. Het zijn kinderen en ze slapen in de tuin, in het tentje dat ze gekocht hebben met geld dat ze uit een gat in de grond gehaald hebben. Ze hebben geen macht over hun eigen leven. Hoe kan het dan dat hun aanblik een volwassen man kan tegenhouden? Toch is het zo. Paul zit op handen en knieën bij de ingang van de tent en staart naar de lichte dauw van zweet op het voorhoofd van zijn slapende dochter. Ze is zijn dochter niet, dat weet hij ook wel, maar ze lijkt toch op hem. Ze lijkt op Johnnie. De kabels van hun verwantschap zijn, evenals de wortels die het verleden in het heden plant, vervlochten met haar slapende gezicht. Anna's gezicht is nog zo zacht dat er geen knoesten te zien zijn.

Hij verroert zich niet. Hij gaat niet de tent in en stoort de kinderen niet. Misschien kan hij het niet. Ook op zíjn gezicht ligt zweet. Het is warm en hij zou graag zijn voorhoofd afvegen, maar hij wil zich niet bewegen.

Hij verroert zich niet, maar ze hebben hem al verlaten. Als een schip afvaart, lijkt de zich verwijdende strook water tussen de reizigers en hen die op de kade zijn achtergebleven aanvankelijk niet breder dan de stroken die ze elkaar aanreiken als bewijs dat ze nog steeds met elkaar verbonden zijn. Maar dan vallen de rode stroken en hangen slap neer in handen die vergeten zijn te zwaaien. Het water is een alsmaar breder wordende geul, dan een baai, en na een tijd wordt het de zee zelf.

De kinderen liggen naar elkaar toe gewend. Roerloos gaan ze ergens heen waar hij niet kan komen. Hun handen raken elkaar als een belofte die, als het moet, jaren zal blijven wachten, omdat hij weet dat hij uiteindelijk zal worden ingelost.

# Helen Dunmore bij Uitgeverij De Geus

## *Oogappel*

Simone verhuist met haar gezin van Londen naar een kleurloos stadje aan de kust. Op het nieuwe adres ontvangt Simone een onthutsende stroom van berichten van haar ex-geliefde, de Amerikaan Michael. Als Michael zelf opduikt en Simone gaat stalken, wordt zijn greep op haar leven steeds groter.

## *Terug naar de zee*

Toen de zusjes Nina en Isabel vier en zeven jaar oud waren, stierf hun broertje Colin aan wiegendood. De meisjes hebben die gebeurtenis verdrongen, maar de geboorte van Isabels zoon schudt het verleden wakker. Over wat er toentertijd precies is voorgevallen in de babykamer, blijken de zussen heel verschillende herinneringen te hebben.